# WŁADYSŁAW BARTOSZEWSKI

## opracował MICHAŁ KOMAR

POD PRĄD

LITERATURA FAKTU PWN

**Wydawca** Małgorzata Maruszkin

**Redakcja i przypisy** Zofia Kunert

**Biogramy** Zofia Kunert oraz Zespół PWN

**Projekt okładki** Anna Angerman

**Korekta** Ewa Garbowska

**Projekt wnętrza i łamanie** Paweł Kamiński

**Produkcja** Ewa Oszwałdowska

**Druk i oprawa** Drukarnia Wydawnicza im. W.L. Anczyca

**Dział Ilustracji, Kartografii i Archiwum Elektronicznego**
Barbara Chmielarska-Łoś, Elżbieta Moore

**Współpraca** Kaja Murawska

ISBN 978-83-01-16510-9

Wydawnictwo Naukowe PWN SA
e-mail:pwn@pwn.com.pl
www.pwn.pl

# WSTĘP

Moją nową opowieść zaczynam w chwili, kiedy dźwigam już dotkliwy garb życiowych doświadczeń. Bo nie każdy 22-, 23-letni człowiek miał już za sobą niemiecki kacet i kilka lat bardzo ryzykownej konspiracji, jako że służba w kontrwywiadzie więziennym, zbieranie dokumentacji zbrodni hitlerowskich, to była *sui generis* pierwsza linia frontu, choć bez broni. Ja tę służbę wykonywałem. Również udział w pomocy Żydom, których losy były wtedy tragicznie przypieczętowane, był moim ważnym ludzkim doświadczeniem. I nie dlatego, że chciałem, nie dlatego, że myśmy sobie to czy co innego wybierali, tylko dlatego, że tak się złożyło i trzeba było się zachować w sposób, jaki się wtedy uważało za honorowy, godny. Po prostu takie były czasy.

To wieczny polski motyw: co należy, jak trzeba, jak się powinno, motyw wierności zasadom – męstwa, honoru, godności. Ta motywacja odegrała wielką rolę w wyborze dróg, w kształtowaniu się mojego naturalnego środowiska i przyłączaniu się do już ukształtowanych środowisk reprezentujących określony porządek wartości ponadczasowych i ponadnarodowych. Lojalność, wierność, przyjaźń, solidność, odpowiedzialność, umiejętność zachowania tajemnicy, znalezienia się w okolicznościach narzuconych, odpowiedniego zachowania w sytuacji potrzeby, to wszystko było znakiem wywoławczym dla bardzo wielu ludzi.

Moje wspomnienia świadomie ograniczam do ludzi, których dane mi było bliżej, albo szczególnie blisko poznać na przełomie epok, epoki Polski niepodległej i Polski podziemnej końca historii II Rzeczypospolitej. II Rzeczpospolita pod okupacją wrogów i Polska Podziemna lat 1939–45 to była wspólna hierarchia wartości, wspólny ład polityczno-prawny, wspólna przysięga, wspólne zasady w wychowaniu, harcerstwie, wojsku, w domach i kościołach, wśród przyzwoitych ludzi. A w latach 1944–45 zaczynał się zupełnie nowy etap, w którym wszystkie te wartości ulegały zachwianiu, groziła wręcz zmiana ich hierarchii. Ludzie przechodzili różne losy. Niektórzy przypłacili życiem – bardzo szybko po wojnie i przedwcześnie – to, co musieli przeżyć, a inni zapłacili emigracją polityczną, koniecznością wyboru nowych dróg lub trafili do miejsc izolacji, więzień, obozów.

Byłem świadkiem wydarzeń i przeżyć, które mnie związały, często bez mego wyboru i z przypadku, z określonymi ludźmi. To jednak, że lgnąłem do jednych, a do innych mniej, to już była sprawa mojego instynktu, osobistego wyboru, sumienia; można to nazywać, jak kto chce. Szedłem „Pod prąd" czyli pod prąd sytuacji, która miała narzucić

Władysław Bartoszewski – po wyjściu z więzienia na przerwę w odbywaniu kary w 1954 r. (przymusowo strzyżone więźniom włosy dopiero odrastają)

nam wszystkim dostosowanie się lub załamanie rąk; taki zamiar mieli ci, którzy ją organizowali w wymiarze wielkiej polityki, światowej, europejskiej i w wymiarze małej polityki, taktyki administracji. Tak było.

Ten nowy porządek przynosił niesłychane pomieszanie pojęć, także wśród ludzi zasłużonych, rozsądnych, ale mało wyrobionych politycznie – bo i skąd, po kilku latach braku normalnego życia publicznego. Dotyczyło to nie tylko najmłodszego pokolenia na skraju matury i studiów, ale i ludzi dojrzałych, którzy szukali dróg normalności.

Dla mnie wielkim szczęściem było środowisko osób, z którymi było mi dane się stykać i to byli ludzie bardzo różni. Książka „Pod prąd" obejmuje doświadczenia pierwszych lat powojennych, obejmuje próby prac na rzecz społeczności – jak na przykład dokumentacja zbrodni hitlerowskich i poszukiwanie śladów ludzi umęczonych przez okupanta, próby czynne, osobiste, przy użyciu własnych rąk, przy ekshumacjach, przy rozpoznawaniu ofiar, coś, co jest obowiązkiem powiedzmy od czasów „Antygony".

To były lata doświadczeń przerywanych eksperymentem, jakim była moja praca w wówczas tworzącej się realistycznie działającej legalnej opozycji. Mam tu na myśli środowisko ówczesnego Polskiego Stronnictwa Ludowego Korbońskiego i Bagińskiego i „Gazetę Ludową"; to środowisko uznałem za własne.

Równocześnie musieli uciekać za granicę ludzie tacy jak Tadeusz Żenczykowski z żoną ocalałą z Majdanka i Oświęcimia, człowiek, który odegrał ogromną rolę w kształtowaniu opinii publicznej w Polsce podziemnej i w Warszawie powstańczej, a później stał się powszechnie znany pod pseudonimem „Zawadzki" jako zastępca szefa polskiej sekcji Radia Wolna Europa.

Większość – bo sześć i pół roku – pierwszych dziesięciu lat po wojnie spędziłem w komunistycznych więzieniach, na szczęście – jak zawsze mówiłem – w Polsce, a nie wywieziony na przykład na Wschód. I w tych więzieniach poznawałem bliżej ludzi, których bym zapewne nie poznał jako dwudziestokilkuletni mężczyzna, bo człowiek w tym wieku na ogół nie ma znajomości wśród pułkowników, wojewodów, wybitnych prawników czy przeorów. Mnie było to dane zupełnie nie z mego wolnego wyboru. To oczywiście wpłynęło w sposób decydujący na losy i wybory późniejsze, bo kolejne warstwy doświadczeń nakładały się jak w sękaczu, cieńsze, grubsze... Warstwy doświadczeń, które pozostawały, czy chciałem czy nie chciałem, wszystko, co odczułem, co przeżyłem, co miałem zakodowane pod skórą czy w zdrowiu.

Ta książka to dla mnie samego eksperyment, bo mieszczę w niej kolegów z Armii Krajowej i działaczy akowskiego podziemia, a także przypadkowych współwięźniów, mieszczę arystokratów i bardzo prostych, zwyczajnych ludzi. Mieszczę byłego komunistę, Żyda-adwokata, który miał też różne oblicza i wybitnego polskiego adwokata prawicowej orientacji politycznej, oficera rezerwy WP, uczestnika walk o niepodległość. Wszyscy występują obok siebie jako ludzie, którzy wpływali na mnie, a może i ja trochę na nich.

Ten tom dotyczy okresu przełomu. Może zainteresować ludzi, którzy pamiętają jeszcze tzw. „odwilż" lat 1955–56 i następnych, ale i tych, którzy z powodów nostalgicznych albo tradycji rodzinnych chcą wiedzieć, co było wcześniej. Są czytelnicy, którzy lubią literaturę faktu, lubią biografistykę, historię opowiedzianą do czytania. Nie jestem i nie czuję się ani sędzią, ani sędzią najwyższym, wobec tego i mylić się mogę, a moje orzeczenia i mniemania nie muszą dla nikogo być ostatnim słowem.

Kończę „Pod prąd" mym wyjściem z więzień komunistycznych i pierwszymi krokami przyzwoitości, odwiedzinami u rodzin osób dotkniętych, powrotem do rzeczywistości, z którą się nie godziłem. Wtedy – w moim rozumieniu – można było iść tylko z tymi, którzy byli nietolerowani lub prześladowani, no a ja czułem się jednym z nich.

Warszawa, styczeń 2011

**Jadwiga Nowakowska-Boryta, Jaga Boryta,**
ur. 17 lipca 1908, Woskriesieniówka koło Kurska, zm. 21 września 1995, Warszawa, siostra Zbigniewa Sawan-Nowakowskiego, aktorka filmowa i teatralna. Role w przedwojennych filmach niemych (*Huragan, Przedwiośnie, Pod banderą miłości*), w teatrach Łodzi, Szczecina i Warszawy (m.in. w Teatrze Komedia). Aktywna działaczka społeczna. Autorka wspomnień *A chciałam być tylko aktorką*.

Dziwny los – rozpięty między teatrem, zakonem,
wywiadem i ekshumacjami.

# Jaga Boryta

W 1928 roku mój ojciec, który awansował w Banku Polskim, otrzymał mieszkanie służbowe w budynku nr 7 przy ul. Flory. Dziś to centrum miasta, ale wtedy Warszawa praktycznie wygasała gdzieś pomiędzy placem Unii Lubelskiej i ulicą Madalińskiego. Odległa od ul. Flory o pięćset metrów ul. Rakowiecka to było już przedmieście, prawdziwe, jak należy. Tam stały koszary i kryminał, tam Szkoła Główna Gospodarstwa Wiejskiego miała swoje ogródki doświadczalne, do dzisiaj ich resztka została, po osiemdziesięciu latach. Wtedy te ogródki były rozległe, rozciągały się wokół pierwszego budynku SGGW, niedaleko kościoła (wtedy tylko kaplicy) Jezuitów. Na rogu Puławskiej i Rakowieckiej stał pułk artylerii przeciwlotniczej, a wojsko jest zawsze atrakcją dla dziecka. Dalej, owszem, budowano, ale przedmieście przechodziło w wieś. Były pola. Za nimi, daleko, nowy tor wyścigów konnych na Służewcu. Stary tor znajdował się przy Polnej; nieopodal, w stronę ulicy Wawelskiej, było lotnisko. Doskonale pamiętam te samoloty, przeważnie dwupłatowe, i pamiętam wyścigi konne, na które można było popatrzeć przez dziury w płocie. W listopadzie 1932 roku na placu Unii odsłonięto Pomnik Lotników według projektu Edwarda Wittiga (dziś jego rekonstrukcja znajduje się na skrzyżowaniu ul. Żwirki i Wigury oraz ul. Wawelskiej).

Od zbiegu ul. Flory i ul. Bagatela jest do Belwederu, gdzie pracował i mieszkał marszałek Piłsudski, ledwie paręset kroków. Blisko Głównego Inspektoratu Sił Zbrojnych, blisko Łazienek, blisko alei Szucha, na której stawiano okazałe budynki Najwyższej Izby Kontroli Państwa i Ministerstwa Wyznań Religijnych i Oświecenia Publicznego. Nobliwa dzielnica, jedna z najlepszych w Warszawie pod względem standardu lokali, prawdopodobnie też jedna z najdroższych, ale mnie to nie obchodziło. Obok domu, w którym mieszkaliśmy, zaczęto z rozmachem budować nowe kamienice. Latem można było usłyszeć dźwięki muzyki dobiegające z ogródka kawiarni Dakowskiego, dziś znajduje się tam rezydencja ambasadora Wielkiej Brytanii. Budowano też na ulicy Chocimskiej, przy linii kolejki wąskotorowej, która łączyła Warszawę z odległym Piasecznem i odległym Konstancinem. Na pobliskiej ulicy Klonowej było wtedy znane, prywatne gimnazjum męskie Towarzystwa Ziemi Mazowieckiej.

W jednym z sąsiednich budynków na ul. Flory mieszkali Zbyszko Sawan i jego żona Maria Malicka. O pani Malickiej wiedziałem, że jest znaną i cenioną aktorką teatralną, Zbyszko Sawana podziwiałem na ekranie. Był kimś! Amantem! Gwiazdorem obleganym przez łowczynie autografów! Obejrzałem jego wszystkie filmy: od *Huraganu* przez *Uwiedzioną* (gdzie wystąpił razem z Malicką) po *Ostatnią Brygadę* i *Czarne diamenty*. W tych filmach oprócz sław takich jak Kazimierz Junosza-Stępowski, Aleksander Zelwerowicz, Ludwik Solski, Elżbieta Barszczewska czy Aleksander Żabczyński pojawiała się też w epizodach ładna, ponętna aktorka – Jaga Boryta. O Sawanie przeczytałem – bodaj w tygodniku „Kino" – że po mieczu jest potomkiem księcia tatarskiego Sawana, po kądzieli zaś wywodzi się od Władysława Łokietka i Karola Łysego, który nosił tytuł cesarza rzymskiego. Tyle prologu.

Minęło parę lat. Przełom lutego i marca 1945 roku. Warszawa. Przerażający widok miasta zrujnowanego, spalonego. Tysiące mogił na skwerach, w podwórkach, przed domami. W okolicach ul. Flory było takich miejsc sporo. Klomb otaczający Pomnik Lotników został zamieniony w mały cmentarz. Na rogu Alej Ujazdowskich znajdował się grób ofiar egzekucji ludności cywilnej z pierwszych dni sierpnia 1944 roku. W gmachu Ministerstwa Wyznań Religijnych i Oświecenia Publicznego (Min. WRiOP), w którym urzędowało warszawskie Gestapo, znaleziono setki spalonych ciał, w budynku Głównego Inspektoratu Sił Zbrojnych – 5500 kilogramów ludzkich prochów. Wraz z ustępowaniem mrozów rozpoczęły się ekshumacje. Pomogłem wówczas matce mojej przyjaciółki, harcerki Niny Rostańskiej, poległej we wrześniu 1944 roku, w przeniesieniu jej ciała z tymczasowego grobu przy ul. Koszykowej 49 na cmentarz wojskowy na Powązkach.

Wtedy, wiosną i latem 1945 roku, w tyglu wydarzeń, które decydowały o przyszłości Polski, nie myślałem, że za parę miesięcy będę uczestniczył zawodowo, jako dziennikarz i współpracownik Okręgowej Komisji Badania Zbrodni Niemieckich, w wielkiej akcji ekshumacji ofiar zbrodni popełnionych w czasie okupacji i w okresie Powstania w Warszawie i wokół stolicy. A już na pewno nie mogłem sobie wyobrazić, że los zetknie mnie z Jagą Borytą.

Ujawniłem się 10 października 1945 roku, parę zaś dni później dzięki Stanisławowi Płoskiemu zostałem współpracownikiem Instytutu Pamięci Narodowej i Okręgowej Komisji Badania Zbrodni Niemieckich w Warszawie. O tych sprawach wiedziałem bardzo dużo, może więcej od innych: do komórki więziennej Departamentu Spraw Wewnętrznych Delegatury Rządu, referatu żydowskiego i kierownictwa „Żegoty" dochodziły – przez moje ręce – dokładne meldunki o działalności Niemców. W lutym 1946 roku rozpocząłem pracę w redakcji „Gazety Ludowej" – organu Polskiego Stronnictwa Ludowego. Znaczna część reportaży mego pióra dotyczyła poszukiwania grobów osób aresztowanych przez Niemców z powodów politycznych i zamordowanych w latach 1939–42 w Puszczy Kampinoskiej, w okolicach Jabłonny i w lasach chojnowskich, w latach zaś 1943–44 w ruinach warszawskiego getta i na ulicach Warszawy.

Okręgowa Komisja Badania Zbrodni Niemieckich w Warszawie, którą kierował Płoski, utrzymywała stały kontakt z Polskim Czerwonym Krzyżem, a dokładniej z Biurem Informacji PCK, na którego czele stała Maria Bortnowska, bratowa gen. Bortnowskiego. Kierowała tym biurem także w czasie okupacji. Aresztowana przez gestapo w październiku 1942 roku, została parę miesięcy potem wywieziona z Pawiaka do więzienia w Berlinie na Alexanderplatz, w sierpniu zaś 1943 roku przeniesiona do obozu koncentracyjnego w Ravensbrück. Wczesną wiosną 1946 roku poznałem jej współpracownice: Halinę Ołtarzewską prowadzącą biuro jeńców wojennych i Jadwigę Nowakowską z wydziału grobownictwa PCK.

**Michał Komar** W tomie wspomnień Jadwigi Nowakowskiej *A chciałam być tylko aktorką* (Wyd. Prokop, Warszawa 1995, ss. 152–153) czytam: „W czasie trwania ekshumacji ofiar egzekucji tzw. »za Syma« (była to egzekucja odwetowa za zabicie z wyroku Podziemia aktora, folksdojcza Igo Syma) w »Gazecie Ludowej« ukazał się o niej artykuł z podaniem nazwisk pomordowanych. My wśród rozpoznanych wielu z tych nazwisk nie mieliśmy (nie wszyscy bywali wszak zidentyfikowani), natomiast rodziny wymienionych w wyżej wspomnianym artykule zaczęły zgłaszać się do nas po depozyty, »zaświadczenia śmierci« itp..."

**Władysław Bartoszewski** Artykuł był rzetelny. O egzekucjach wiedziałem więcej niż panie zajmujące się ekshumacjami…

**M.K.** Pisze Nowakowska: „Zatelefonowałam więc do redakcji z niejakim protestem, na co odpowiedziano, że najlepiej będzie, jak przyślą do mnie autora. Po pewnym czasie wpada do mnie do biura młody człowiek – chudy, wysoki, w okularach – i przedstawia się: »Bartoszewski Władysław«. W mówieniu »karabin maszynowy«, wywiązuje się rozmowa, w czasie której informuje mnie, że podczas okupacji miał bezpośredni kontakt z wywiadem więziennym i w ogóle zaczyna mówić, co robił w podziemiu, a trzeba pamiętać, że był to rok 1946. Pomyślałam sobie, że to albo wariat, albo prowokator, i w tym samym momencie on mówi: Pewnie pani myśli, że jestem wariat albo prowokator? Ani jedno ani drugie, tylko »oni« wszystko o mnie wiedzą...". Tak było?

**W.B.** Mniej więcej. Wszedłem do biura wydziału grobownictwa, przedstawiłem się pani obciętej krótko „na chłopczycę", odzianej w czerwonokrzyski uniform, typ „jestem skromną szarą myszką – nikt mnie nie zauważy". Wydała mi się jakoś znajoma. Mówię „jakoś", bo na pewno przedtem nigdy z nią nie rozmawiałem, ale znałem tę twarz. Znałem – skąd? Podobna – ale do kogo? Wkrótce dowiedziałem się, że jej brat jest aktorem. Zbyszko Sawan – czyli Zbigniew Nowakowski. I wtedy uświadomiłem sobie, że to Jaga Boryta, przedwojenna gwiazdka filmowa.

**M.K.** Czy opowiadała panu o swojej karierze aktorskiej?

**W.B.** O sobie mówiła niechętnie, ostrożnie, ja zaś nie zadawałem pytań, bo nie wypadało. Czułem, że nosi w sobie jakąś tajemnicę, ale kto ich nie ma? A może gra jakąś rolę? Jej ostentacyjna skromność dawała do myślenia, z kolei okoliczności, w których przyszło nam razem pracować, nie zachęcały do wyznań – rozkopywaliśmy groby.

**M.K.** W Palmirach?

**W.B.** Tak, w Palmirach, gdzie spoczywały zwłoki co najmniej tysiąca siedmiuset osób, Polaków i Żydów, w tym ofiary wielkiej egzekucji dokonanej 20 i 21 czerwca 1940 roku, a więc m.in. Mieczysław Niedziałkowski – wybitny działacz PPS, jeden z twórców „Centrolewu", redaktor naczelny „Robotnika"; Maciej Rataj – działacz ludowy, marszałek Sejmu, redaktor naczelny „Zielonego Sztandaru"; Janusz Kusociński – mistrz olimpijski; Henryk Brun – poseł na Sejm RP, prezes Naczelnej Rady Zrzeszeń Kupiectwa Polskiego; Józef Mrozowicki – redaktor naczelny „Kuźni Młodych", komendant główny Legionu Młodych; Stanisław Wojnar-Byczyński

Warszawa, Palmiry, 18 IV 1946. Ekshumacja zwłok pomordowanych. W latach 1939–41 na polanie w Palmirach hitlerowcy dokonywali masowych egzekucji Polaków i Żydów.

Warszawa, Palmiry, 1 IV 1946. Profesor Grzymo-Dąbrowski dokonuje sekcji zwłok.

– żołnierz Legionów i poseł na Sejm; Jan Pohoski – wiceprezydent m. st. Warszawy i wielu, wielu innych działaczy politycznych, pisarzy, nauczycieli.

O tym, że za wsią Palmiry na skraju Puszczy Kampinoskiej są wykonywane egzekucje, było głośno w okupowanej Warszawie, mimo że Niemcy zrobili sporo, by zatrzeć ślady swej zbrodniczej działalności. W dniach rozstrzałów las był patrolowany, aby nie pojawił się tam żaden niepowołany świadek, doły wypełnione zwłokami maskowano mchem, potem całą polanę obsadzono sosnami. Wiosną 1940 roku wiadomo było, że więźniowie z Pawiaka i Serbii, niekiedy też z więzień przy ul. Rakowieckiej i ul. Daniłowiczowskiej są wywożeni „gdzieś w kierunku Modlina", w lipcu 1941 roku pracujący w Kampinosie polscy leśnicy znaleźli świeżo przekopaną ziemię oraz paczki z żywnością i ubraniami, na niektórych paczkach były czytelne nazwiska. Informacje o znaleziskach dotarły wkrótce do ZWZ. W dotarciu do prawdy istotną rolę odegrał gajowy Adam Herbański, który śledził niemieckie poczynania, widział grupy skazańców prowadzonych nad przygotowaną mogiłę, słyszał odgłosy salw, zaś w nocy po egzekucji starał się, wraz z innymi pracownikami służby leśnej, oznaczyć miejsca kaźni. Swą wiedzą Herbański dzielił się z księdzem Edwardem Gregorkiewiczem, proboszczem parafii Łomna. Latem 1945 roku do dochodzenia w sprawie egzekucji przystąpili prokuratorzy Głównej Komisji Badania Zbrodni Niemieckich. Dzięki zeznaniom Herbańskiego wykryto w Palmirach 24 mogiły zbiorowe. Ekshumacje rozpoczęły się 25 listopada 1945 roku i trwały do 6 grudnia. Wznowiono je pod koniec marca 1946 roku – od tego dnia uczestniczyłem w nich jako dziennikarz „Gazety Ludowej", nie tylko zresztą w Palmirach, bo także w Stefanowie koło Piaseczna, w Bukowcu koło Jabłonny, w Magdalence. Nowakowska kierowała grupą dziewcząt, moich rówieśnic, z których zapamiętałem Halinę Łopuszańską i Małgosię Szymczak. Ich zadaniem była wstępna identyfikacja zwłok, przy których często znajdowano dokumenty, listy, jakieś drobiazgi. Żołnierze zdejmowali łopatami wierzchnią warstwę ziemi. Tam, gdzie gleba była piaszczysta, niektóre ciała uległy mumifikacji, inne...

**M.K.** Cytuję Jadwigę Nowakowską: „Bartoszewski to jest chodząca encyklopedia czasów okupacji niemieckiej. Jeżeli w którejś mogile udało się kogoś jednego zidentyfikować (mógł to być imienny kwit z więzienia lub inny jakiś dokument) – Bartoszewski bezbłędnie podawał datę egzekucji i nazwiska pozostałych jej ofiar, a w każdym razie ludzi znaczniejszych".

Feliks Żukowski, jako Dmetro i Jaga Boryta, jako Horpyna, jego żona
w jednej ze scen filmu *Przybłęda*

**W.B.** Oglądałem bezpośrednio po wydobyciu ciało Niedziałkowskiego. Miał druciane okulary na nosie, w kieszeniach spodni klucze i portfel z wizytówkami. Takie drobiazgi przewożono do działu depozytów PCK. Nowakowska rozmawiała z rodzinami zamordowanych – okazując wycinki odzieży, fragmenty bielizny, klucze, fotografie. Dzięki temu udało się rozpoznać czterysta ciał. Towarzysząc Jadwidze Nowakowskiej i jej ekipie napisałem dla „Gazety Ludowej" kilkanaście artykułów…

**M.K.** Między innymi o pierścieniu masowych grobów dookoła Warszawy…

**W.B.** Bo gdy się spojrzy na mapę, to widać, że te groby tworzyły pierścień wokół miasta. Stąd bierze się tytuł mojej późniejszej książki *Warszawski pierścień śmierci 1939–1944*, tytuł, który ma pewien związek z Jadwigą Nowakowską…

Powiedziałem, że na początku wydawała mi się osobą tajemniczą. Z czasem okazała się miłą koleżanką, z którą można porozmawiać o wielu sprawach. O wielu, ale nie o wszystkich. Do pewnego stopnia. Dowiedziałem się, że pochodzi z Ukrainy, płynnie mówi po ukraińsku. I że była w Armii Krajowej, gdzieś poza Warszawą, na kresach wschodnich. Gdzie? Milkła. Ale ja byłem uparty… W tym czasie ludzie najchętniej opowiadali o tym, jak udało im się przeżyć. Przeżyć obóz. Przeżyć bombardowanie. Przeżyć łapankę. W końcu Nowakowska zaczęła opowiadać, jak ewakuowała się z Ukrainy zagrożona aresztowaniem przez Abwehrę. Okazało się, że od wiosny 1940 roku działała w konspiracji, przez pewien czas była sekretarką do specjalnych poruczeń Jana Dybowskiego, kierownika Departamentu Komunikacji Delegatury Rządu na Kraj, potem przeszła do Oddziału II Komendy Głównej AK, działała w WW-72, czyli w sieci wywiadu wschodniego w Wydziale Wywiadu Ofensywnego m.in. w Znamience, gdzie znajdował się największy na Ukrainie węzeł kolejowy.

**M.K.** Jej przełożona w WW-72 Halina Zakrzewska „Beda" opisuje (w: *Niepodległość będzie twoją nagrodą*, PWN 1994, T.I, s. 199) relację „Zoi" Wacławy Zawadzkiej, która cudem uniknąwszy aresztowania w Kijowie pojechała do Berdyczowa, aby ostrzec rezydenta wywiadu AK o zagrożeniu. Nie zastała go, poszła na miejscowy rynek „by zgubić się w tłumie, trochę ochłonąć, kupić u berdyczowskich handlarek ugotowanych obierek z kartofli, szklankę gorącej wody i zastanowić się spokojnie, co dalej. Między straganami chodziła młoda dziewczyna, ubrana w narciarski strój (kostium, buty i gruby efektowny sweter), wypisz wymaluj z Krupówek. Nie miała cienia wątpliwości: oczywiście Polka, obca i nieporadna, w tym środowisku nowicjuszka. „Zoja" chciała uratować naiwną, gdyż swoim zachowaniem nie robiła wrażenia, by przeszła warszawskie szkolenie! Nie omyliła się. Była to Iga Boryta, siostra Zbigniewa Sawana. Przemknęła, słabo przygotowana, w natłoku kandydatów i pojechała na Wschód do pracy. „Zoja", przerażona naiwnością i lekkomyślnością dziewczyny, ostrzegła ją, by nie szukała kontaktów w Berdyczowie. Zaproponowała koleżeńską pomoc, przewidując jako jedyne wyjście – powrót do Warszawy, ewentualnie do Bazy Lwów. Ustaliła czas i miejsce spotkania z nieznajomą, a sama udała się na rekonesans na dworzec. (...) Niestety, o umówionej godzinie nie spotkała »Pięknej Nieznajomej«...".

W.B. Naiwna i lekkomyślna? Wątpię. Fakty mówią same za siebie: w przeciwieństwie do dobrze wyszkolonych pracowników WW-72 Jaga Boryta uniknęła wpadki. W 1944 roku wróciła do Warszawy. Zatrzymała się na Pradze, a tam, jak wiadomo, powstanie trwało tylko parę dni. W 1946 roku zamieszkała ze swą przyjaciółką Haliną Ołtarzewską na podstryszu budynku przy ul. Pięknej, który był wtedy siedzibą PCK. Odwiedzałem je często. Niekiedy – spodziewając się rewizji w moim mieszkaniu – spałem na materacu, który rozkładały w przedpokoju. Był czas na rozmowy, które z zasady inicjowała Ołtarzewska. Wtedy dowiedziałem się, że Jadwiga Nowakowska ukończyła w 1925 roku seminarium nauczycielskie ss. Niepokalanek w Słonimie, myślała o wstąpieniu do zakonu, ale nagle się jej odwidziało – postanowiła zostać aktorką. W 1937 roku ukończyła PIST, występowała w Łodzi, na rok przed wybuchem wojny przeniosła się do Teatru Malickiej w Warszawie. Opowiadano, że nosi żałobę po ukochanym – znanym aktorze – który zginął w Auschwitz. Nie przeczyła. Czy zgodnie z prawdą? Nie wiem.

Jesienią 1946 roku zostałem aresztowany. Po czasowym odzyskaniu wolności dowiedziałem się, że Ołtarzewska pojechała na Zachód, by z ramienia PCK organizować repatriację Polaków – i urwała się, bo w Anglii czekał na nią mąż, oficer z technicznej obsługi lotnictwa.

Ponownie spotkaliśmy się po 1956 roku. Przyjechała do Warszawy z prochami męża. Potem odwiedzałem ją w Londynie. Mieszkała na Ealingu. Była kuzynką Kazimierza Koźniewskiego i przy każdym spotkaniu pytała: – Ale dlaczego

Kazik robi takie świństwa? To miało szczególne znaczenie i dla niej i dla mnie, bo wiedzieliśmy, że jego ojciec – inżynier Wacław Koźniewski – został rozstrzelany w Palmirach w czerwcu 1940 roku.

Jaga Boryta odeszła z PCK po aresztowaniu Marii Bortnowskiej, która została oskarżona o współpracę z Niemcami i skazana na trzy lata więzienia, odzyskała zaś wolność latem 1948 roku dzięki interwencji francuskich więźniarek z Ravensbrück. Tymczasem Nowakowska została sekretarzem Teatru Nowego w Warszawie. W „Kalendarzu Warszawskim" ukazał się jej artykuł „Pierścień śmierci", w którym – co mnie ucieszyło – wykorzystała zebrane przeze mnie dane dotyczące egzekucji w Warszawie, dodając rzeczowe sprawozdanie z ekshumacji.

Ponownie zobaczyliśmy się po 1956 roku w modnej wówczas kawiarni „Nowy Świat", wywołując małą sensację, bo ona była w białym habicie, białym welonie i w niebieskim płaszczu, czyli w stroju ss. Niepokalanek; młodszym czytelnikom uświadamiam, że w tamtych czasach zakonnice nie chodziły do kawiarni. Opowiedziała mi o sobie: w 1950 roku pojechała do Szczecina, grała w Teatrze Polskim, którego dyrektorem był Sawan, potem wstąpiła do zakonu, została intendentką Liceum SS. Niepokalanek.

Kolejne spotkanie – w 1960 roku: tuż przed złożeniem ślubów wieczystych Jadwiga Nowakowska wróciła do teatru. Pracowała jako aktorka i inspicjentka w warszawskim Teatrze Komedia. Była też przez pewien czas radną w żoliborskiej Radzie Narodowej – dzielnie zajmowała się sprawami kultury. Dziwny los rozpięty między teatrem, zakonem, wywiadem i ekshumacjami. Wielka rola zasługująca na film czy serial telewizyjny. Chciałoby się coś takiego zobaczyć na ekranie.

Zbigniew Sawan, jako Jerzy Rawicz (trzeci z lewej), Maria Malicka, jako Lena (druga z lewej) nierozpoznani aktorzy w jednej ze scen filmu. Film *Uwiedziona*

Przedstawienie *Japoński rower* w Teatrze Malickiej w Warszawie. Jedna ze scen przedstawienia. Widoczni od lewej: Janusz Nowacki, Jadwiga Boryta i Zofia Wierzejska

**Józef Stemler,** pseud. **Dąbski, Doliński,**
ur. 17 października 1888, Dolina k. Stanisławowa, zm. 9 września 1966, Warszawa, nauczyciel, działacz oświatowy, naczelnik wydziału w Departamencie Informacji i Prasy Delegatury Rządu na Kraj. Absolwent Uniwersytetu Jana Kazimierza we Lwowie (1911) i Szkoły Nauk Politycznych w Warszawie (1923); nauczyciel w Dolinie, inspektor szkół Macierzy Szkolnej w Kijowie (1917), podczas wojny 1920 sekretarz generalny Obywatelskiego Komitetu Obrony Państwa w Warszawie, w latach 1920–1939 dyrektor Polskiej Macierzy Szkolnej. W czasie II wojny pracownik Polskiego Czerwonego Krzyża, w konspiracji dyrektor Biura Pracy Społecznej. Aresztowany w marcu 1941, więziony na Pawiaku i w Auschwitz, zwolniony w 1942. Naczelnik wydziału w Departamencie Informacji i Prasy Delegatury Rządu, od listopada 1944 wicedyrektor tego departamentu. W marcu 1945 tłumacz i sekretarz delegacji podczas rozmów z władzami sowieckimi w Pruszkowie, aresztowany przez NKWD, podczas „procesu szesnastu" w Moskwie uniewinniony. Po powrocie do kraju pracownik PCK, od 1946 sekretarz Delegatury Rady Polonii Amerykańskiej w Polsce, aresztowany w 1951, skazany na 6 lat więzienia, zwolniony w 1955.

Początek tej znajomości był pogodny, słoneczny,
pachnący sosnowym lasem.

# STEMLEROWIE

L os w jakiś dziwny sposób związał mnie z rodziną Stemlerów. Początek tej
znajomości był pogodny, słoneczny, pachnący sosnowym lasem. Wakacje
1932 roku spędziłem z mamą w Józefowie. Mieszkaliśmy w pensjonacie, jakich było wtedy sporo w powstałej w 1925 roku – z inicjatywy społecznej – gmi-
nie Falenica-Letnisko, w skład której wchodziły: Radość, Zbójna Góra, Międzylesie
(do niedawna noszące nazwę Kaczy Dół), Miedzeszyn, Falenica, Michalin, Józefów
i Świder, leżące wzdłuż linii kolei wąskotorowej Warszawa–Otwock.

Na wakacjach bawiłem się ze starszym ode mnie o trzy lata Andrzejem Klimo-
wiczem, synem znajomej mojej mamy – pani Szymańskiej. Pani Szymańska należała
do elity inteligencji postępowej, jej syn, bystry, oblatany, imponował mi. Spotkałem
go przelotnie ponownie dopiero w 1943 roku. Był wtedy związany ze Stronnictwem
Demokratycznym i jakimiś konspiracyjnymi służbami wywiadowczymi, wiedziałem, że opiekuje się grupą ucieknierów z warszawskiego getta (za co w 1981 roku
został wyróżniony tytułem „Sprawiedliwego wśród Narodów Świata"). W czasie
Powstania walczył w Korpusie Bezpieczeństwa, przepłynął Wisłę, wstąpił do Ludowego WP, przez rok był posłem do KRN, do 1949 roku służył w Informacji Wojskowej, potem działał w ZBoWiD-zie… Dosyć to pogmatwane i dające do myślenia.

Wracamy do lata 1932 roku. Dowiedziawszy się, gdzie będę spędzał wakacje,
mój ukochany wychowawca prof. Tadeusz Mikułowski poradził mi, bym odwiedził
mieszkającą w Józefowie, zaprzyjaźnioną z nim rodzinę Stemlerów. Podał mi adres, numer telefonu mówiąc: – Pan Józef Stemler jest prezesem Polskiej Macierzy
Szkolnej, mówiłem mu o tobie, chciałby z tobą porozmawiać, więc nie wahaj się.
Ma dwie miłe córki mniej więcej w twoim wieku, na pewno nie będziesz się nudził.

**Franciszek Stemler,** pseud. **Franciszek, Seraficki, A.Syski,**
ur. 17 sierpnia 1905, Dolina k. Stanisławowa, zm. 15 sierpnia 2003, Warszawa, prawnik, kierownik
Wydziału Ogólnego w Departamencie Spraw Wewnętrznych Delegatury Rządu na Kraj. Ochotnik
w wojnie 1920, absolwent Wydziału Prawa Uniwersytetu Warszawskiego (1931), pracownik
Departamentu Spraw Wojskowych NIK; w kampanii wrześniowej podporucznik artylerii w obronie
Warszawy. W konspiracji od października 1939 (SZP-ZWZ-AK, nasłuch radiowy), jednocześnie od
1942 kierownik Wydziału Ogólnego w Delegaturze Rządu. Uczestnik Powstania Warszawskiego;
jeniec obozu Kahla-Walpersberg. Od końca 1945 zastępca dyrektora Zjednoczenia Przemysłu
Piwowarsko-Słodowniczego. Aresztowany w 1948, skazany na 12 lat, zwolniony w 1954,
zrehabilitowany w 1957. Po wyjściu na wolność praca w przemyśle piwowarskim i w latach
1962–89 w Głównej Komisji NOT. Autor wspomnień *Ludzie Doliny.*

Posłusznie wziąłem kartkę z adresem, ale pomysł profesora Mikułowskiego wcale mnie nie zachwycił. Prezes Polskiej Macierzy Szkolnej – wielkiej organizacji prowadzącej gimnazja, szkoły handlowe i przemysłowe, bursy, biblioteki i ochronki w Polsce, Wolnym Mieście Gdańsku i Czechosłowacji – a z drugiej strony ja, dziesięciolatek… Zlekceważyłem więc sugestie mego wychowawcy, ale on nie zapomniał i pewnego dnia zostaliśmy, mama i ja, zaproszeni do państwa Stemlerów na zapoznawczą herbatkę. Państwo Józef i Wiktoria Stemlerowie mieli dwie córki, z którymi nie udało mi się znaleźć wspólnego języka, bo Ola była młodsza ode mnie, więc nie zwracałem na nią uwagi, Rysia zaś, bardzo ładna, była starsza o trzy czy cztery lata i patrzyła na mnie z lekceważeniem, jak na małe dziecko. Rzecz w tym, że się w niej natychmiast zakochałem. Zakochany i zawstydzony – nie wiedziałem, co z sobą zrobić. Pomyślałem, że z pomocą przyjdą mi radio i Olimpiada. Państwo Stemlerowie mieli radioodbiornik, prawdziwy, lampowy. Polskie Radio transmitowało właśnie relacje z Los Angeles. Złote medale Stelli Walsh, czyli Stanisławy Walasiewiczówny i Janusza Kusocińskiego, srebro w dwójkach ze sternikiem, brąz dla Jadwigi Wajsówny, drużyny szablistów i dwójki bez sternika… I jeszcze złoty medal dla rzeźbiarza Józefa Klukowskiego w Olimpijskim Konkursie Sztuki i Literatury. W tym czasie pasjonowałem się historią starożytną; dzięki tekstom Jana Parandowskiego i Hanny Malewskiej miałem sporą wiedzę o kulturze antyku i o olimpiadach, podjąłem więc próbę popisania się przez Rysią, niestety bez większych rezultatów. Po rozpoczęciu roku szkolnego widywałem ją czasami na ul. Traugutta, tam mieściło się jej gimnazjum. Kłaniałem się jej. Ona się ledwie odkłaniała. Z czasem przestałem nad tym boleć, bo w 1935 roku zakochałem się śmiertelnie w Elżbiecie Barszczewskiej. Po lekcjach stałem z kolegami przed atelier filmowym na ul. Traugutta czekając, aż się pojawi… Chyba nie zdradzę żadnej tajemnicy, jeśli dodam, że o swym uczuciu do dorosłej już Rysi napisał po latach Leopold Tyrmand w *Dzienniku 1954*: „…Jej utrata jest wyrwą w moim życiu".

Wtedy, w 1932 roku żyłem w małym światku, którego granice wyznaczały ul. Bielańska (budynek Banku Polskiego, gdzie pracował mój ojciec), ul. Bednarska (gdzie mieszkał profesor Mikułowski), ul. Senatorska (tam mieszkał ksiądz Roman Archutowski), Krakowskie Przedmieście… Obok dzisiejszej księgarni im. Bolesława Prusa znajdował się sklep Warszawskiego Towarzystwa Handlu Herbatą, z figurką Chińczyka kiwającego głową (ale na metalowych pudełkach do herbaty nie było Chińczyka, lecz wizerunek pomnika Mikołaja Kopernika, i dlatego

herbatę z WTHH nazywano „kopernikiem"), dalej sklep „Old England" z wy-
kwintnymi ubraniami i tajemnicze podwórka tak dokładnie opisane przez Prusa.
Chętnie wracałem do *Lalki* i czytałem w „Wiadomościach Literackich" szkice Stefana Godlewskiego, które w 1937 roku zostały zebrane w jednym tomie *Śladami
Wokulskiego*. Autor zginął w Auschwitz w 1942 roku. Nota bene: panią Janinę
Godlewską, wdowę po nim, poznałem w redakcji „Gazety Ludowej" w 1946 roku.
Pracowała w korekcie. Przystojna, kulturalna pani, o znacznej wiedzy varsaviani-
stycznej. Mieszkała w domkach fińskich przy ul. Wawelskiej, ja – w al. Niepodległości przy Narbutta. Wracając pieszo (transport miejski ledwie działał) z dy-
żurów w drukarni rozmawialiśmy o tajemnicach Krakowskiego Przedmieścia…

Jest 1941 rok. Od mojego pierwszego spotkania z rodziną Stemlerów miné-
ło dziewięć lat, a więc epoka obejmująca wybuch wojny, oblężenie Warszawy,
aresztowanie, wywózkę do Auschwitz, uwolnienie w kwietniu 1941 roku. Złożony ciężką chorobą leżę w łóżku, cały w bandażach. Odwiedzają mnie prof. Mikułowski i ks. Roman Archutowski. Pytają, czy w obozie słyszałem coś o Józefie
Stemlerze. Nie, nie słyszałem. Wiadomości o nowych transportach docierały do
Krankenbau, gdzie wtedy przebywałem, z opóźnieniem…

Józef Stemler urodził się w 1888 roku w Dolinie, miasteczku galicyjskim
sławnym od X wieku ze źródeł solankowych i warzelni soli. Wywodził się – po
ojcu – z niemieckich kolonistów. Rodzina była liczna: Józef – pierworodny –
miał jedenaścioro rodzeństwa. W 1907 roku – po zdaniu matury – został tymczasowym nauczycielem Szkoły Ludowej w Dolinie, od czasów uczniowskich
działał w ZET-cie, Związku Młodzieży Polskiej i w Sokołach, potem był kierownikiem tajnej komórki Stronnictwa Narodowo-Demokratycznego w Dolinie.
W 1911 roku ukończył wyższy kurs „sztuki stosowanej" seminarium nauczyciel-
skiego we Lwowie. Cztery lata potem został wywieziony na wschód. W Kijowie
organizował tajne szkolnictwo polskie, wyjechał do Moskwy, gdzie poznał braci
Lutosławskich (Kazimierza i Wincentego), Władysława Grabskiego i Stanisława Wojciechowskiego. W 1918 roku został mianowany naczelnikiem wydziału
szkół powszechnych i seminariów nauczycielskich na Wołyniu,w 1920 roku –
dyrektorem Polskiej Macierzy Szkolnej. Odegrał znaczną rolę w walce z analfabetyzmem, pisał poradniki dla nauczycieli i bibliotekarzy np. *Instrukcje w sprawie zakładania Kół Polskiej Macierzy Szkolnej oraz organizowania i prowadzenia
czytelni ludowych, bibljotek, kursów dla dorosłych, uniwersytetów ludowych PMS,
Czwórki oświatowe jako społeczny sposób zwalczania analfabetyzmu, O prowadzeniu*

Józefów k/Otwocka 21.X.1962r.
ul. Lelewela 25 „Dolinka"

Pisze Józef Stemler
do
W-ana Redaktora
Władysława Bartoszewicza
w Warszawie

Serdeczny Panie Redaktorze!
Pragnę odpowiedzieć na Pańskie łaskawy
list z 14 bm, proszę przeto odpuścić, że piszę leżący,
bowiem zwaliła mnie wątroba i nerej, a moja starość
zaczyna jakiś podejrzany dyskurs z Kostuchą...
Z tej sytuacji wyniknąć mogą błędy i braki.

Wdzięczny Panu za miłe słowo o „Auschwitz"
muszę, stwierdzić, że cała zasługa jest po stronie
Pańskiej i „Tygodnika Powszechnego"! Kto z mogących dziś drukować zainteresowałby się moim
wspomnieniami z Oświęcimia, gdyby nie Pan?
Myślę, że dobrze się stało, iż w „Europäische Verlagsanstalt — Auschwitz — Zeugnisse und Berichte"
znalazło się kilka fragmentów wspomnień Polaków,
bo Niemcy mogą doprowadzić Zachód do przekonania,
że w Oświęcimiu nie było Polaków w ogóle! w
Wzmianka w „T.P." aż się prosi.

List Józefa Stemlera do Władysława Bartoszewskiego

*bibljotek: wskazówki organizacyjne, techniczne i wychowawcze dla małych bibljotek* czy *Na drodze do Polski czytającej: sprawozdanie i uwagi o przebiegu pierwszego „Miesiąca walki z analfabetyzmem książkowym"*. W latach 1924–1939 redagował pismo „Oświata Polska" – organ Wydziału Wykonawczego Polskich Towarzystw Oświatowych. W grudniu 1926 został członkiem Wielkiej Rady Obozu Wielkiej Polski – endek, trzymał się wszak (co podkreślał jego młodszy brat Franciszek) przykazania matki: „Niech Bóg broni, abyś miał rękę podnieść na Żyda". Aresztowany w marcu 1941 roku – został osadzony w KL Auschwitz. Dwadzieścia jeden lat potem spowodowałem opublikowanie fragmentu jego wspomnień oświęcimskich na łamach „Tygodnika Powszechnego". Odpowiedział mi listem:

Serdeczny Panie Redaktorze!

Wdzięczny Panu za miłe słowo o Auschwitz muszę stwierdzić, iż cała zasługa jest po stronie Pańskiej i „Tygodnika Powszechnego"! Kto z mogących dziś drukować zainteresowałby się moimi wspomnieniami z Oświęcimia, gdyby nie Pan? Myślę, że dobrze się stało, iż w Europäische Verlagsanstalt *Auschwitz: Zeugnisse und Berichte* znalazło się kilka fragmentów wspomnień Polaków, bo Niemcy mogą doprowadzić Zachód do przekonania, że w Oświęcimiu nie było Polaków w ogóle! (…) Powróciłem z Oświęcimia 19 marca 1942 roku i po niezwłocznej operacji oraz trzymiesięcznym leżeniu w Szpitalu Czerwonego Krzyża (chirurg prof. Jan Zaorski) bezpośrednio ze szpitala, drogą wodną zwiałem w lasy lubelskie. Gestapo szukało mnie ostro, bo po 1) wypuszczono mnie na wabia, podobnie jak adw. W. Szymańskiego (ostrzegałem go – złapany, ponownie wywieziony do Oświęcimia i powieszony), i po 2) przypisano mi broszurę pt. *Piekło** (jak wiadomo autorką była Zofia Kossak).

W tym czasie rekonstruowałem biografię Jana Janiczka, poety okupowanej Warszawy, ojca Zosi, naszej łączniczki (w katolickim Froncie Odrodzenia Polski) w latach okupacji. Janiczek ukrywał się w 1942 roku w „Dolince", drewnianym domku Stemlera w Józefowie. Zapytałem więc listownie pana Józefa, czy ma jakieś pamiątki po Janiczku. Odpisał: „Fotografię z panem Janiczkiem znalazłem w marynarce syna naszego śp. Józia (»dziewiętnasta wiosna«) poległego 2 sierpnia 1944 roku w masakrze pod Babicami, przy ekshumacji jego zwłok ze wspólnej mogiły 6 grudnia

---

* Właściwy tytuł *W piekle*, 1942 rok.

1945 roku. Po rocznym leżeniu w ziemi była jeszcze »czytelna« (…) Tyle na razie, Drogi Panie Władysławie. Śnił mi się Tadeusz Mikułowski. Może mnie przyzywa? Najlepsze myśli i życzenia dla Pana i Rodziny – oddany Józef Stemler".

W listopadzie 1944 roku Józef Stemler „Jan Dąbski", „Doliński" został zastępcą dyrektora Departamentu Informacji i Prasy Delegatury Rządu. W Milanówku zwanym „Małym Londynem" wydawał codzienny biuletyn informacyjny „Wiadomości Radiowe", w którym zamieszczano aktualności czerpane z nasłuchu audycji BBC. Był sekretarzem i tłumaczem delegacji kierownictwa Polski Podziemnej, która w marcu 1945 roku została zaproszona na rozmowy z gen. Sierowem, podstępnie aresztowana i wywieziona do Moskwy. Podczas „procesu szesnastu" w Moskwie został uniewinniony. Po powrocie do kraju pracował w biurze Rady Polonii Amerykańskiej na Polskę. Aresztowany w 1951 roku – na wolność wyszedł w początkach 1956 roku. Zmarł 9 września 1966 roku.

Franciszka Stemlera poznałem osobiście w pierwszych dniach Powstania. Był wówczas wysokim urzędnikiem Departamentu Spraw Wewnętrznych Delegatury. O jego istnieniu wiedziałem jednak wcześniej… Do komórki więziennej i referatu żydowskiego DSW docierały dokumenty z wydziału prezydialnego (ogólnego) Departamentu podpisywane przez kierownika – A. Syskiego. Potem – wraz z rutynową zmianą pseudonimów – przez A. Serafickiego. Styl podobny, pseudonimy dziwne, wyszukane, doszedłem więc do wniosku, że to ten sam człowiek, z pewnością religijny. Miałem rację! A. Syski – bo Franciszek z Asyżu, Seraficki – bo – chyba nie muszę tłumaczyć… I tak w 1943 roku zlokalizowałem Franciszka. Wiedziałem, że często spotyka się z moim bezpośrednim przełożonym – Witoldem Bieńkowskim, który przekazywał mu pisane przeze mnie i Bognę Domańską meldunki i sprawozdania.

W Delegaturze Rządu pracowałem za zgodą szefa Wydziału Informacji BIP „Tomasza" Jerzego Makowieckiego, to zaś znaczyło, że w przypadku mobilizacji powinienem zrzec się wszystkich funkcji w strukturach cywilnych. Przysięgę składałem w Armii Krajowej i tam było moje miejsce w chwili rozpoczęcia działań zbrojnych. W związku z tym odbyłem stosowną rozmowę z Bieńkowskim. To było już po śmierci Makowieckiego… Złożyłem w czerwcu 1944 roku prośbę o dymisję z Delegatury. Bieńkowski obiecał, że ją przekaże wyżej. Uwierzyłem, choć jego zachowanie w sprawie zamordowania Makowieckiego wydało mi się podejrzane – wykluczało bezwarunkowe zaufanie. Wkrótce Bieńkowski poinformował mnie, że dymisja została przyjęta. Na trzy dni przez rozpoczęciem Powstania wyjechał do Świdra. Po prostu wyjechał. Nie zostawił mi nawet adresów alarmowych. Na mnie spadł obowiązek kierowania komórką więzienną i referatem żydowskim. Nie poradziłbym sobie, gdyby nie pomoc Bogny Domańskiej.

W pierwszych dniach sierpnia 1944 roku w toku działań powstańczych doszła mnie w południowej części Śródmieścia wiadomość, że pan Seraficki z Departamentu Spraw Wewnętrznych chciałby dowiedzieć się od „Ludwika" (taki miałem pseudonim w Delegaturze) dlaczego w sposób – mówiąc delikatnie – karygodny zaniedbał swoje obowiązki. Zdenerwowany udałem się do biura DSW w Alejach Ujazdowskich w pobliżu pl. Trzech Krzyży. Przyjął mnie pan Syski-Seraficki. Okazało się, że Bieńkowski mnie okłamał. Nie przekazał w ogóle mojej prośby o dymisję. Wyjaśniłem okoliczności… I wtedy mój rozmówca zdekonspirował się! Zapytał o moje kontakty z jego najstarszym bratem – Józefem Stemlerem. Porozmawialiśmy o Tadeuszu Mikułowskim (który został rozstrzelany 13 sierpnia podczas likwidacji Pawiaka, o czym wtedy jeszcze nie wiedzieliśmy). – A co się dzieje z Rysią? Powiedział, że Rysia żyje. A na pożegnanie dodał, że chętnie mnie powita w swoim gabinecie, gdy w Warszawie zacznie jawnie działać Ministerstwo Spraw Wewnętrznych. Mogę na niego liczyć!

Minęło parę miesięcy. Z plotek dowiedziałem się, że Seraficki został wywieziony przez Niemców, starszy zaś jego brat, Józef, zaginął, prawdopodobnie aresztowany przez Rosjan.

Pod koniec maja 1945 roku odszukał mnie kuzyn Bieńkowskiego z wiadomością, że Witold został odbity z obozu NKWD w Rembertowie. Dostałem adres. Okazało się, że Bieńkowski umówił się ze mną w Świdrze, w mieszkaniu Reni, żony Franciszka Stemlera, mądrej, dzielnej i uroczej kobiety. Rozmowa nie była łatwa. Bieńkowski – wycieńczony po więzieniu – chciał się dowiedzieć, czy mam kontakt z konspiracją. Ja twierdziłem, że od wyparcia Niemców żadnego kontaktu nie mam. Opowiedział mi o swojej działalności od sierpnia do grudnia 1944 roku na prawym brzegu Wisły. Podobno był mianowany przez Londyn p.o. Delegata Rządu na to terytorium. Nie wydało mi się to godne wiary. Twierdził też, że Sowieci proponowali mu tekę ministerialną w rządzie Osóbki-Morawskiego. Szukał przeze mnie kontaktu z pełnomocnikiem rządu na kraj. Miał przygotowany raport o okresie pomiędzy jego aresztowaniem jesienią 1944 roku i odbiciem z obozu w Rembertowie (w raporcie omawiał m.in. sprawę swej współpracy z Bolesławem Piaseckim. Nie wspomniał natomiast o zobowiązaniach, jakie zaciągnął wobec gen. Sierowa w czasie śledztwa w NKWD)…. Od pani Stemlerowej dowiedziałem się, że jej mąż wkrótce wróci do Polski. Po Powstaniu nie poszedł do niewoli. Niemcy wywieźli go do miejscowości Kahl nad Saalą, do obozu podległego KL Buchenwald. Pracował na budowie

2

I.

Ś.p. Jan Janiczek mieszkał w lecie 1942 roku w naszej chałupie w Józefowie przy ulicy Lelewela 25 (willa „Dolinka" od mojego rodzinnego, królewskiego wolnego miasta Doliny, koło Lwowa.), którą wybudowałem w 1932 r. za otrzymaną wówczas nagrodę za pracę społeczną z Fundacji imienia Popowskiego (sędziowie i prokuratorzy).

Ani ja, ani moja żona Wiktoria z Krynickich nie potrafimy Panu o Poecie opowiedzieć, bo unikaliśmy wówczas Dolinki, aby nie naprowadzić Gestapowców, którzy nas tropili. Konieczne objaśnienie. Powróciłem z Oświęcimia 19.III.1942 roku i po niezwłocznej operacji oraz trzymiesięcznym leżeniu w Szpitalu Czerwonego Krzyża (chirurg prof. dr. Jan Zaorski) bezpośrednio ze szpitala, drogą wodną, uciekłem w lasy lubelskie. Gestapo szukało mnie ostro bo po 1). wypuszczono mnie „na wabia", podobnie jak Adw. W. Szymańskiego (ostrzegałem go - złapany, po nownie wywieziony do Oświęcimia i powieszony), a po 2) przypisano mi broszurę p.t. Piekło (jak wiadomo autorką była Zofia Kossak).

W naszym mieszkaniu (Lipowa 4 m 2) osiadło Volksdeutschów. Z naszych czworga dzieci każde ukrywało się w innym miejscu. Żona, jak kokosz, krążyła z czystą bielizną i dożywką

List Józefa Stemlera do Władysława Bartoszewskiego

podziemnej fabryki samolotów w Górze Walpersberg. Uczestniczył w obozowej konspiracji stworzonej przez niemieckich socjaldemokratów i komunistów, Belgów, Ukraińców. Po wyzwoleniu obozu przez Armię Czerwoną był w Kahl burmistrzem do spraw cudzoziemców. Wyprzedzę teraz tę opowieść: po wyjściu z więzienia w 1954 roku (a był skazany m.in. za działalność antykomunistyczną) i rehabilitacji Franek jeździł do NRD, gdzie witano go jako starego towarzysza-antyfaszystę. Do Polski wrócił w lipcu 1945 roku. Prawnik, absolwent Uniwersytetu Warszawskiego, przed wojną pracownik Departamentu Spraw Wojskowych NIK, oficer rezerwy artylerii, teraz został mianowany przez ministra rolnictwa Stanisława Mikołajczyka zastępcą naczelnego dyrektora Zjednoczenia Przemysłu Piwowarsko-Słodowniczego. Do Warszawy wrócił też Józef Stemler – uniewinniony w procesie moskiewskim.

Latem 1952 roku zostałem skierowany – z wyrokiem ośmiu lat więzienia za szpiegostwo – do pracy w drukarni nr 3 Ministerstwa Bezpieczeństwa Publicznego (MBP). Ku mojemu zdumieniu i radości spotkałem tam Franciszka Stemlera. Był skazany na siedem lat za „przekroczenie uprawnień" w okresie pracy w ZPP-S (w 1955 roku mec. Jerzy Mering zajmujący się sprawą Stemlera wykazał w piśmie do ministra sprawiedliwości PRL, że wedle obowiązującej ustawy to „przekroczenie" mogło zasługiwać co najwyżej na karę dyscyplinarną, naganę, ewentualnie naganę z wpisaniem do akt, na pewno nie na długoletnie pozbawienie wolności), ale tak naprawdę szło o rozprawę z ludźmi związanymi z Delegaturą Rządu. Stemler był zastępcą kierownika drukarni. Dzięki niemu awansowałem z pozycji ucznia zecerskiego na stanowisko głównego korektora… Stworzyliśmy ściśle tajną grupę złożoną z więźniów politycznych, która z czasem zaczęła – w miarę możliwości – rządzić drukarnią. Franciszek Stemler, spokojny, metodyczny wyróżniał się cichym, nieco ironicznym poczuciem humoru. Pamiętam, że gdy pojawiał się jakiś kłopot – opowiadał anegdotę (powtórzył ją potem na stronach wydanej w 1991 roku znakomitej książki *Ludzie Doliny*) o radach udzielanych mu w wojsku przez pewnego ogniomistrza: „Wprzypadku, kiedy pełny zaprzęg – cztery pary koni – nie daje rady z wyciągnięciem wstrzelanego działa z piasku, należy jedną parę wyprząc. Gdyby trzy pary nie dawały rady, należy drugą parę wyprząc. Pozostałe dwie pary na pewno działo wyciągną". Twierdził, że to parę razy mu się sprawdziło – nie na poligonie, ale w życiu. Rada ważna, warta przekazania następnym pokoleniom.

Po wyjściu z więzienia w 1954 roku, podjął pracę w Zakładach Przemysłu Piwowarskiego w Warszawie. Działał w Naczelnej Organizacji Technicznej. W czasie przygotowań do procesu rehabilitacyjnego poprosił mnie o napisanie oświadczenia dla sądu. Napisałem prawdę: „…po okresie bardzo energicznej działalności w czasie Powstania Warszawskiego został wywieziony przez Niemców do ciężkiego obozu pracy przymusowej w okolicach Weimaru, gdzie zachowywał się w sposób przynoszący mu chlubę. Był jednym z czołowych organizatorów międzynarodowej grupy więźniów antyfaszystów (…) Sprawa ta jest mi znana z obszernego opracowania historycznego na temat obozu, w którym przebywał Stemler po Powstaniu. Opracowanie to znajdowało się w maszynopisie w latach 1945–49 w zbiorach Instytutu Historii Najnowszej (..) W okresie późniejszym miałem możność poznać bliżej Franciszka Stemlera, jako człowieka i wielokrotnie rozmawiać z nim na różne tematy. Franciszek Stemler orientował się przy tym doskonale, że nie jestem związany ideologicznie z komunizmem i że raczej krytycznie oceniam wiele przejawów naszej rzeczywistości powojennej. Istniały więc wszelkie warunki do otwartego wyrażania wobec mnie poglądów krytycznych czy wrogich, gdyby takie posiadał. Muszę stwierdzić, że wprost przeciwnie. Franciszka Stemlera cechowała we wszystkich jego wypowiedziach głęboka troska o rozwój gospodarczy kraju, którą to problematyką jako ekonomista był szczególnie zainteresowany. Bardzo obiektywna ocena ludzi, wolna od wszelkich uprzedzeń politycznych, a w działaniu prawdziwie humanistyczna życzliwość wobec otoczenia, wybitna uczynność, wysoka bezinteresowność i wprost wyjątkowo pedantyczna uczciwość. Oświadczam, że pośród znanych mi dziesiątków byłych działaczy Podziemia z okresu okupacji, Franciszka Stemlera oceniam jako jednego z najbardziej bezinteresownie i ofiarnie oddanych sprawie walki z okupantem. Oświadczenie powyższe gotów jestem potwierdzić w każdej chwili w formie zeznania przed sądem w charakterze świadka, jak również poprzeć szeregiem dowodów i przykładów – Władysław Bartoszewski, 24 września 1957 roku”.

W latach następnych spotykaliśmy się często, albo u niego w Świdrze, albo w moim mieszkaniu, z okazji urodzin, imienin czy chrzcin. To była przyjaźń… cóż więcej można powiedzieć? Renia Stemlerowa zmarła w 1974 roku. Franciszek przeżył to ciężko, w jego życiu była niezastąpiona. Sam żył stosunkowo długo, odszedł w roku 2003. Nasze kontakty osłabły w połowie lat siedemdziesiątych w związku z moim znacznym zaangażowaniem w pracy społecznej w opozycji demokratycznej oraz stałymi podróżami po kraju. Od chwili mego wyjazdu za granicę, tj. od 1982 roku już go w ogóle nie widywałem. Ale zachowałem świadomość, że miałem szczęście spotkać na mojej drodze życia takich ludzi, jak Stemlerowie.

**Kazimierz Zenon Skierski,** pseud. **Antoni Piotrowski, Zenon,**
ur. 18 stycznia 1908, Piotrków Kujawski, zm. 20 maja 1961, Włocławek, pisarz. Absolwent
polonistyki na Uniwersytecie Poznańskim. Nauczyciel szkół średnich, od 1937 redaktor Polskiego
Radia w Warszawie. Uczestnik kampanii wrześniowej, członek konspiracyjnego zespołu radiowców
w Departamencie Informacji i Prasy Delegatury Rządu, redaktor podziemnego tygodnika „Jutro",
uczestnik Powstania Warszawskiego. Publicysta m.in. „Tygodnika Powszechnego", „Dziś i Jutro",
„Odrodzenia", „Kierunków". Autor opowiadań okupacyjnych *Sztuka umierania*, powieści: *Nieurodzaj*,
*Głodne żywioły*, *Barwy świata*, *Powstaną synowie ognia*, cyklu powieściowego *Księga rodzaju*.

Aby znaleźć spokój, szukaliśmy pociechy
i jeśli z tego czarnego potopu zdołaliśmy się ocalić
– jedną ze zdobyczy minionej wojny będzie wiara
w człowieka pojednanego ze śmiercią,
wiara w człowieka cierpiącego.

# KAZIMIERZ ZENON SKIERSKI

Kazimierz Zenon Skierski, pisarz zapomniany, a szkoda. Autor interesujących powieści, w tym o Józefie Chełmońskim – *Barwa świata* – i trzytomowego cyklu *Księga rodzaju* oraz kilku tomów opowiadań, podzielił los tych inteligentów sprawnie władających piórem, którym przyszło działać w cieniu pisarzy cieszących się, z rozmaitych powodów, większym rozgłosem. Mówiąc o rozmaitych powodach, mam na myśli nie tylko talent, ale też i koniunkturę, która sprawia, że jakiś utwór zyskuje uznanie nie zawsze odpowiadające jego doniosłości. Skierskiego poznałem pod koniec 1941 roku w prowadzonym przez Tadeusza Sokołowskiego antykwariacie, który mieścił się w księgarni Arcta, przy Nowym Świecie 35. Sokołowski, wychowanek prof. Wacława Borowego, był zasłużonym konspiratorem, brał żywy udział w tajnym ruchu kulturalnym, inicjował wydawanie tomików poezji, prozy, eseistyki, przekładów literatury zachodniej, między innymi tekstów André Maurois. Niemcy rozstrzelali go w czasie Powstania, na terenie Generalnego Inspektoratu Sił Zbrojnych.

W antykwariacie zbierały się znakomitości ze świata polonistyczno-bibliotekarskiego: prof. Julian Krzyżanowski, prof. Borowy, płk. Stanisław Konopka – dla mnie, studenta pierwszego roku polonistyki tajnego UW, porozmawiać z nimi – gratka nie lada. Wracam do Skierskiego: sympatyczny trzydziestolatek, ze skłonnością do tycia, skromny, chyba trochę wstydliwy, trochę dziwak, jak to niekiedy zdarza się wśród bibliofilów. Dostarczał mi książki w ramach półhurtu, ja odwzajemniałem się prasą i broszurami Frontu Odrodzenia Polski. Był związany z organizacją konspiracyjną Polska Niepodległa, powstałą bodaj w listopadzie 1939 roku, złożoną z pracowników Zarządu M. St. Warszawy i członków Ochotniczych Batalionów Robotniczych. Polska Niepodległa była podporządkowana Armii Krajowej, ideowo mieściła się gdzieś pomiędzy Stronnictwem Pracy i Unią, czyli chrześcijańską demokracją – a Stronnictwem Demokratycznym. Jednym słowem: chrześcijanie-demokraci na lewo od centrum. W lipcu 1944 roku PN przystąpiła do Zjednoczenia Demokratycznego, którego pierwszym przewodniczącym został Eugeniusz Czarnowski („Piotr" – zaprzysięgał mnie w Armii Krajowej), jego zaś zastępcą Zygmunt Kapitaniak (kierownik referatu w BIP-ie). Skierski zajmował się kolportażem tajnej gazetki „Jutro PN". Z czasem dowiedziałem się, że jest też jej współredaktorem.

Zbliżyłem się do niego z powodów całkowicie niekonspiracyjnych, dowiedziawszy się, że był przez pewien czas nauczycielem gimnazjalnym we Włocławku, mieście, w którym w XIX wieku działała osoba ważna w dziejach mojej rodziny – ciotka matki – Izabella Zbiegniewska. Ważna też dla miasta: ma tablicę pamiątkową w katedrze włocławskiej. Prowadziła tam pensję dla dziewcząt, dbając, by poznały historię i literaturę w zakresie szerszym, niż pozwalały na to władze carskie. W czasie powstania styczniowego opiekowała się płk. Stanisławem (Stanislao) Bechi, oficerem włoskim, garibaldczykiem, dowódcą partii powstańczej, który wskutek denuncjacji został aresztowany przez Rosjan i skazany na karę śmierci. Izabella wraz z dwiema przyjaciółkami napisała petycję do cara Aleksandra II z prośbą o zmianę wyroku, podobno car był przychylny, ale rzecz przyśpieszył generał-gubernator Fiodor Berg. Wyrok wykonano we Włocławku. Bechi zginął z okrzykiem „Niech żyje Polska!" na ustach. Scena egzekucji została przedstawiona na płaskorzeźbie ufundowanej przez Teofila Lenartowicza i wmurowanej w ścianę kościoła Santa Croce we Florencji. Staraniem uczennic Zbiegniewskiej – była wśród nich matka Stanisława Lorentza – w latach 20. we Włocławku powstał obelisk ku czci Bechiego. Izabella była przyjaciółką duchową Narcyzy Żmichowskiej, sufrażystką co się zowie, w trzytomowej edycji listów pani Narcyzy pół tomu zajmuje jej korespondencja z „piękną Ellą". W 1901 roku wydała u Gebethnera i Wolffa *Myśli Narcyzy Żmichowskiej*, książkę, która cieszyła się sporą popularnością wśród czytelniczek „Bluszczu". W 1905 roku nakładem Arcta ukazał się jej leksykon – pod pseudonimem I.Z. – *Pseudonimy i kryptonimy pisarzów polskich* – rzecz cenna dla współczesnych polonistów.

Rozmawiałem więc ze Skierskim o „pięknej Elli", a także o nowościach literackich, przy czym obaj trzymaliśmy się rygorów konspiracji, bo nawet nie znałem jego adresu, wiedziałem tyle, że absolwent polonistyki UW, nauczyciel we Włocławku, tuż przed wojną pracownik Polskiego Radia – i tak za dużo jak na tamte czasy.

Stałym motywem spotkań warszawiaków w 1945 roku były pytania: kto przeżył? kto na pewno zginął? czyj los pozostaje nieznany? Dowiedziałem się, że Skierski mieszka w Krakowie, pracuje w „Tygodniku Powszechnym". Byłem czytelnikiem „Tygodnika", ba, na jego łamach pojawił się nawet mój list do redakcji. Będąc w Krakowie, poszedłem na ul. Wiślną. Skierski ucieszył się na mój widok, uściskaliśmy się. Powspominaliśmy dawne – te sprzed dwóch lat – czasy: ten żyje, ten został zamordowany przez Niemców, ten zginął pod gruzami... Powiedział, że wkrótce nakładem Księgarni Stefana Kamińskiego (dodam, że człowieka wielkich zasług dla literatury polskiej) ukaże się jego debiutancki tom opowiadań *Sztuka umierania*. Chciał mnie poznać z Jerzym Turowiczem. Poszliśmy w stronę pokoju, w którym wtedy (i przez następne 54 lata) zasiadał redaktor naczelny „Tygodnika Powszechnego". Skierski otworzył drzwi. Akurat trwała jakaś narada. Okazało się, że Turowicza znam: na polecenie Zofii Kossak wczesną wiosną 1943 roku prowadziłem go z księgarni Arcta do konspiracyjnego lokalu FOP przy ul. Brackiej 9 w Warszawie.

Kilka miesięcy po spotkaniu ze Skierskim przeczytałem jego książkę. *Sztuka umierania* zawierała cztery nowele, z których pierwsza – *Spowiedź* – opowiadała o oficerze AK skazanym na śmierć i spowiadającym się zakonnikowi, który w ostatniej chwili pyta: „Synu mój! Masz mi może coś do polecenia?". Oficer prosi, by powiadomić o jego aresztowaniu kolegów z konspiracji, podaje nazwiska i adresy. Za chwilę dowie się, że duchowny jest współpracownikiem Gestapo... Wróciłem do przedmowy, w której Skierski pisał: „Literatura lat powojennych przez sto lat będzie omawiała przebieg i skutki kataklizmu, w którego jądrze gorejącym znalazł się nasz naród. Ale ani ona, ani wolność polityczna, ani dobrobyt powojenny nie wykreślą z człowieka tych straszliwych doznań, w których poznawał swoją małość. Cierpienia duchowe ludzi, którzy walcząc o jakieś piękne prawa czy idee, sami w tej walce musieli im zaprzeczać, były niewymowne. Życie w kłamstwie jest straszne, ale życie kłamstwem dla prawdy jest czymś wstrząsającym. Wiara w człowieka i poświęcenie się dla niego są szczytne i mogą w sobie nosić znamię heroizmu – ale budowanie wartości człowieka przez zbrodnię – jest niewypowiedzialnie bolesne. W tych latach, kiedy dobrem było rozrywać się ostatnim granatem, dobijać ukochanego rannego przyjaciela, nie poznawać mimo tortur własnego ojca… (…) Gdy zrozumieliśmy, że żadne kategorie ludzkie nie mogą nas ocalić – gdzie i w kim jest nadzieja?… Aby znaleźć spokój, szukaliśmy pociechy i jeśli z tego czarnego potopu zdołaliśmy się ocalić – jedną ze zdobyczy minionej wojny będzie wiara w człowieka pojednanego ze śmiercią (…) wiara w człowieka cierpiącego". Znaczące słowa.

Ostatnia nowela w tym tomie, *Polska wiosna*, opowiada o parze, Marcie i Piotrze, osaczonej przez Niemców w lokalu konspiracyjnym znajdującym się, jak wynikało z opisu, w zaciszu Saskiej Kępy. Na odsiecz nie ma co liczyć, brakuje amunicji, więc po zniszczeniu dokumentów Marta zabija Piotra dwoma strzałami z pistoletu i z granatem w dłoni wychodzi na balkon… Było dla mnie oczywiste, że Skierski opisał wydarzenie, którego wyjaśnieniem zajmowałem się służbowo w lutym i marcu 1944 roku – spytałem go o źródło inspiracji. Odpowiedział, że w tym czasie mieszkał na Saskiej Kępie, w bliskim sąsiedztwie otoczonego przez Niemców budynku, wszystko widział… Jakże wielka jest potrzeba uwznioślającego mitu: przepytywani m.in. przeze mnie naoczni świadkowie oblężenia domu przy ul. Lipskiej 26 zapewniali, przysięgali, że na balkonie obok mężczyzny w piżamie stała miotająca granaty kobieta z dzieckiem na ręku; w zazwyczaj dobrze poinformowanym „Biuletynie Informacyjnym" pisano o śmieci dwojga Polaków i małego dziecka. Rzeczywisty przebieg wydarzeń opisałem w 1969 roku we wstępie do *Warszawskiego pierścienia śmierci*, dziś przypomnę. Otóż rankiem 5 lutego 1944 roku policja niemiecka okrążyła dom przy ul. Lipskiej, w którym mieściła się tajna drukarnia prowadzona przez Tadeusza Tyszkę. Tyszka współpracował z wydawcami pism syndykalistycznych, socjalistycznych i katolickich („Unii" i Frontu Odrodzenia Polski) oraz z Delegaturą Rządu. Miał pseudonim „Lord" – nadany mu chyba przez Zofię Kossak, nosił się elegancko i był niezwykle uprzejmy. Nie znam okoliczności, w jakich Gestapo trafiło na ślad drukarni. Oblężenie trwało kilka godzin. Dom był ostrzeliwany i obrzucany granatami. Tyszka i jego współpracownik Stanisław (nazwisko pozostało nieznane) odpowiadali ogniem. Obaj zginęli. Genowefa Tyszka z roczną córeczką Krystyną przebywały wtedy poza domem. Niemcy zawieźli ciała poległych drukarzy do prosektorium na ul. Oczki. Zapisano je tam do księgi jako NN i podjęto obserwację osób przychodzących do prosektorium, aby tą drogą natrafić na ślad powiązań drukarni ze środowiskami konspiracyjnymi.

Znałem małżeństwo Tyszków. Jego lepiej, wręczałem mu teksty naszych publikacji do składania, ją widziałem może dwa, trzy razy, gdy przywozili wózkiem nakłady redagowanej przeze mnie „Prawdy Młodych" do lokalu FOP przy ul. Brackiej. Otrzymałem polecenie odzyskania i pochowania zwłok. Zadanie nieproste. Najpierw trzeba było pójść do prosektorium i zidentyfikować ciała, które znajdowały się pod nadzorem agenta policji. Odczekałem parę dni, aż czujność Niemców trochę osłabnie i dzięki pomocy osoby udzielającej nam informacji z terenu prosektorium, stwierdziłem identyczność ciała Tadeusza Tyszki. Pokazano mi też zwłoki poległego z nim kolegi. Odzyskanie ciał okazało się niemożliwe mimo propozycji wysokiej łapówki. Zostały pochowane w grobie zbiorowym na Bródnie. W marcu przeprowadziliśmy nielegalną ekshumację. Tym razem pieniądze odniosły skutek. W biały dzień grabarze rozkopali dwie duże zbiorowe kwatery „dla ubogich", pod murem. Zwłoki były bez trumien. Po wielogodzinnych poszukiwaniach rozpoznałem poszukiwane ciała, dzięki piżamie, o której mówili świadkowie... Opowiedziałem o tym Skierskiemu w 1946 roku, po przeczytaniu *Sztuki umierania*, zastanawiając się nad złożonymi relacjami między rzeczywistością a prawdą fikcji literackiej. I jeszcze: po wojnie chciałem spotkać się z Genowefą Tyszką; utrzymujący z nią kontakt ksiądz Jan Zieja dał mi list z rekomendacjami, ale nie zdążyłem go wykorzystać z powodu uwięzienia. Mam go do dziś.

Ponownie spotkałem się ze Skierskim po 1956 roku. Był samotny. Zmarła matka, z którą mieszkał. Samotny i rozgoryczony – jego kolejne książki były pomijane milczeniem  przez recenzentów, a to tortura dla każdego autora. Gdyby w latach stalinizmu poszedł na układ z PAX-em, złożył hołdy konceptom Piaseckiego, pewnie by zyskał rozgłos równy sławie Dobraczyńskiego... Jego dzieła – jak choćby *Powstaną synowie ognia*, przejmująca opowieść o Powstaniu Warszawskim – są żywe, a myśl o „wierze w człowieka cierpiącego" wiecznie aktualna.

We wstępie do drugiego wydania *Sztuki umierania* napisał: „Przyjacielu, wolałbym Ci pisać o kwiatach i ptakach. Chciałbym, abyś nie znał takich słów jak »publiczna egzekucja«, »obóz śmierci« czy »krematorium«. Chciałbym, aby Twój syn nie znalazł tych terminów nawet w encyklopediach. Ale historii nie można cofnąć. (...) Mamy za sobą najbardziej ponury okres w dziejach świata. Zapominamy. Ale nowe życie dopomina się nowej mądrości. Przyjacielu, bądź mądry, patrząc, jak wzrasta Twój syn, nie obciążony złą pamięcią. Bądź mądry nawet wtedy, kiedy patrzysz na kwiaty i ptaki...".

Zmarł 20 maja 1961 roku we Włocławku w czasie swego wieczoru autorskiego.

**Stanisław Płoski**, pseud. **Sławski, P. Stanisławski,**

ur. 4 stycznia 1899, Briańsk (Rosja), zm. 7 marca 1966, Otwock, historyk, działacz polityczny. Żołnierz wojny polsko-bolszewickiej, absolwent historii na Wydziale Filozoficznym Uniwersytetu Warszawskiego. Od 1922 pracownik Wojskowego Instytutu Naukowo-Wydawniczego, od 1928 — Wojskowego Biura Historycznego. Uczestnik obrony Warszawy, od jesieni 1939 w konspiracji (SZP). W latach 1940–44 kierownik Wojskowego Biura Historycznego KG ZWZ-AK. Działacz organizacji Polskich Socjalistów, późniejszej Robotniczej Partii Polskich Socjalistów, a następnie PPS-Lewicy. Uczestnik Powstania Warszawskiego (prace nad zabezpieczeniem zbiorów archiwalnych i bibliotecznych), po upadku Powstania w niewoli niemieckiej. Po wojnie współzałożyciel i do 1950 dyrektor Instytutu Pamięci Narodowej (przekształconego w 1948 w Instytut Historii Najnowszej). W latach 1950–53 odsunięty od pracy naukowej. Od 1953 pracownik Instytutu Historii PAN (od 1959 profesor). Badacz dziejów wojskowości polskiej, autor m.in. *Historii piechoty polskiej w okresie powstań narodowych 1794–1864* (w: *Księga chwały piechoty polskiej 1939*). Redaktor *Bibliografii Historii Polski XIX w.* (t. 1 1958), czasopisma „Najnowsze Dzieje Polski 1939–1945. Materiały i studia z okresu II wojny światowej" oraz edytor źródeł z czasów II wojny światowej.

Inicjator stworzenia „Centralnego katalogu polskiej prasy konspiracyjnej z lat 1939–1945".

Historia najnowsza z zasady budzi wielkie spory,
bo siłą rzeczy jest uwikłana w aktualne konflikty
polityczne, uprawianie zaś historii najnowszej
w warunkach tamtego okresu było wyjątkowo trudne.

# STANISŁAW PŁOSKI

Począwszy od wczesnej wiosny 1965 roku Stanisław Płoski przebywał w sanatorium wojskowym w Otwocku. Miał tam swój pokój. Łóżko, niewielkie biurko, przy którym pracował niemal do końca. Ostatnim tekstem jaki napisał – w grudniu 1965 roku – był wstęp do mojego *Warszawskiego pierścienia śmierci 1939–1944*: „Książka Władysława Bartoszewskiego (…) jest pierwszą w naszej literaturze historycznej udokumentowaną próbą przedstawienia krwawych strat, jakie poniosła wskutek terroru hitlerowskiego ludność okupowanej Warszawy"… Często go odwiedzałem, przywożąc książki i czasopisma. Rozmawialiśmy: on – znany mi dotąd jako milczek – opowiadał, ja zaś – a przecież nie sposób nazwać mnie milczkiem – milczałem, starając się zapamiętać każde jego słowo. W przypadkach szczególnie ważnych pisał do mnie listy. W pierwszych dniach września 1965 roku wzburzyła go jakaś publikacja w tygodniku „Kultura". Wzburzyła go tak bardzo, że on – cichy, spokojny, unikający rozgłosu – postanowił zareagować. Napisał polemikę, która, jak mu się zdawało, utknęła w redakcyjnej szufladzie. Choć znękany chorobą, nie dawał za wygraną. Postanowił dotrzeć do kierownika działu historycznego „Kultury". Pisał: „Drogi Panie Władysławie, dziękuję za nadesłanie (…) telefonu Andrzeja Garlickiego, który okazał się b. potrzebny, gdyż sanatorium nie posiada książki telefonicznej z telefonami prywatnymi, a tylko pozostałe 2 części tej książki, zawierające telefony instytucji oraz telefony pozawarszawskie. Kiedy wyraziłem pewne zdziwienie z tego powodu, powiedziano mi, że jest to wynikiem zarządzeń oszczędnościowych. *Sapienti sat!* Telefonowałem dzisiaj do Garl[ickiego]. I dowiedziałem się od niego, że list mój był już złożony do druku, ale »z przyczyn niezależnych od redakcji« został zatrzymany. (…) O ile dobrze go zrozumiałem (słyszalność dzisiaj była nie najlepsza), nic więcej na ten temat nie ukaże się w »Kulturze«. G. powiedział mi, że Redakcja wyśle do mnie list przepraszający i stwierdzający niemożność wydrukowania mojego oświadczenia. Nie pozostaje nic innego, jak powtórzyć: *Sapienti sat!*"

*Sapienti sat!* – mądremu wystarczy! Chętnie powtarzał te słowa: mądremu wystarczy, więcej słów nie trzeba! – z szacunku dla domyślności i inteligencji rozmówcy, ale przede wszystkim, tak dziś myślę, z przekonania, że mimo niesprzyjających okoliczności Rozum zawsze będzie umiał znaleźć dla siebie bezpieczne schronienie. Trzeba przetrwać!

Poznałem go w drugiej połowie sierpnia 1944 roku jako „Sławskiego". Otrzymał przydział do placówki radiowo-informacyjnej „Anna". W konspiracji kierował Wojskowym Biurem Historycznym usytuowanym w BIP-ie, współpracował z „Barykadą Wolności" Adama Próchnika i Robotniczą Partią Polskich Socjalistów. Mądry, spokojny, łagodny i życzliwy – intelektualista, wtedy, w ogniu walk powstańczych wydawał mi się trochę bezradny. Miałem 22 lata – z młodzieńczej perspektywy niełatwo zrozumieć człowieka dwakroć starszego. Niepokoił się o żonę Ewę, która walczyła w szeregach zgrupowania „Radosław" i małą córeczkę Zosię. 5 października 1944 roku poszedł do niewoli wraz z liczną grupą BIP-owców.

Ponownie spotkaliśmy się latem 1945 roku. Byłem w konspiracji, w Delegaturze Sił Zbrojnych. Doszła mnie wiadomość, że „Sławski" kieruje Okręgową Komisją Badania Zbrodni Niemieckich w Warszawie, organizuje redakcję „Dziejów Najnowszych", jest wicedyrektorem Instytutu Pamięci Narodowej przy Radzie Ministrów i członkiem Rady Naczelnej Polskiej Partii Socjalistycznej, partii współrządzącej z PPR-em. Poszedłem do niego.

**M.K.** Bez obaw?

**W.B.** Ufałem mu. Był starszym kolegą z Biura Informacji i Propagandy Komendy Głównej AK, a poszedłem do niego w sprawie ważnej i dla niego, i dla mnie. Otóż przypadkowo spotkana na ulicy „Wanda Leśniewska", którą poznałem w 1943 roku jako działaczkę Międzyorganizacyjnego Porozumienia Pomocy Więźniom, poinformowała mnie o uratowaniu części raportów komórki więziennej Wydziału Bezpieczeństwa Departamentu Spraw Wewnętrznych. Mnie udało się przechować zbiór niemieckich obwieszczeń o egzekucjach w Warszawie oraz zestaw notatek i wyciągów z dokumentów, jakie sporządzałem, pisząc w maju 1944 roku raport o terrorze w Warszawie, który został dostarczony do Londynu przez kuriera „Celta" tuż przed wybuchem Powstania. Dla IPN materiały bezcenne. Poszedłem więc do Płoskiego. Rozmawialiśmy o sytuacji politycznej, o aresztowaniach dokonywanych przez Urząd Bezpieczeństwa. Był blisko premiera Edwarda Osóbki-Morawskiego. Od przedwojnia, od lat studenckich, przyjaźnił się z Henrykiem Jabłońskim, który po powrocie z Zachodu został kierownikiem Wydziału Polityczno-Propagandowego CKW PPS. Płoski domyślał się, że wciąż jestem w konspiracji. Powiedział:

– Panie Władysławie, pan ich nie zna. UB to nie jest ani Gestapo ani Abwehra, ale dużo gorzej. Jeśli pan nie będzie tego świadom, zniszczą pana. Niech pan się nie łudzi, nie będzie żadnej trzeciej wojny światowej. To wszystko potrwa tak długo, że ja pewnie nie dożyję. Niech pan zrezygnuje z rzeczy niekoniecznych...

Niekoniecznych! *Sapienti sat!*

Urodził się w Rosji, w 1899 roku. Studia historyczne rozpoczął w 1917 roku na Uniwersytecie Moskiewskim, a kontynuował je na Uniwersytecie Warszawskim pod opieką prof. Marcelego Handelsmana – z dwuletnią przerwą na ochotniczą służbę w Wojsku Polskim w czasie wojny polsko-bolszewickiej. Od 1922 roku – jeszcze przed uzyskaniem doktoratu – pracował w kierowanym przez Wacława Tokarza Wojskowym Instytucie Naukowo-Wydawniczym, potem zaś w Wojskowym Biurze Historycznym. W latach trzydziestych rozpoczął współpracę z „Przeglądem Socjalistycznym", następnie zaś przystąpił do warszawskiego Klubu Demokratycznego. Ożenił się z Ewą – córką Ksawerego i Zofii Praussów, znanych działaczy socjalistycznych.

Ksawery Prauss w okresie rewolucji 1905 roku był członkiem Komitetu Centralnego PPS, w czasie I wojny światowej służył w I Brygadzie Legionów. W rządzie Jędrzeja Moraczewskiego objął tekę ministra wyznań religijnych i oświecenia publicznego. Jako inicjator nowego ustroju szkolnego – opartego na powszechnej, świeckiej, bezpłatnej, obowiązkowej siedmioletniej szkole dla wszystkich dzieci – naraził się na brutalne ataki prawicy. Od 1922 roku był senatorem z ramienia Polskiej Partii Socjalistycznej. Zmarł w 1925 roku.

Żona Ksawerego Praussa od 1904 roku działała w Organizacji Spiskowo-Bojowej PPS, dwukrotnie aresztowana przez władze carskie, od 1907 roku przebywała na emigracji we Francji. Ukończyła studia matematyczne na Sorbonie.

W 1911 roku założyła w Zakopanem koedukacyjną szkołę średnią. Od 1918 roku zajmowała się ochroną pracy. W 1922 roku została posłanką z listy Polskiej Partii Socjalistycznej, przewodniczyła do 1928 roku Centralnemu Wydziałowi Kobiecemu partii. Czynna w ZWZ-AK, została aresztowana 10 listopada 1942 roku. Więziono ją na Pawiaku, na Majdanku i w Auschwitz, gdzie zmarła w styczniu 1945 roku.

Z kolei jej córka Ewa, po mężu Płoska, była żołnierzem Kedywu, a dokładniej oddziału Dywersji i Sabotażu Kobiet ("DYSK"). Brała udział w przygotowaniu zamachów na Ernsta Weffelsa, znanego z okrucieństwa kierownika zmiany na oddziale kobiecym Pawiaka – Serbii, i Franza Bürckla, zastępcę komendanta Pawiaka. W nocy 13 września 1944 roku – wraz z Alicją Duchińską z Armii Ludowej – przeprawiła się przez Wisłę z Czerniakowa na Pragę w celu nawiązania kontaktu z dowództwem Wojska Polskiego i Armii Czerwonej. Temat na wielką sagę rodzinną…

We wrześniu 1939 roku Stanisław Płoski brał udział w obronie Warszawy, a bodaj miesiąc później rozpoczął działalność w Służbie Zwycięstwu Polski. Od grudnia 1939 roku pracował w "Dzienniku Radiowym", który był codziennym biuletynem informacyjnym dla sztabu SZP (ZWZ-AK) i dla Delegatury Rządu RP na Kraj. Współredagował (z płk. Alojzym Horakiem – komendantem warszawskiego okręgu ZWZ) pismo "Żołnierz Polski w Kampanii Wrześniowej". Od kwietnia 1940 roku kierował tajnym Wojskowym Biurem Historycznym, które choć usytuowane w strukturze BIP-u, podlegało bezpośrednio płk. Stefanowi Roweckiemu "Grotowi". W WBH pracowali m.in. Halina Krahelska, znany bibliograf Ksawery Świerkowski oraz działacze socjalistyczni: Adam Próchnik i Franciszek Lipiński. Jednocześnie Płoski był związany z "Barykadą Wolności" Próchnika, Polskimi Socjalistami, potem zaś z Robotniczą Partią Polskich Socjalistów; współpracował z redakcją "Robotnika" RPPS. Osadzony jesienią 1944 roku w Oflagu II D Gross-Born, napisał – wraz z Aleksandrem Gieysztorem – pierwsze opracowanie dotyczące dziejów Powstania.

Kierowanie Instytutem Pamięci Narodowej, nazywanego potem Instytutem Historii Najnowszej, wymagało mądrości, odwagi i taktu. Historia najnowsza z zasady budzi wielkie spory, bo siłą rzeczy jest uwikłana w aktualne konflikty polityczne, uprawianie zaś historii najnowszej w warunkach tamtego czasu było wyjątkowo trudne. Jak pisać o dziejach Polski po 1939 roku, gdy możliwa jest tylko opowieść, która zapomina o tym, co działo się na terenach Rzeczpospolitej zajętych przez Armię Czerwoną? Przecież bez pytania o konsekwencje paktu Ribbentrop-Mołotow, pytania syntetyzującego, nie da się przedstawić i oporu Polaków, i zagłady Żydów, i roli Państwa Podziemnego... Stanisław Płoski główny wysiłek skierował na zbieranie dokumentacji. Pamiętam, że do prób syntez odnosił się nieufnie. Wiedząc, że mam rozległe kontakty w środowisku AK-owskim, radził, prosił, bym swoje ambicje autorskie ograniczył do zbierania dokumentów i relacji, na opracowania ogólniejszej natury przyjdą czasy bardziej sprzyjające.

Ujawniłem się 10 października 1945 roku – dwa miesiące po aresztowaniu mego ówczesnego szefa w konspiracji, Kazimierza Moczarskiego – czując na plecach oddech panów z UB. Zostałem oficjalnym współpracownikiem IPN, w którym Płoski zatrudnił między innymi Wandę Kiedrzyńską, Krzysztofa Dunin-Wąsowicza, Tadeusza Jabłońskiego i Janusza Durkę, który – pamiętam – pytał mnie w 1948 roku w rozmowie w cztery oczy, czy wstępując pod naciskiem do zjednoczonej partii robotniczej, nie obrazi pamięci ojca, który zginął na Majdanku jako członek PPS-WRN.

Jako współpracownik IPN otrzymałem prawo do korzystania ze stołówki Urzędu Rady Ministrów. Jadałem więc obiady z elitą nowej władzy, niezbyt zresztą obfite, stołówka opozycyjnego PSL była znacznie lepiej zaopatrzona... A parę dni potem otrzymałem wezwanie do Ministerstwa Bezpieczeństwa Publicznego. Okazało się, że wiedzą sporo o mojej działalności w BIP i w „Żegocie". Wypuszczono mnie w nocy, wskutek natychmiastowej interwencji moich przyjaciół z „Żegoty": Zofii Rudnickiej i Adolfa Bermana. Wkrótce Płoski poznał mnie z Eugeniuszem Szrojtem, kuzynem Juliana Tuwima, byłym pracownikiem BIP-u, który teraz redagował „Biuletyn Głównej Komisji Badań Zbrodni Niemieckich". Wciągnął mnie do pracy przy pierwszym numerze „Biuletynu". Zająłem się egzekucjami ulicznymi w Warszawie, konfrontując własną pamięć z zachowanymi raportami komórki więziennej, z dokumentami niemieckimi oraz ze świadectwami więźniów Pawiaka i Gęsiówki, dzięki którym można było ustalić na przykład daty egzekucji i palenia zwłok na terenie byłego getta. Mój szkic dokumentacyjny *Egzekucje uliczne w Warszawie 1940–44* Trybunał w Norymberdze zaliczył do materiałów dowodowych.

Od 15 listopada 1946 roku do 10 kwietnia 1948 przebywałem w areszcie śledczym MBP, najpierw na ul. Koszykowej, potem w więzieniu na ul. Rakowieckiej. Po wyjściu na wolność spotykałem się z Płoskim, który – jeśli dobrze pamiętam – wtedy zajmował się sprawą zbrodni hitlerowskich w szpitalach warszawskich w okresie Powstania. Nie różniliśmy się w ocenie sytuacji politycznej: nadciągał stalinizm. Ja ponownie znalazłem się w więzieniu, IPN został zlikwidowany, zaś Płoskiego skierowano do pracy w Archiwum Głównym Akt Dawnych. Do pracy naukowej wrócił w drugiej połowie lat pięćdziesiątych, został kierownikiem Zakładu Dokumentacji w Instytucie Historii PAN tworzonym przez prof. Tadeusza Manteuffla, także byłego pracownika BIP.

Po Październiku profesor Płoski objął kierownictwo Zakładu Dziejów II Wojny Światowej i redakcji wydawnictwa „Najnowsze Dzieje Polski 1939–1945. Materiały i studia z okresu II wojny światowej", przyciągając do współpracy m.in. Wandę Kiedrzyńską, Krzysztofa Dunin-Wąsowicza, płk. dypl. Jana Rzepeckiego, Lucjana Dobroszyckiego i Władysława Chojnackiego. Zachęcił mnie do napisania dwóch prac. Pierwsza dotyczyła Organizacji Małego Sabotażu „Wawer"– m.in. na podstawie relacji Aleksandra Kamińskiego. Druga – raportów z Oświęcimia, Majdanka i Pawiaka, które opracowałem wiosną 1944 roku jako raport dla Rządu RP w Londynie. Wkrótce zasiadłem do pisania *Warszawskiego pierścienia śmierci*. Udzielił mi szeregu cennych porad. Choć udręczony gruźlicą – był dobrej myśli. Z nadzieją patrzył na córkę, która studiowała fizykę na UW; myślę, że się nie zawiódł. Wspierał edycję dokumentów o cywilnej obronie Warszawy we wrześniu 1939 roku. Planował wydanie tomu przedstawiającego rolę ludności cywilnej w Powstaniu i wydanie II tomu *Cywilnej obrony Warszawy*.

Od wczesnej wiosny 1965 roku nie opuszczał sanatorium. Był otoczony dobrą opieką – dobrą, jak na ówczesne warunki i możliwości. We wrześniu lekarze postanowili zastosować kurację opartą na kombinacji antybiotyków. Dwa z nich nie były dostępne w Polsce. Zapytał, czy mógłbym je uzyskać „moją drogą". Wiedział o moich kontaktach z Zachodem, a raczej dużo się domyślał... Pewnego dnia powiedział, że chciałby, aby do Żenczykowskiego trafiła wiadomość, że „Płoski z uwagą słucha jego audycji, z uwagą i szacunkiem, choć niegdyś dzieliła ich polityczna wrogość". Obiecałem, że tak się stanie. I słowa dotrzymałem.

1 grudnia 1965 roku pisał do mnie:

Drogi Panie Władysławie, dziękuję bardzo za załatwienie mojej prośby. Zdaję sobie sprawę, że musi potrwać pewien czas, zanim ewentualnie lekarstwa nadejdą. Czuję się obecnie nieco lepiej. Gorączka już ustąpiła – trwają tylko stany podgorączkowe. (…) Jestem ciągle jeszcze słaby bardzo i łatwo męczę się, ale jest już pewna różnica na korzyść w porównaniu ze stanem z połowy listopada, toteż chcę spróbować zabrać się trochę do roboty. W niedzielę 28 listopada był u mnie niespodziewanie Pilichowski. Przyjechał w sprawie Warszawskiej Komisji Okręgowej [ Badania Zbrodni Hitlerowskich – przyp. MK ]. Rozmowa zaczęła się od pytania, jakbym widział obecnie działalność tej Komisji po jej reaktywowaniu. Powiedziałem mu, że musiałaby ona ograniczyć się do Pawiaka i al. Szucha, gdyż nie bardzo widzę po upływie tylu lat możność kontynuowania badań nad zbrodniami popełnionymi podczas Powstania, które to prace zostały przerwane po rozwiązaniu Komisji Warszawskiej. Pilichowski był podobnego zdania. Najwięcej zależy im na al. Szucha, gdyż prokuratura hamburska prowadząca dochodzenia przeciwko Ludwikowi Hahnowi zwróciła się do Głównej Komisji o dostarczenie materiałów dotyczących jego działalności. W dalszej rozmowie powiedziałem, że wobec stanu mego zdrowia nie mógłbym podjąć się zorganizowania Komisji i przewodniczenia jej. Jeśli nastąpi poprawa mego zdrowia, to nie uchylam się od współpracy i w miarę możności włączę się do niej. Na zapytanie Pilichowskiego wysunąłem propozycje co do składu Komisji, według tego, cośmy z Panem w swoim czasie ustalili, podkreślając ważną rolę lekarzy z Pawiaka oraz Leskiego i Pana, jako kierowników akowskiej i delegackiej komórek więziennych. Pilichowski zapytywał również, kogo widziałbym jako przewodniczącego, gdyż z tego, co mówi wynika, że Główna Komisja nie ma swego kandydata. Powiedziałem, że zastanowię się. Niech Pan ze swojej strony pomyśli nad tym. Rad Pana zobaczę w sobotę 11 grudnia (…).

P.S. O ile dostałby Pan coś ciekawego do przeczytania, to proszę przynieść.

Po raz ostatni rozmawiałem z nim 6 marca 1966 roku. To był monolog, długi monolog przerywany kaszlem.

– Może ja pana męczę, panie profesorze? – zapytałem.

– Nie, niech pan siedzi!

Mówił z goryczą o ludziach z PPS, którzy sprzeniewierzyli się zasadom i sprzedali partię o pięknej tradycji. Mówił z żalem o przyjacielu z lat studenckich Henryku Jabłońskim: „… gdy wsiądzie do limuzyny, to już nie chce z niej wysiąść, chce jechać taką samą, albo jeszcze lepszą"… Umówiliśmy się na następne spotkanie, za parę dni… Zmarł 7 marca.

**Kazimierz Feliks Kumaniecki,** pseud. **Jutro, Kozakiewicz,**

ur. 18 maja 1905, Kraków, zm. 8 czerwca 1977, Warszawa, syn Kazimierza Władysława, filolog klasyczny, badacz literatury łacińsko-polskiej, tłumacz. Studiował na Uniwersytecie Jagiellońskim, a następnie w Berlinie, Rzymie i Paryżu. Od 1936 profesor nadzwyczajny Uniwersytetu Warszawskiego, od 1937 członek TNW, od 1945 PAU, od 1956 PAN. Od grudnia 1939 w konspiracji ( w grupie „Znak", po reorganizacjach w Konfederacji Narodu i Konfederacji Zbrojnej), od 1942 w BIP KG AK (szef redakcji centralnej, współorganizator akcji „N"). Po Powstaniu Warszawskim od grudnia 1944 do stycznia 1945 redaktor naczelny konspiracyjnego „Biuletynu Informacyjnego" (w Krakowie). W latach 1945–47 członek zarządu SP, w latach 1945–46 poseł do KRN. Redaktor czasopism filologicznych, m.in. współzałożyciel i redaktor „Meandra" oraz „Archiwum Filologicznego". Od 1950 do śmierci prezes Polskiego Towarzystwa Filologicznego. Autor ponad 200 prac z zakresu literatury greckiej i rzymskiej (związanych m.in. z twórczością Homera, Ajschylosa, Wergiliusza, Horacego), bizantynistyki, literatury polsko-łacińskiej (m.in. krytyczne wydanie retoryki Kallimacha i jego epigramów oraz edycja dzieł A. Frycza Modrzewskiego). Najpopularniejsze prace: *Historia kultury starożytnej Grecji i Rzymu* (1955), *Słownik łacińsko-polski* (1957), monografia *Cyceron i jego współcześni* (1959). Tłumacz dzieł Salustiusza, Tucidydesa, Witruwiusza.

Dla niego podstawą cywilizacji współczesnej była – pisał o tym i mówił – wiedza o kulturze świata starożytnego. W upowszechnianiu cnót demokracji ateńskiej widział narzędzie działalności politycznej w Polsce 1945 roku...

# KAZIMIERZ KUMANIECKI

7 października 1944 roku dojechałem – w grupie dowodzonej przez Kazimierza Moczarskiego – z Warszawy do Pruszkowa. Zaopatrzeni w honorowane przez Niemców zaświadczenia Polskiego Czerwonego Krzyża wieźliśmy część archiwum BIP-u oraz dużą sumę w markach i dolarach dla potrzeb Armii Krajowej. Po paru dniach postoju w Żbikowie Moczarski pojechał do Częstochowy, gdzie zainstalowała się nowa Komenda Główna AK, my zaś, to znaczy Adam Dobrowolski, Kazimierz Ostrowski i ja, ruszyliśmy wagonem towarowym do Skierniewic. Tam miejsce w pociągu pomogli nam znaleźć kolejarze, zachęceni patriotycznymi aluzjami i paroma paczkami papierosów.

Do Krakowa dojechaliśmy o zmierzchu. Podła pogoda. Zimny deszcz, silny wiatr. Ostrowski i Dobrowolski byli zdenerwowani. Wracali do rodzinnego miasta, z którego półtora roku temu musieli uciekać przed pościgiem Gestapo. Na placu przed dworcem stał milczący tłum. Byli to uciekinierzy z Warszawy, którzy czekali w nadziei, że tym pociągiem przyjadą ich bliscy. Nie przyjechali! Ponure milczenie, które przerwał kobiecy krzyk i krótki szloch.

Wyszliśmy na Planty. Spokój miasta, które nie zaznało wojny. Po dwóch miesiącach walk powstańczych ta cisza wydawała mi się nienaturalna. Dzwoniła w uszach. Pożegnałem się z Dobrowolskim, który poszedł do swego mieszkania na Wielopolu. Do swojego mieszkania! Niesłychane! Ja już pożegnałem się z myślą, że można mieć mieszkanie i do niego wrócić. Moje spłonęło.

Za Ostrowskim doszedłem do rogu ulic Grodzkiej i Poselskiej, do domu z arkadami. Mój szef powiedział: – Poczekajcie! – i zniknął w klatce schodowej. Po paru minutach pojawiła się dziesięcioletnia dziewczynka, Jola Ostrowska. Grzecznie dygnęła: – Tatuś kazał pana zaprosić na górę... Zaprowadziła mnie na drugie piętro. Znów zaskoczenie: na drzwiach wisiała tabliczka z napisem: „Dr Kazimierz Ostrowski". W drzwiach stała elegancka pani domu, Joanna Ostrowska, której z rozpędu przedstawiłem się prawdziwym nazwiskiem. – Pan u nas zostanie – oświadczyła, prowadząc mnie w głąb mieszkania, w którym panowały dostatek i spokój. Moje krakowskie zdziwienia jesienią 1944 roku? Było ich sporo... Następnego dnia zostałem przedstawiony teściowej Ostrowskiego, sędziwej damie, która była ciekawa, czy bywam u dworu. Szło jej oczywiście o dwór Franciszka Józefa I z Bożej Łaski cesarza Austrii, Apostolskiego króla Węgier, króla Czech, Dalmacji, Chorwacji, Slawonii, Galicji, Lodomerii i Ilyrii, króla Jerozolimy etc., etc. ... arcyksięcia Austrii, wielkiego księcia Toskanii i Krakowa, księcia Lotaryngii, Salzburga, Styrii, Karyntii, Krajiny i Bukowiny, wielkiego księcia Siedmiogrodu, margrabiego Moraw, księcia Górnego i Dolnego Śląska, Modeny, Parmy, Piacenzy, Guastalli, Oświęcimia i Zatora, Cieszyna, Frulii, Raguzy i Zadaru, uksiążęconego hrabiego Habsburga i Tyrolu, Kyburga, Gorycji i Gradiszki, księcia Trydentu i Brixen, etc. etc. Ponieważ zgodnie z prawdą odpowiedziałem, że u dworu nie bywam, doszła do wniosku, że nie zasługuję na jej zainteresowanie.

Wkrótce Ostrowski wrócił do Pruszkowa, gdzie objął kierownictwo ekspozytury BIP-u Komendy Głównej AK na obszar podwarszawski. Adam Dobrowolski został w Krakowie; mianowany zastępcą szefa BIP-u, nadzorował pracę trzech wydziałów: organizacyjnego, informacji – tym kierował Zygmunt Kapitaniak – i propagandy, na którego czele stanął Włodzimierz Lechowicz. Szef Biura Informacji i Propagandy, kapitan Kazimierz Moczarski, używający teraz pseudonimu „Grawer", działał w Częstochowie.

**M.K.** A co pan robił?

**W.B.** Miałem sporo obowiązków, bo pracowałem i w wydziale informacji, i w wydziale propagandy. Co dzień redagowałem „Dziennik Radiowy – RAD", biuletyn nasłuchu radiowego do użytku komórek sztabowych AK. Pomagała mi w tym, jako sekretarka, maszynistka i łączniczka, magister praw Ewa

Dreżepolska[*], którą poznałem w czasie Powstania. Co dwa tygodnie przygotowywałem przegląd prasy wydawanej przez władze okupacyjne. Najważniejszy jednak był udział w redagowaniu „Biuletynu Informacyjnego”.

Jak wiadomo „Biuletyn Informacyjny” powstał w listopadzie 1939 roku w Warszawie z inicjatywy i pod kierunkiem Aleksandra Kamińskiego. Wychodził do ostatniego dnia Powstania. Jest zrozumiałe, że ambicją nowego Komendanta Głównego AK, generała Okulickiego, a także ambicją nowego szefa BIP-u było możliwie szybkie wznowienie czasopisma. Znaczna część współpracowników „Biuletynu” znalazła się w niewoli, konieczne więc było stworzenie nowego zespołu. Pod koniec października otrzymałem adres, pod który miałem się zgłosić, informację, że na drzwiach będzie tabliczka z nazwiskiem Kumaniecki, no i oczywiście hasło. Na drugim piętrze kamienicy przy ul. Długiej, na rogu Filipa, drzwi otworzyła mi przystojna pani. Wyszeptałem hasło. A ona na to z uśmiechem: – No, już dobrze, dobrze, niech pan wejdzie... Krakowski salon, kanapy, fotele, obrazy, srebra, kandelabry. Rozglądam się. Na ścianie wisi wielki portret generała w austriackim mundurze (jak się później okazało – ojca pani Kumanieckiej). Gdzie ja wlazłem? W Warszawie nie do pomyślenia, żeby ktoś trzymał portret przodka w mundurze armii carskiej... Do salonu wbiega mały chłopiec o bystrym spojrzeniu, za nim wchodzi szalenie sympatyczny pan, podaje rękę i mało konspiracyjnie przedstawia się: – Kumaniecki. Ja jak idiota odpowiadam: – Bartoszewski... On patrzy na mnie i mówi: – Przecież my się znamy... Przytaknąłem.

**M.K.** Czy pan wtedy wiedział, że to Kazimierz Kumaniecki, od 1936 roku kierownik III Katedry Filologii Klasycznej na Uniwersytecie Warszawskim?

**W.B.** W tym momencie wiedziałem, że miły pan, przed którym stoję, świetnie mówi po niemiecku. Dokładniej: świetnie mówi po niemiecku ze śpiewnym akcentem wiedeńskim. I że ma jakieś związki z II Oddziałem Komendy Głównej AK. Parę tygodni, może miesiąc wcześniej mój szef z placówki informacyjno-radiowej „Anna” wysłał mnie na przesłuchanie oficera Wehrmachtu wziętego do niewoli.

---

[*]  Ewa Dreżepolska „Kasia” (1914–1976) – po wysiedleniu w 1939 r. z Poznania działała na terenie Warszawy jako redaktorka prasy konspiracyjnej. Aresztowana za kolportaż i osadzona na Pawiaku, 16 stycznia 1942 r. zbiegła z dwiema współwięźniarkami. Wróciła do pracy w konspiracji. Po wojnie nękana przez UB za kontakty z Wolną Europą.

Przesłuchanie prowadził ktoś z naszego wywiadu, a Kumaniecki tłumaczył. Nie przedstawialiśmy się, ale słuchając go pomyślałem, że to człowiek z wielką klasą.

Po drugie – od moich koleżanek z kręgu Hanki Czaki, chyba od Basi Wąsikówny, później Filarskiej (a więc przyszłej matki Danki Kuroniowej) dowiedziałem się chyba w 1943 roku, że na wydziale filologii klasycznej tajnego Uniwersytetu Warszawskiego uczy ją profesor Kazimierz Kumaniecki, syn Kazimierza Władysława – polityka, profesora UJ, autora prac, które dziś nazwalibyśmy politologicznymi. Pamiętam, żc mówiło się o niezwykłym talencie oratorskim Kumanieckiego, o jego porywających wykładach prowadzonych po łacinie. Polski Cycero!

Po trzecie – w czasie Powstania nieco rozluźniły się rygory konspiracji, i dzięki temu uzyskałem parę wiadomości o twórcach prowadzonej przez BIP akcji „N". Jak wiadomo akcja, której celem było podłamanie morale okupanta, polegała m.in. na wydawaniu gazet w języku niemieckim takich jak „Der Hammer", „Die Ostwache", „Der Klabautermann", które sygnalizowały istnienie i rozwój opozycji antyhitlerowskiej w Wehrmachcie. Pomysłodawcą i szefem Akcji „N" był Tadeusz Żenczykowski, zaś Kazimierz Kumaniecki redagował bodaj dwa z tych tytułów.

Ale wtedy, w Krakowie, w pierwszej chwili naszej znajomości nie skojarzyłem sobie, że Kumaniecki, z którym rozmawiam, to właśnie ten Kumaniecki.

– Jestem pana nowym szefem – powiedział, dodając parę słów o swej pracy na tajnym Uniwersytecie Warszawskim i o udziale w – pamiętam, że tak to określił – „sprawach niemieckich, już nieaktualnych", po czym poinformował mnie, że spadł nań obowiązek objęcia po „Kamyku", czyli Aleksandrze Kamińskim, stanowiska redaktora „Biuletynu Informacyjnego". Ja mam być sekretarzem redakcji. – Powinniśmy możliwie szybko wydać kolejny „Biuletyn" z ciągłą numeracją. W pierwszym numerze powinna znaleźć się odezwa generała „Niedźwiadka" do żołnierzy Armii Krajowej i materiał dotyczący Powstania Warszawskiego. Proszę to przemyśleć. Mamy paru doświadczonych współpracowników. Dopóki nie uruchomimy łączniczek, pan będzie się kontaktował wyłącznie ze mną. Bardzo na pana liczę. Spotkamy się za parę dni. To wszystko.

Do następnego spotkania doszło w trybie alarmowym. Kontrwywiad okręgu krakowskiego AK dowiedział się o planowanych przez Niemców na 11 listopada aresztowaniach osób z warszawskimi dokumentami. W okupowanej Warszawie takie łapanki powtarzały się co rok w przededniu Święta Niepodległości. Znaczną część zatrzymanych rozstrzeliwano, inni byli wywożeni do Oświęcimia czy Majdanka, tylko nieliczni wracali do domów. Kraków miał w pamięci łapankę

Hanna Czaki – pseud. „Helena", studentka socjologii
na tajnych kompletach,  łączniczka kierownika
Wydziału Informacji BIP Komendy Głównej  AK,
aresztowana przez Gestapo na Żoliborzu  5 stycznia
1944 i stracona po okrutnym śledztwie
w ruinach getta 11 lutego 1944
( w lutym 1944 stracono także jej rodziców).

Janina i Jerzy Kumanieccy

z 6 sierpnia 1944 roku, kiedy w związku z wybuchem Powstania Warszawskiego Niemcy dokonali szeregu aresztowań prewencyjnych. Właśnie wtedy arcybiskup Sapieha postanowił skoszarować studentów teologii, między nimi Karola Wojtyłę, w swoim pałacu. Ostrzeżony – wziąłem mały plecak ze zmianą bielizny i swetrem, zgodnie z poleceniem udałem się na stację kolejki dojazdowej. Tam spotkałem Kumanieckiego. Okazało się, że mamy kupić bilety, dojechać do Kocmyrzowa. Stamtąd zawieziono nas bryczką do Czulic, do majątku państwa Wollenów. Niewielki dworek, wokół stare dęby. Młodzi ludzie w oficerkach. Jedni szykowali się do partyzantki, inni właśnie z niej odeszli. Przy stole, na którym pojawiała się skromnie okraszona kasza, siadało kilkanaście osób. Nastrój oczekiwania i niepewności, tak później świetnie opisany w opowiadaniach Jana Józefa Szczepańskiego. Te dni w Czulicach bardzo nas z Kumanieckim zbliżyły. Czterdziestoletni profesor filologii klasycznej i dwudziestodwuletni konspirator z oświęcimskim doświadczeniem mieli sobie sporo do powiedzenia. Mówiliśmy o Uniwersytecie Warszawskim, o Tacycie, którego dzieła tłumaczył na polski mistrz Kumanieckiego – Seweryn Hammer (to zresztą ciekawe, że w latach 40. *Ab Excessu Divi Augusti* było czytane jako opowieść współczesna), o Cyceronie, i o przygotowywanym do druku „Biuletynie Informacyjnym”.

**M.K.** A o poezji?

**W.B.** Chyba nie.

**M.K.** W latach 80. Jerzy Kumaniecki opowiadał mi – z uśmieszkiem – że jego ojciec miał ambicje poetyckie, podejmował próby, ale ich się trochę wstydził.

**W.B.** W czasie okupacji wziął udział – anonimowo – w konkursie na hymn Polski Podziemnej. I zwyciężył tekstem nadesłanym pod kryptonimem „Aniela”. Wyraźnie i jednoznacznie wyjawił mi swoje autorstwo, zastrzegając wszakże, by tego nie ujawnić za jego życia.

> *Godzina pomsty wybija*
> *Za zbrodnię, mękę i krew*
> *Do broni, Jezus Maryja,*
> *Żołnierski woła nas zew!*

*Do broni...*
*Zorza wolności się pali*
*Nad Polską idących lat.*
*Moc nasza przemoc powali,*
*Nowy dziś rodzi się świat.*
*Godzina pomsty wybija...*

Nie, o poezji nie było mowy.

Nie pamiętam też, czy wtedy, czy też trochę później dowiedziałem się o jego działalności w grupie „Znaku", która przyłączyła się do chrześcijańsko-demokratycznego Stronnictwa Pracy. „Znak" był wtedy bardzo konserwatywny, klerykalny i przewidywał, że po wojnie, która zakończy się klęską Niemiec i Rosji, Polska uzyska władztwo nad Krymem oraz koloniami zamorskimi. Takie utopie były wtedy dosyć popularne. Niemniej Stronnictwo Pracy, ściśle związane z gen. Sikorskim, odgrywało ważną rolę w życiu politycznym Podziemia.

Po długich dyskusjach z Kumanieckim i żmudnych ustaleniach między nami a Komendą Główną AK w Częstochowie, żmudnych, bo przecież po tsunami psychicznym wywołanym klęską Powstania ważne było każde słowo napisane i każde słowo przemilczane, pierwszy numer „Biuletynu Informacyjnego" – z datą 10 grudnia – dotarł do czytelników. Redakcja miała dwóch stałych współpracowników, którzy przekazywali teksty Kumanieckiemu. Byli to: Bolesław Srocki i Marian Ruth-Buczkowski. Ten pierwszy, działacz harcerski związany z kręgami piłsudczykowsko-liberalnymi, od 1940 roku był redaktorem „Wiadomości Polskich", organu Komendy Głównej ZWZ i współorganizatorem podziemnego Polskiego Związku Zachodniego, w czasie Powstania zastępcą Aleksandra Kamińskiego w „Biuletynie Informacyjnym". Działał aktywnie w batalionie „Parasol" – choć na szanse Powstania spoglądał ze znacznym sceptycyzmem. Widziałem go raz, w sierpniu 1944 roku w lokalu redakcyjnym „Biuletynu". Wydaje mi się, że wiernie go opisał „Kamyk" na stronicach *Zośki i Parasola*: „W jego wieku trudno było się rozeznać, równie dobrze mógł mieć lat 40, jak i 60. Ten niski, szczupły, drobny człowiek, ciągle zaaferowany i krążący jak kwoka koło swoich chłopców z Grup Szturmowych, był bardzo lubiany (...) Czasami pokpiwali z pana Bolesława i z jego jakby wiecznej studenckości, z jego umiłowania wielkiej poezji, z jego jedynego ubrania i kieszeni marynarki zawsze wypchanych książkami, z jego abnegacji i pogardy dla wielu mieszczańskich cnót". Marian

Ruth-Buczkowski był prozaikiem. W prasie literackiej publikował nowelki i opowiadania, a w 1936 roku zadebiutował powieścią *Tragiczne pokolenie*.

Proces redagowania „Biuletynu" przebiegał następująco: Kumaniecki przysyłał mi teksty, które przeglądałem i poddawałem obróbce, tworząc projekt kolejnego numeru; projekt wracał do Kumanieckiego, a po dyskusji redakcyjnej, to znaczy po dyskusji między nim a mną, jechał do drukarni. I tak to trwało do pierwszej styczniowej niedzieli 1945 roku, gdy wczesnym rankiem zostałem wygarnięty z mieszkania przez patrol niemiecki. Materiały do „Biuletynu Informacyjnego" – ukryte w skrytce pod brudną bielizną – pozostały na szczęście nietknięte. Kazano mi wejść do ciężarówki. Po drodze udało mi się wyrzucić kartkę pocztową zaadresowaną na Adama Dobrowolskiego z wiadomością, że wywożą mnie w nieznanym kierunku. W obozie Arbeitsamtu na Prądniku skontaktowała się ze mną Kasia Struszkiewicz, łączniczka BIP-u. 12 stycznia załadowano nas do pociągu, który wieczorem zatrzymał się w Makowie Podhalańskim. Stamtąd uciekłem, by 14 stycznia stanąć w progu mieszkania Dobrowolskiego. Ostatni numer „Biuletynu Informacyjnego" zawierający rozkaz gen. Okulickiego o rozwiązaniu Armii Krajowej wydaliśmy z datą 19 stycznia 1945 roku, gdy Kraków był już zajęty przez Armię Czerwoną.

Zwolniony z przysięgi w AK – przeszedłem do pracy konspiracyjnej w NIE[*]. Doszły mnie wiadomości, że Kumaniecki powrócił do Warszawy. Zamieszkał zrazu w al. 3 Maja, potem w „domu profesorskim" na Sewerynowie. Odwiedzałem go tam. Był zajęty odtwarzaniem katedry filologii klasycznej, pracował też nad przygotowaniem pierwszego zeszytu „Meandra" – miesięcznika poświęconego kulturze świata antycznego. „Meander" był redagowany przez Kumanieckiego, Lidię Winniczuk i Kazimierza Michałowskiego, który w 1977 roku wspominał: „…latem 1945 roku na jednym z murków sterczących z ruin zdewastowanych i częściowo wypalonych pawilonów uniwersytetu Kazimierz Kumaniecki, Lidia Winniczuk i ja siedzieliśmy rozważając program pierwszego zeszytu »Meandra«. Sam pomysł wydawania miesięcznika poświęconego kulturze klasycznej zrodził się nieco wcześniej. Zapewniliśmy sobie skromną subwencję na ten cel z Urzędu Rady Ministrów, później z Ministerstwa Oświaty, a pan Trzaska, który właśnie w ruinach Warszawy odtwarzał swoją księgarnię wydawniczą, wraz z Haliną Auderską podjął

---

[*]   „Nie" – tworzona od jesieni 1943 r. ściśle zakonspirowana kadrowa organizacja wojskowa, mająca kontynuować walkę o niepodległość Polski po wkroczeniu Armii Czerwonej, grupująca wybranych oficerów i żołnierzy AK, której pierwszym komendantem był gen. August Emil Fieldorf „Nil"; rozwiązana w maju 1945 r. z chwilą utworzenia Delegatury Sił Zbrojnych na Kraj.

się realizacji naszych zamiarów publikacyjnych. (…) Na przekór otaczającej nas rzeczywistości, która nakazywała myśleć przede wszystkim o zdobyciu chleba, dachu nad głową i o dźwiganiu z ruin kraju – myśmy myśleli o wydawaniu miesięcznika…" – i tu prof. Michałowski wyjaśnia, jakie były źródła i przyczyny tego zapału: „Wiedzieliśmy, że odbudowanie nowej Polski musiało się w wielu dziedzinach dokonywać od podstaw, a podstawą naszej kultury jest przecież starożytna cywilizacja śródziemnomorska, przede wszystkim grecko-rzymska, jej więc upowszechnieniu należało teraz poświęcić szczególną uwagę". Pamiętam, że taki, mniej więcej, był ton ówczesnych spotkań z Kumanieckim, który mówiąc o pracy „u podstaw" przekonywał mnie o potrzebie podejmowania działań alternatywnych w stosunku do konspiracji. A dla niego podstawą cywilizacji współczesnej była – pisał o tym i mówił – „wiedza o kulturze świata starożytnego". W upowszechnianiu cnót demokracji ateńskiej widział narzędzie działania politycznego w Polsce 1945 roku…

**M.K.** W drugim zeszycie „Meandra" opublikował Peryklesową pochwałę demokracji ateńskiej – fragment *Wojny peloponeskiej* Tucydydesa w swoim tłumaczeniu, fragment istotny w dwojaki sposób: nikt piękniej niż Perykles nie mówił o demokracji i obywatelskich cnotach ateńczyków, ale parę miesięcy potem Ateny naszła epidemia, wskutek której okazało się, jak niewiele trzeba, by te cnoty zostały unieważnione.

**W.B.** Był człowiekiem rozważnym, w pełni świadomym możliwego rozwoju sytuacji politycznej. Odbudowywał Uniwersytet Warszawski, tworzył „Meandra", działał „u podstaw". Jednocześnie zaś współpracował ze Stanisławem Kauzikiem pseudonim „Dołęga-Modrzewski", który w 1921 roku był członkiem polskiej delegacji pokojowej w Rydze, potem sekretarzem generalnym Komitetu Ekonomicznego Ministrów RP, w czasie oblężenia Warszawy szefem Biura Prasowego Komisarza Cywilnego przy Dowództwie Obrony Warszawy, zaś w Delegaturze Rządu na Kraj jako dyrektor Departamentu Prasy i Informacji reprezentował Stronnictwo Pracy. W 1945 roku Kauzik wyjechał do Anglii, skąd prowadził akcję zbierania wiadomości dotyczących Polski. Kazimierz Kumaniecki utrzymywał z nim stały kontakt, ja zaś przez szereg miesięcy pomagałem mu w zbieraniu i analizowaniu informacji. Ta praca wymagała i wzajemnego zaufania i dyskrecji, choć materiały, którymi zajmowaliśmy się, nie były tajne. Z drugiej jednak strony kontakt z Londynem… mówiąc delikatnie – to nie było dobrze widziane. Na szczęście Kumaniecki był chroniony immunitetem poselskim.

**M.K.** Był posłem do Krajowej Rady Narodowej z ramienia Stronnictwa Pracy.

**W.B.** Latem 1945 roku, po wizycie Mikołajczyka w Moskwie i utworzeniu Tymczasowego Rządu Jedności Narodowej, działały dwa Stronnictwa Pracy. Jedno wyraźnie związane z PKWN – na jego czele stali wojewodowie Zygmunt Felczak i Feliks Widy-Wirski. Drugie – kierowane z Londynu przez Karola Popiela, w kraju zaś przez Józefa Kwasiborskiego i Kazimierza Studentowicza. Było to autentyczne ugrupowanie chrześcijańsko-demokratyczne z silnym zapleczem politycznym na Śląsku, wspierane przez Kościół katolicki, które w przypadku dotrzymania umów zawartych w Moskwie mogło odegrać ważną rolę w budowaniu polskiej demokracji. Karol Popiel przyjechał do Warszawy w pierwszych dniach lipca 1945 roku, w ciągu dosłownie paru dni zorganizował kongres partii, który wybrał zarząd, uchwalił statut i program. Grupa działaczy SP została dokooptowana do KRN, wśród nich Kazimierz Kumaniecki. To posłowanie trwało do września następnego roku, gdy na sesji KRN Karol Popiel i jego zwolennicy, w tym Kumaniecki, rzucili swe legitymacje poselskie Bolesławowi Bierutowi pod nogi i opuścili salę „Romy".

Wiosną 1946 roku Kumaniecki wstąpił do współtworzonej przeze mnie Ligi do Walki z Rasizmem[*]. Gdy przyszły wiadomości o pogromie kieleckim i mordowaniu Żydów w Piekuszowie, Herbach, Chmielniku i Koniecpolu był – obok Tadeusza Reka i Michała Pankiewicza – członkiem delegacji Ligi, która udała się do kardynała Hlonda z prośbą o zajęcie stanowiska w sprawie pogromu. Kardynała w Poznaniu nie spotkali. Przyjął ich biskup Walenty Dymek. Niestety, bez rezultatów.

15 listopada 1946 roku zostałem aresztowany. Wolność odzyskałem w kwietniu 1948 roku. Znalazłem pracę w pionie informacyjnym Centralnego Zarządu Przemysłu Drzewnego, gdzie opisywałem między innymi walory desek sedesowych przeznaczonych na eksport do Pakistanu. Wróciłem na Uniwersytet. Kumaniecki był wtedy jego prorektorem. 14 grudnia 1949 roku zostałem ponownie aresztowany.

Później spotkaliśmy się od 1955 roku. Bywałem u państwa Kumanieckich w „domu profesorskim" na Sewerynowie. Tam poznałem m.in. Jana

---

[*] Ogólnopolska Liga do Walki z Rasizmem – utworzona w marcu 1946 – istniejąca kilka lat społeczna organizacja, mająca na celu zwalczanie antysemityzmu, wydająca pismo „Prawo Człowieka". Czołowymi działaczami byli: Marek Ferdynand Arczyński, W. Bartoszewski, A. Berman, S. Korboński.

Parandowskiego i jego żonę, profesora Ananiasza Zajączkowskiego, wybitnego turkologa i zarazem zwierzchnika Karaimskiego Związku Religijnego, prof. Kazimierza Michałowskiego. Chłopiec, którego widziałem po raz pierwszy w Krakowie jesienią 1944 roku – Jerzy – rozpoczął studia na Wydziale Historii UW.

Liberalizacja związana z Październikiem 1956 roku umożliwiła Kazimierzowi Kumanieckemu rozwinięcie działalności w świecie. Został członkiem Fédération Internationale des Associations des Etudes Classiques, przewodniczącym Conseil International de la Philosophie et des Sciences Humaines i prezesem Union Académique Internationale, doktorem honoris causa szeregu uniwersytetów. Działał też w Polskim PEN Clubie, do którego wstąpiłem w 1969 roku. To był nowy etap naszej współpracy, chyba owocny, jeśli się popatrzy na dalsze dzieje tej organizacji.

Kazimierz Kumaniecki zmarł w 1977 roku. Niezadługo potem odeszła pani Halina. Jerzy poświęcił się badaniom w dziedzinie trudnej, mianowicie zajął się stosunkami polsko-sowieckimi w latach 20. Jego książka *Pokój polsko-radziecki 1921. Geneza – rokowania – traktat – komisje mieszane* wzbudziła spore zainteresowanie w kręgach specjalistów. Był jednym z inicjatorów utworzenia w 1983 roku podziemnego Instytutu Europy Wschodniej.

Jesienią 1990 roku zostałem ambasadorem RR w Austrii. Parę miesięcy potem witałem w Wiedniu Jerzego i Janinę Kumanieckich. Pani Janina – poliglotka, ceniona tłumaczka literatury pięknej i dziennikarka – objęła stanowisko konsula do spraw polonijnych. Była córką Zygmunta Szymańskiego, znanego dziennikarza „Życia Warszawy" i Ireny Szymańskiej, znanej ze swej działalności wydawniczej w „Czytelniku" i Państwowym Instytucie Wydawniczym. Latem 1991 roku Janka Kumaniecka wyjechała na kilka dni w podróż służbową do Bratysławy – w tym czasie Jerzy nagle zmarł. Przypadł mi smutny obowiązek nadzoru nad przekazaniem przez nasz Wydział Konsularny trumny z jego szczątkami do Warszawy. Janina Kumaniecka wróciła do Polski w 1995 roku. Pracowała potem w redakcji „Nowoj Polszy", napisała świetną *Sagę rodu Słonimskich*, nosiła się z zamiarem stworzenia opowieści o „domu profesorskim" na Sewerynowie. Zmarła w 2007 roku.

Tak się zakończyła moja przyjaźń z rodziną Kumanieckich.

Na swą pociechę mogę dodać, że od czasu do czasu przeglądam „Meandra", którego redaktorem naczelnym jest profesor Mikołaj Szymański, młodszy brat Janiny Kumanieckiej. *Non omnis moriar.*

**Tadeusz Żenczykowski,** pseud. **Kania, Kowalik, Zawadzki** ppor. rez./kpt., ur. 2 stycznia 1907, Warszawa, zm. 30 marca 1997, Londyn, prawnik, publicysta, działacz polityczny. Założyciel (1931) i redaktor naczelny czasopisma „Podchorążak" (następnie „Podchorąży"). W latach 1937–39 szef Oddziału Propagandy w Sztabie OZN. W latach 1938–39 najmłodszy poseł do Sejmu V kadencji. Uczestnik kampanii wrześniowej, zbiegł z niemieckiej niewoli. Założyciel i komendant organizacji Związek Odbudowy Rzeczypospolitej. Od 1940 w Biurze Informacji i Propagandy ZWZ-AK, szef akcji „N", od 1943 kierownik Podwydziału „Antyk" (propaganda antysowiecka). W Powstaniu Warszawskim szef Wydziału Propagandy KG AK. W 1945 wydawca podziemnego pisma „Głos Wolności". Od końca 1945 na emigracji, początkowo w Drugim Korpusie Polskim, następnie (od 1946) w Londynie. Redaktor działu krajowego „Dziennika Polskiego" i „Dziennika Żołnierza". Działacz Polskiego Ruchu Demokratycznego „Niepodległość i Demokracja" oraz Stowarzyszenia Polskich Kombatantów. Od 1954 pracownik Rozgłośni Polskiej Radia Wolna Europa (w latach 1958–72 zastępca dyrektora). W okresie 1974–76 przewodniczący Rady Naczelnej Koła AK, członek Zarządu Studium Polski Podziemnej. Autor książek poświęconych Polsce Podziemnej oraz początkom PRL: *Dramatyczny rok 1945*; *Generał Grot. U kresu walki*; *Samotny bój Warszawy*; *Polska lubelska 1944*.

Tę przyjaźń uważam za jeden z życiowych darów, jakie otrzymałem od Boga. Bo bez takich ludzi jak Żenczykowscy byłoby mi trudniej zachować suwerenność myśli i działań.

# Daromiła i Tadeusz Żenczykowscy

Wczesna jesień 1945 roku. Kraków. Przyszedłem do państwa Ostrowskich na podwieczorek. Gospodarz wprowadził mnie do salonu, uprzedzając, że za chwilę spotkam jego przyjaciół. Miła przystojna pani, obok niej wysoki barczysty mężczyzna o władczych gestach i tubalnym głosie: „Kania". Ucieszyłem się: – przeżył! Widziałem go ostatnio 5 października 1944 roku na ul. Śniadeckich przed wymarszem moich współtowarzyszy broni do niewoli. Szedł w pierwszym szeregu kolumny BIP-owców, obok pułkownika Rzepeckiego, Witolda Kuli, Antoniego Szymanowskiego, Stanisława Płoskiego i Aleksandra Gieysztora. Od upadku Powstania minął rok. Minęła cała epoka, na którą złożyły się wejście Armii Czerwonej, rozwiązanie Armii Krajowej, kapitulacja Niemiec, rządy PKWN, aresztowanie i proces przywódców Polski Podziemnej, utworzenie Tymczasowego Rządu Jedności Narodowej z Mikołajczykiem na stanowiskach wicepremiera oraz ministra rolnictwa i reform rolnych, dekret z 2 sierpnia 1945 roku o amnestii, kolejne aresztowania… Ucieszyłem się więc i trochę zdziwiłem, a przyczyn zdziwienia było parę. Nie wiedziałem, że „Kania" – szef Wydziału Propagandy VI Oddziału, czyli BIP, zna aż tak blisko Kazimierza Ostrowskiego, ba! jest jego przyjacielem.

Na polecenie Ostrowskiego uczestniczyłem od pierwszych dni września 1944 roku w odprawach dla redaktorów gazet i biuletynów powstańczych, zarówno tych z Armii Krajowej, jak i z Armii Ludowej. Odbywały się one w kompleksie budynków u zbiegu Alej Ujazdowskich z placem Trzech Krzyży i ul. Mokotowską. Na odprawach, które prowadził „Kania" wspomagany niekiedy przez Sławomira Dunin-Borkowskiego* pojawiał się też milczący i nieznany mi wtedy ani z nazwiska, ani z pseudonimu Jan Nowak-Jeziorański. Tam widywałem też m.in. Wiktora Trościankę, który reprezentował prasę Stronnictwa Narodowego, Adama Borkiewicza redagującego „Barykadę" i Władysława Bieńkowskiego z Polskiej Partii Robotniczej. Gdyby zestawić losy tych trzech ludzi, mogłaby powstać wielka opowieść o losach Polaków w XX wieku: Borkiewicz – członek POW**, żołnierz Legionów, dwukrotnie ranny w wojnie polsko-bolszewickiej, pracownik Wojskowego Biura Historycznego, w 1939 roku oficer sztabu obrony Lwowa, w konspiracji dowódca Podokręgu Wschodniego Obszaru Warszawskiego AK, historyk Armii Krajowej, autor wydanej w 1957 roku i głośnej wtedy książki *Powstanie Warszawskie. Zarys działań natury wojskowej*. Trościanko – absolwent wileńskiego Wydziału Prawa i Nauk Społecznych Uniwersytetu Stefana Batorego (1934), przed wojną współpracownik Polskiego Radia, w latach wojny działacz Stronnictwa Narodowego i Narodowej Organizacji Wojskowej, redaktor „Walki", na emigracji autor artykułów w wydawanej w Londynie „Myśli Polskiej", od 1952 roku w Radiu Wolna Europa, autor świetnych audycji, od końca zaś lat 60., jak się okazało już po jego śmierci, informator wywiadu PRL. Bieńkowski – absolwent Uniwersytetu Warszawskiego, polonista i socjolog, członek Komunistycznego Związku Młodzieży Polskiej, organizator PPR w Generalnej Guberni, redaktor m.in. konspiracyjnej „Trybuny Wolności", po wojnie we władzach PPR, w 1948 roku potępiony za tzw. odchylenie prawicowe, w latach 1956–59 minister oświaty – podał się do dymisji, protestując przeciwko usunięciu religii ze szkół, autor artykułów i książek wydawanych przez paryską „Kulturę" i NOW-ą, współpracownik KOR, członek założyciel opozycyjnego Towarzystwa Kursów Naukowych…

Odprawy prowadzone przez „Kanię" składały się z dwóch części. W pierwszej uczestniczyli redaktorzy prasy wojskowej, to znaczy prasy Armii Krajowej. Informacjom o najważniejszych wydarzeniach politycznych i wojskowych towarzyszyły wytyczne o charakterze cenzorskim, a więc prelegent zwracał uwagę

---

* Sławomir Dunin-Borkowski, „Jaskólski" (1909–1958) – dziennikarz, kierownik referatu prasowego Podwydziału Propagandy Mobilizacyjnej BIP KG AK, autor wielu reportaży ukazujących się w prasie konspiracyjnej, w czasie Powstania redaktor pisma „Warszawa Walczy", od 1952 r. współpracownik Rozgłośni Polskiej Radia Wolna Europa.

** POW – Polska Organizacja Wojskowa – tajna organizacja wojskowa utworzona w 1914 r. w Warszawie przez J. Piłsudskiego w celu walki z rosyjskim zaborcą; działała gł. na terenie Królestwa Polskiego, ale także na Ukrainie i w Rosji; od 1917 r. w Galicji, od 1918 r. w Wielkopolsce. Prowadziła szkolenie wojskowe, działalność wywiadowczą i dywersyjną. W 1917 r. liczyła kilkanaście tysięcy członków.

na sprawy, o których pisać nie należy, z uwagi – na przykład – na propagandę niemiecką, bardzo przecież intensywną. W części drugiej uczestniczyli przedstawiciele prasy partyjnej. Tu formułowane były pewne dyrektywy, czy raczej sugestie dotyczące pożądanej przez władze interpretacji problemów nurtujących ogół ludności cywilnej. Redaktorom pism lewicowych i Stronnictwa Narodowego „Kania" niczego nie narzucał. Używał sformułowań w rodzaju: „naszym zdaniem o tym nie należy pisać" albo „w naszym interesie tę sprawę należy podkreślić". Widać było, że ma sporą wiedzę i doświadczenie w dziedzinie propagandy.

Po każdej odprawie wracałem do placówki informacyjno-radiowej „Anna", by złożyć krótkie sprawozdanie szefowi – „Oleszy"– Ostrowskiemu. Słuchał, kiwał głową, niekiedy zadawał pytanie, to wszystko. I ani słowa o tym, że z „Kanią" łączy go bliska znajomość.

Jako pracownik Wydziału Informacji BIP KG AK otrzymywałem w latach 1942–44 publikacje szkoleniowe dotyczące metod działania propagandowego. „Nowa broń" autorstwa Władysława Nałęcza, „Radio jako środek propagandy" podpisane przez W.N. czy „Wystąpienia masowe w propagandzie" pióra T.K. były jednolite stylistycznie, czyżby pisane tą samą ręką – ręką „Kani", szefa Wydziału Propagandy?

**M.K.** Kiedy pan się dowiedział, że „Kania" to „Kowalik" – organizator Akcji „N"[*] (w której działał m.in. Kazimierz Kumaniecki), Wydziału „Rój" (zajmującego się przygotowaniem mobilizacyjnym propagandy wojskowej) i Wydziału „R" (zajmującego się propagandą antykomunistyczną), reprezentant BIP-u w Społecznym Komitecie Antykomunistycznym?

**W.B.** Szczątkowe wiadomości dotarły do mnie w latach 1945–46. Po 1956 roku pojawiło się nawet parę rzeczowych publikacji dotyczących Akcji „N". Wyjaśnienie spraw związanych ze Społecznym Komitetem Antykomunistycznym i Wydziałem „R" w BIP KG AK zajęło mi osobiście nieco więcej czasu – trzydzieści sześć lat. 8 marca 1981 roku odbyłem w Londynie zarejestrowaną na taśmie magnetofonowej rozmowę z „Kowalikiem" na temat Wydziału „R". Jej tekst został opublikowany przez Jerzego Giedroycia na łamach „Zeszytów Historycznych" w 1984 roku. Tu przypomnę, że Żenczykowski – używający w Wydziale „R" pseudonimu „Krawczyk" – był inicjatorem wydanej przed końcem stycznia 1944 roku i podpisanej

---

[*] Akcja „N" – kryptonim działań propagandowo-dywersyjnych prowadzonych wśród Niemców przez referat „N" w BIP-ie KG AK, kierowany przez Tadeusza Żenczykowskiego; przede wszystkim druk i kolportaż pism i ulotek w języku niemieckim, mających osłabić morale przeciwnika (dywersja psychologiczna).

przez 24 stronnictwa i organizacje polityczne (od Konfederacji Narodu, czyli ONR, przez Stronnictwo Narodowe, Stronnictwo Ludowe po Centralne Kierownictwo Ruchu Mas Pracujących Polski Wolność, Równość, Niepodległość i Gwardię Ludową WRN) odezwy „Do Narodu Polskiego"; warto dziś przytoczyć jej tekst:

„W obliczu nadchodzących wydarzeń decydujących o zakończeniu wojny, a wymagających od Polski wielkiego i zgodnego wysiłku, czynniki wrogie Rzeczypospolitej podjęły akcję mającą na celu osłabienie spoistości Narodu Polskiego przez szerzenie chaosu i sianie dywersji. Działająca na ziemiach naszych pod firmą PPR obca agentura komunistyczna prowadzi swą akcję godzącą w najżywotniejsze interesy Polski według dyrektyw zewnętrznego i niepolskiego ośrodka dyspozycji. Maskując swe istotne cele i poruczone przez swych mocodawców zadania obłudnie nadużywanymi hasłami patriotycznymi i narodowymi, komunistyczna »Polska Partia Robotnicza« i jej ekspozytury w rodzaju rzekomo »Polskiej« Armii Ludowej deklarują gotowość oddania Ziem Wschodnich Rzeczypospolitej – Rosji oraz zwalczają obdarzony zaufaniem Narodu Legalny Rząd i Armię Rzeczypospolitej oraz Ich odpowiedniki w Kraju. W dążeniu do osłabienia i rozbicia sił Narodu w decydującym okresie wojny agentury komunistyczne powołują »Krajową Radę Narodową« i »Dowództwo Główne Armii Ludowej« oraz zapowiadają utworzenie »Rządu Tymczasowego«. Niezależnie od nikłości sił i znaczenia, jakie faktycznie reprezentować mogą powyższe, obliczone na rozgłos zewnętrzny, fikcyjne instytucje, należy mocno i zdecydowanie napiętnować Akcję PPR, jako zdradę Narodu i Państwa Polskiego. Tylko Rząd Rzeczypospolitej i jego Pełnomocnik na Kraj oraz Wódz Naczelny i z Jego ramienia działający Komendant Armii Krajowej są powołani do wydawania rozkazów wyznaczających ostatni etap walki z wrogiem, prowadzonej twardo i nieustępliwie od pierwszych dni okupacji przez cały Naród. O sprawach Polski decyduje Naród – nigdy obca agentura".

**M.K.** A kiedy pan się dowiedział, że „Kania", „Kowalik", T.K. i „Władysław Nałęcz" to Tadeusz Żenczykowski?

**W.B.** Jesienią 1945 roku, na podwieczorku u Ostrowskich. Przedstawiliśmy się nazwiskami: Bartoszewski – Żenczykowski. No i szybko skojarzyłem, że „Kania" był najmłodszym posłem w Sejmie RP V kadencji – przypominam, że według Konstytucji z 1935 roku bierne prawo wyborcze do sejmu przysługiwało obywatelom, którzy ukończyli 30 lat – i że to właśnie on na obradach sejmowych

2 września 1939 roku zgłosił w imieniu Koła Parlamentarnego OZN (Obozu Zjednoczenia Narodowego) projekt ustawy, która umożliwiała posłom i senatorom ochotnicze wstąpienie do wojska bez utraty mandatu. Sam zresztą natychmiast udał się do swej macierzystej jednostki – 21. pułku piechoty. Za udział w walkach w obronie Warszawy, na odcinku praskim i w Forcie Mokotowskim, w pobliżu siedziby stacji radiowej Warszawa II, tej nadającej na falach średnich, otrzymał Krzyż Walecznych. Dodam, że jako poseł szczególnie interesował się sprawami Polskiego Radia – pojmowanego jako aparat propagandy państwowotwórczej... Przy herbacie i ciastkach w salonie Ostrowskich dowiedziałem się, że po Powstaniu został osadzony w oflagu w Gross-Born, uciekł z niewoli, gdy Niemcy rozpoczęli ewakuację jeńców do Sandbostel. Po powrocie do kraju zaczął wydawać pismo podziemne „Głos Wolności", a jednocześnie podjął próbę włączenia się do działalności jawnego Stronnictwa Demokratycznego.

**M.K.** Szef propagandy Obozu Zjednoczenia Narodowego, organizacji zapatrzonej we wzorce faszystowskie z Niemiec i Włoch?

**W.B.** To nie tak proste, jakby się z pozoru wydawało. Od 1927 roku Żenczykowski był działaczem – przez pewien czas prezesem Komitetu Wykonawczego – Związku Polskiej Młodzieży Demokratycznej, organizacji związanej z piłsudczykowską lewicą, postępowej (jak się sama określała), a nawet antyklerykalnej. ZPMD czynnie przeciwstawiał się nacjonalistycznym akcjom Młodzieży Wszechpolskiej i innych grup prawicowych. Myślę, że te zasady ideowe były mu bliskie do końca życia. W 1928 roku został członkiem tajnego ZET-u[*], którego jawną emanacją był Związek Naprawy Rzeczypospolitej – w nim sporą rolę odgrywał nurt syndykalistyczny. Ale to nie jedyny wątek w politycznej biografii młodego Żenczykowskiego. Po ukończeniu studiów prawniczych na Uniwersytecie Warszawskim i służbie wojskowej (dodam, że w latach 1932–39 był redaktorem „Podchorążaka" – dwutygodnika szkół podchorążych rezerwy) został urzędnikiem w Ministerstwie Sprawiedliwości. To był 1930 rok – czas,

---

[*] ZET – Związek Młodzieży Polskiej – tajna organizacja młodzieży studenckiej ze wszystkich trzech zaborów, istniejąca od 1887 r., trójstopniowa, podporządkowana początkowo Lidze Polskiej, następnie (do 1909 r.) Lidze Narodowej, stawiająca za cel odzyskanie niepodległości Polski. Kontynuowała niejawną działalność po 1918 r., w 1926 r. jej członkowie utworzyli m.in. jawny Związek Naprawy Rzeczypospolitej, popierający Józefa Piłsudskiego.

gdy marszałek Piłsudski doprowadził do rozprawy z Centrolewem i aresztowania przywódców opozycji parlamentarnej występującej przeciw sanacji. Rzucający się w oczy, bo mający prawie dwa metry wzrostu, zdecydowany, dynamiczny, obdarzony talentami przywódczymi, chwilami apodyktyczny – działacz „Strzelca", twardy piłsudczyk niemal od dzieciństwa – Żenczykowski zyskał przychylność min. Czesława Michałowskiego[*]. Kariera ministerialna stanęła przed nim otworem. Cieszył się szacunkiem środowiska prawniczego, bodaj od 1934 roku był prezesem Rady Naczelnej Związku Młodych Prawników.

O akcesie do OZON-u[**] mówił po latach w rozmowie z Anną Kuligowską („Tygodnik Powszechny" z 27 sierpnia 1995 r.): „Byłem przygnębiony śmiercią Marszałka, bo wiedziałem, że nikt nie będzie go w stanie zastąpić. Ale trzeba było prowadzić to, co po nim zostało. I dlatego zgłosiłem się do OZON-u, wiedząc, że na jego czele stoją piłsudczycy i byli żołnierze Marszałka. Nie wszystko mi się podobało w OZON-ie, trzeba było jednak coś robić, zmieniać, poprawiać. Uważałem, że taki jest mój obowiązek i tych wszystkich, którzy uważali się za ludzi czy żołnierzy Piłsudskiego. I w roku 1937 zostałem szefem Oddziału Propagandy w centrali OZON-u (...) Większość piłsudczyków była za OZON-em. Niestety, nie było dobrych przywódców. Sikorski był zupełnie nie do przyjęcia. Może Sławek był najlepszy, bo uczciwy, ale bardzo ostrożny, powolny. Słowem – jednemu brakowało oleju, a drugim talentu wodzowskiego. Trzeba jeszcze pamiętać, że były inne partie. Była endecja, były chadeki, no i PPS, z którą bardzo sympatyzowałem".

Nie wątpię, że miał wątpliwości co do niektórych elementów programu OZON-u, tym poważniejsze, że jego żona Daromiła (z domu Szeller), działaczka ZMPD odnosiła się do Rydza-Śmigłego i jego konceptów ideowo-politycznych z daleko posuniętym krytycyzmem.

Z kolei wspólny nasz – Żenczykowskiego, a dużo później i mój – przyjaciel Andrzej Pomian wspominał: „W roku 1937 część piłsudczyków założyła Obóz Zjednoczenia Narodowego, który w porównaniu z poprzednimi politycznymi formacjami piłsudczykowskimi przesunął się znacznie na prawo. Zetowcy znaleźli się na rozdrożu. Część z nich przeszła do opozycji, część przystąpiła do

---

[*] Czesław Michałowski (1885–1941) – prawnik, w latach 1930–36 minister sprawiedliwości i naczelny prokurator RP (w sześciu kolejnych rządach), senator, zamordowany przez NKWD w Mińsku.

[**] OZON – popularna nazwa Obozu Zjednoczenia Narodowego, organizacji politycznej utworzonej w lutym 1937 r. przez płk. Adama Koca, stanowiącej bazę społeczno-polityczną sanacji. Cel: wzmacnianie obronności państwa, szerzenie kultu armii i marszałka Piłsudskiego, eksponowanie roli Śmigłego-Rydza jako „drugiej osoby w państwie". OZON skupiał kilkadziesiąt tysięcy członków.

OZON-u, aby zachować wpływ na sytuację. Tadeusz zsolidaryzował się z grupą drugą... Ja trzymałem się z dala od OZON-u, ale rozumiałem Tadeusza. Nie miałem wątpliwości, że miał na oku dobro publiczne, możność działania. To był człowiek, który nie mógł być bezczynny. Nie mógł pozostawać na boku, gdy nadarzała się okazja zrobienia czegoś dla kraju".

Nie wykluczam, że prócz oddania idei piłsudczykowskiej Żenczykowskim kierowała ambicja uczestniczenia w przygodzie, chęć sprawdzenia się w przedsięwzięciu na wielką skalę. Miał wtedy trzydzieści lat, uważnie obserwował rozwój środków masowej propagandy w państwach ościennych, a – jak wiadomo – było na co patrzeć. W cytowanej już rozmowie z Anną Kuligowską wspominał z dumą: „Jako szef propagandy miałem dużo roboty dla całej polityki wyborczej. Byłem stanowczym przeciwnikiem propagandy ulotkowej, bo stosy ulotek zostawały po każdych wyborach na ulicy. Postanowiłem więc, że należy dotrzeć indywidualnie do wyborców. Zarządziłem napisanie 16-stronicowej broszurki i kazałem odbić milion sztuk! Moi zwierzchnicy patrzyli na to z niedowierzaniem. (...) Zresztą milion broszurek to był dopiero początek. Trzeba było znaleźć adresy. (...) Zacząłem szperać w rozmaitych instytucjach, bankach, placówkach pocztowych i tak dalej. Zdobyłem, jak pamiętam, 700 tysięcy nazwisk. (...) Chodziło o nowy styl propagandy wyborczej...".

Od wyborów 1938 roku minęło trzynaście miesięcy. W pierwszych dniach października 1939 roku Tadeusz Żenczykowski zaczął organizować konspiracyjny Związek Odbudowy Rzeczypospolitej. Jego kadrę kierowniczą tworzyli ludzie z lewicy piłsudczykowskiej, ze Związku Polskiej Młodzieży Demokratycznej, z Klubów Demokratycznych, a więc ugrupowań opozycyjnych wobec OZON-u.

Wracam do podwieczorku u Ostrowskiego (który – przypomnę – działał w ZPMD i był pierwszym komendantem Okręgu Krakowskiego Związku Odbudowy Rzeczypospolitej). Z rozmowy przy herbacie i ciastkach wynikało, że Daromiła Żenczykowska pracowała w Akcji „N", aresztowana w 1942 roku przeszła niezłomnie ciężkie śledztwo w Gestapo, potem zaś Majdanek i Auschwitz. Żegnając się z Żenczykowskimi, zrozumiałem, że planują ewentualny wyjazd na Zachód, choć nie było to wyraźnie powiedziane. I tak też się stało: w listopadzie 1945 roku byli już we Włoszech, w szeregach II Korpusu.

Minęło dziewięć lat. 16 sierpnia 1954 roku zostałem zwolniony z więzienia w Raciborzu na roczną przerwę z powodu gruźlicy. Pojechałem do Krakowa, gdzie spotkałem się z przyjaciółmi: Kazimierzem Ostrowskim, Jadwigą Beaupré i Adamem Dobrowolskim. Ten ostatni był radcą prawnym w Zrzeszeniu Prywatnego

Handlu i Usług. Zrzeszenie miało dom wypoczynkowy w Zakopanem. Tam pod koniec września 1954 roku usłyszałem pierwszy raz w życiu audycję Radia Wolna Europa. Z głośnika płynął mocny, niski głos jakiegoś Tadeusza Zawadzkiego. Tak go zapowiadała spikerka RWE, mnie się wydawało, że to bardzo charakterystyczny głos Żenczykowskiego.

Po Październiku 1956 roku władze PRL zliberalizowały politykę paszportową, zacieśniały się kontakty między krajem a Paryżem i Londynem. O tym, że Zawadzki to Żenczykowski upewniła mnie bodaj Jadwiga Beaupré, której udało się wyjechać do Anglii. Od niej też dowiedziałem się, że w środowisku londyńskim wysoko są oceniane moje artykuły na temat Powstania Warszawskiego, Armii Krajowej, Państwa Podziemnego, które publikowałem zrazu na łamach „Stolicy", potem w „Tygodniku Powszechnym".

Zależało mi na dotarciu do londyńskiego archiwum Studium Polski Podziemnej. Chciałem też być na procesie Eichmanna. Moje podania o przyznanie paszportu były – by użyć słów Antoniego Słonimskiego – „załatwiane odmownie". Ale nadarzyła się okazja, a dokładniej mówiąc trzy okazje. W 1961 roku poznałem Kurta Skalnika, redaktora „Die Furche", poważnego austriackiego pisma katolickiego o kierunku zbliżonym do „Tygodnika Powszechnego". Byliśmy u Jerzego Zawieyskiego, tłumaczyłem ich poufną rozmowę. Potem pojechaliśmy do Ożarowa na obiad w dworku Reicherów, w tym samym salonie, w którym von dem Bach prowadził rozmowy z pułkownikiem Irankiem-Osmeckim i innymi przedstawicielami AK na temat kapitulacji Powstania. W czasie obiadu Skalnik zapytał mnie, czy wybrałbym się do Wiednia. Oczywiście, że bym się wybrał, ale jak, za co? „Tygodnik Powszechny" nie był szczególnie majętny, ja też nie... Na to Skalnik oświadczył, że redakcja „Die Furche" zapewni mi w Austrii, jako gospodarz wizyty studyjnej, hotel i posiłki. W 1962 roku zostałem zaproszony do Jerozolimy, do Yad Vashem*, w sprawie m.in. złożenia relacji o działalności „Żegoty". A paszportu nie ma. W końcu Stefan Kisielewski podjął się niekonwencjonalnej interwencji u gen. Moczara.

W tamtych czasach nie było bezpośredniego połączenia między Warszawą a Tel Awiwem. Najczęściej latano do Izraela przez Ateny lub przez Wiedeń. Plan mojej podróży: z Warszawy lecę do Aten, tam będę dwa dni, spotkam się z płk.

---

* Yad Vashem – hebr. „miejsce i imię"– Instytut Pamięci Męczenników i Bohaterów Holocaustu, utworzony w 1953 r. w Jerozolimie; w jego skład wchodzą m.in. Nowe Muzeum Historyczne wraz z Salą Imion, Ogród i Aleja Sprawiedliwych na Górze Pamięci (od 1962 r.), Dolina Zabitych Wspólnot.

Pawłem Sapiehą, doradcą króla Grecji, a w rzeczywistości z rezydentem wywiadu amerykańskiego (u którego zarekomendowała mnie Tili Osterwina, jego siostra), a co do trasy powrotnej, to zobaczymy, z tym, że chciałem wykorzystać zaproszenie Skalnika i zatrzymać się na cztery tygodnie w Wiedniu. 10 września nadałem z poczty głównej w Atenach blankiet lotniczy, takich już dziś nie ma, zaadresowany do Tadeusza Zawadzkiego w Radiu Wolna Europa. Napisałem parę słów: Szanowny, drogi kolego! Jestem „Teofil" z BIP, znamy się z Powstania i nie tylko, mamy wspólnych przyjaciół, jestem u progu podróży do Izraela, gdyby Pan chciał się ze mną skontaktować, to proszę pisać pod adres dr. Józefa Kermisza, dyrektora archiwum Yad Vashem… Następnego dnia wylądowałem w Tel-Awiwie.

Żenczykowski zareagował błyskawicznie. Minęły ledwie dwa dni, gdy otrzymałem list, w którym podał mi numer swego telefonu. Zaczęły się długie, wieczorne rozmowy. O sytuacji w środowiskach dziennikarskich, literackich, prawniczych. O ZBoWiD-zie, o taktyce moczarowców, którzy rozpoczynali właśnie ofensywę. Zadawał pytania, które świadczyły o jego wielkich umiejętnościach analitycznych. Tak to trwało prawie przez dwa miesiące. Tymczasem redakcja „Die Furche" zarezerwowała dla mnie w Wiedniu pokój w hoteliku prowadzonym przez siostry ewangelickie w 8 Bezirku (8 dzielnicy). Adres przekazałem Żenczykowskiemu. Poleciałem do Wiednia przez Rzym. Spotkaliśmy się 10 listopada 1963 roku. Stał na schodach przed wejściem do hotelu. Jedno spojrzenie – i padliśmy sobie w ramiona.

Dwadzieścia pięć lat potem Dara i Tadeusz przysłali mi kartkę z życzeniami urodzinowymi: „…w ćwierćwiecze Przyjaźni nasze życzenia są w swych intencjach i uczuciach niezmiennie gorące i serdeczne. Obyś miał jak najwięcej sił i wytrwania w swej ważnej i bardzo potrzebnej działalności publicznej dla dobra kraju. Obyś miał jak najwięcej sukcesów, zadowolenia z osiągnięć i miłych chwil. Obyś nie przejmował się ujadaniem różnych jamników. 100 lat!!!". Pamiętali o ćwierćwieczu przyjaźni! – a ja muszę dodać, że tę przyjaźń uważam za jeden z życiowych darów, jakie otrzymałem od Boga. Bo bez takich ludzi jak Żenczykowscy byłoby mi trudniej zachować suwerenność myśli i działań.

Tadeusz zatrzymał się w pobliskim hotelu. Nasza rozmowa trwała parę dni. Omówiliśmy kontakty komunikacyjne, logistykę, zasady konspiracji, a więc to wszystko, co było potrzebne do bezpiecznego zbierania i przekazywania wiadomości. Obiecał mi, że o mojej współpracy z Wolną Europą będzie wiedziało ściśle ograniczone grono. On, Nowak-Jeziorański, z którym wtedy odbyłem długą rozmowę telefoniczną, amerykański dyrektor RWE, ksiądz Tadeusz Kirschke – jako kontakt rezerwowy,

**Daromiła Żenczykowska,** z d. Szeller, pseud. **Danuta, Danuta Zawadzka,**
ur. 14 stycznia 1912, Warszawa, zm. 11 października 2001, Londyn, por. AK, więźniarka Pawiaka,
Majdanka i Auschwitz, współpracownica Radia Wolna Europa. W konspiracji od listopada 1939,
początkowo w ZWZ , następnie w Związku Odbudowy Rzeczypospolitej, komendantka i instruktorka
Pomocy Żołnierzowi. Aresztowana w listopadzie 1942, osadzona na Pawiaku, następnie w obozach
Majdanek i Auschwitz (do stycznia 1945). Od listopada 1945 poza krajem, w Monachium i Londynie.
Członkini Rady Studium Polski Podziemnej, współpracownica RWE, inspiratorka prac historycznych.

i nikt więcej. I rzeczywiście – ten krąg był doskonale szczelny, odporny na późniejsze usiłowania rozmaitych kapitanów Czechowiczów. Wiktor Trościanko wykorzystywał materiały z kraju w swoich audycjach, nie mając pojęcia, że to ja jestem ich autorem... Przeglądam teraz po latach materiały z IPN... Ileż to pieniędzy wydała SB, ilu ludzi – dziesiątki – zatrudniła, żeby usidlić nieznanego informatora! Żenczykowski prosił mnie o zachowanie maksymalnej ostrożności. Trzymałem się zasad konspiracji do tego stopnia, że gdy po latach Tadeusz Nowakowski poprosił mnie przy kieliszku wina, żebym coś powiedział w Wolnej Europie, coś niewinnego o literaturze pięknej, odpowiedziałem stanowczo: „Tadeusz, boję się!". Pokiwał głową ze zrozumieniem.

**M.K.** Ale jesienią 1970 roku prokuratura postawiła panu zarzut kierowania siatką wywiadowczą Wolnej Europy na Polskę.

**W.B.** Zarzut był absurdalny, bo żadnej siatki nie było. Był tylko Bartoszewski! A miałem kontakty we wszystkich środowiskach, od endecji po socjaldemokratów, od „Żegoty" po Katolicki Uniwersytet Lubelski, miałem inteligentnych, światłych, doskonale zorientowanych rozmówców: Kazimierza Ostrowskiego, Władysława Siłę-Nowickiego, Witolda Lisa-Olszewskiego, Wiesława Chrzanowskiego, Jana Józefa Lipskiego, Leopolda Kummanta. Niedawno pytałem Chrzanowskiego, czy zdawał sobie z tego sprawę. On na to mówi:

– Wiesz, wolałem niczego nie wiedzieć...

– Ale przecież potem słuchałeś radia i mogłeś się zorientować, że podają twoje myśli...

– Słuchałem, orientowałem się... ale współpracownikiem Wolnej Europy nie byłem.

– Wolnej Europy – nie, byłeś moim!

Dziś już wiem, że u źródeł starań SB i zarzutu prokuratorskiego leżały nadmierne pochwały i pozytywne oceny mojego zaangażowania niepodległościowego wygłaszane przez mojego przyjaciela Witolda Lisa-Olszewskiego. Był obserwowany przez SB, w kręgu jego bliskich znajomych znajdował się tajny współpracownik... Lis zaś mówił o mnie tak dobrze, że zwróciło to uwagę obserwatora.

Wróćmy do listopada 1963 roku. W Wiedniu rozstaliśmy się z Żenczykowskim zawierając ustną umowę, że od tej pory jestem tajnym, dobrowolnym współpracownikiem Radia Wolna Europa i – podkreślę – jego człowiekiem zaufania. Zaprawiony w konspirowaniu od czasów ZET-u Żenczykowski, tak jak Giedroyć, unikał korzystania z cudzych siatek informacyjnych i korespondencyjnych. Budował własne, złożone z osób, które nie miały niczego wspólnego z RWE. Ja na przykład często przesyłałem w następnych latach swoje korespondencje na londyński adres nieznanej mi pani Kowalskiej. Pani Kowalska? To wyglądało na lipę… A jednak okazało się, że pani Kowalska naprawdę istnieje, jest matką żony Lucjana Kindleina, działacza Koła Armii Krajowej w Londynie. Miał też Żenczykowski sieć przyjaciół, z którymi działał w Polskim Ruchu Wolnościowym „Niepodległość i Demokracja", organizacji o radykalnym demokratycznym programie społecznym, aktywnej także w federalistycznym ruchu paneuropejskim. Członkami NiD byli m.in. kurierzy Jerzy Lerski , Andrzej Pomian (Bohdan Sałaciński) i Jan Nowak-Jeziorański, początkujący pisarz Andrzej Bobkowski, dziennikarze Aleksander Bregman i Bolesław Wierzbiański. NiD – czyli The Polish Freedom Movement „Independence and Democracy" – wydawał ważne publikacje przeznaczone dla parlamentarzystów brytyjskich, w tym np. w 1947 roku tom *Faked Elections in Poland as Reported by Foreign Observers*[*] z przedmową George Dallasa, znanego polityka z British Labour Party.

Do następnych osobistych spotkań z Żenczykowskim doszło w latach 1965–66 w Niemczech i w Austrii, potem w Anglii. W jaki sposób? Państwo Bartoszewscy zatrzymywali się w pensjonacie X w Igls nieopodal Innsbrucka, państwo Żenczykowscy w pensjonacie Y w tej samej miejscowości… Albo w Garmisch-Partenkirchen, gdzie Żenczykowscy napawali się pięknem Alp, ja zaś pisałem w pocie czoła (z głowy!) broszurę „Metody i praktyki bezpieki w pierwszym dziesięcioleciu PRL", która po paru miesiącach, gdy mnie już za granicą nie było, była czytana przez spikera na antenie RWE. Oczywiście rozmawialiśmy nie tylko o aktualnych sprawach krajowych. Wracaliśmy do dziejów AK, do akcji „N" i „R", do dziejów BIP-u.

Zastanawiałem się, jak Tadeusz znalazł wspólny język z Nowakiem. Obaj byli dosyć apodyktyczni, stanowczy, obdarzeni cechami przywódczymi. W czasie okupacji Żenczykowski był szefem całej propagandy Armii Krajowej, podczas gdy Jan Nowak-Jeziorański – kurierem. W 1954 roku Nowak ściągnął Tadeusza do Monachium, został jego przełożonym, w dodatku wyposażonym przez Amerykanów w pełnię władzy. Domyślam się, że ciepły, dowcipny, lubiany przez ludzi Tadeusz umiał łagodzić konflikty, które nieraz dzieliły pracowników RWE – i w ten sposób ułatwiał Nowakowi-Jeziorańskiemu zarządzanie rozgłośnią.

---

[*]  *Faked Elections in Poland…* – Sfałszowane wybory w Polsce w świetle raportów zagranicznych obserwatorów.

Broszura napisana przez Władysława Bartoszewskiego pod pseudonimem Jan Kowalski została
pierwszy raz wydana w 1984 roku w Londynie

Nowak po latach napisał: „Największymi zaletami »Kowalika« była niepospolita energia, osobista odwaga, wybitne zdolności organizacyjne, inicjatywa, rozmach w działaniu. Umiał także dobrać sobie doskonały zespół ludzi".

Jesienią 1970 roku nasze kontakty zostały ograniczone do korespondencji. Odebrano mi paszport. Musiałem zaostrzyć rygory konspiracji. Łączność z Żenczykowskim utrzymywałem przez Austriacki Ośrodek Kultury w Warszawie. Jego dyrektor przekazywał moje listy Kurtowi Skalnikowi, który od paru lat był dyrektorem biura prasowego w urzędzie prezydenta Austrii. Z kolei Kurt przesyłał je dalej (nie znał wcale języka polskiego), na adres podany przez Żenczykowskiego. Ten mechanizm funkcjonował niezawodnie do 1981 roku. Nawiasem dodam, że Skalnik zaprosił Darkę i Tadeusza do Wiednia, oni z kolei gościli go w Monachium.

W 1972 roku Żenczykowscy wrócili do Londynu. Po rozpoczęciu etapu emerytalnego Tadeusz został prezesem Rady Naczelnej Koła Armii Krajowej. Działał w Studium Polski Podziemnej. Napisał szereg cennych książek historycznych: o Powstaniu Warszawskim, o generale Grocie-Roweckim, o Polsce pod terrorem NKWD. Przeprowadził ważną rozmowę z prezydentem Edwardem Raczyńskim – która przybrała postać tomu *Od Genewy do Jałty* – na temat polityki zagranicznej II Rzeczypospolitej. W 1984 roku objął przewodnictwo Komitetu Redakcyjnego wydawnictwa *Armia Krajowa w dokumentach 1939–1945*. Cieszył się, że jego książki są wydawane przez Solidarnościowe oficyny podziemne: *Dramatyczny rok 1945* miał bodaj siedem edycji, *Generał Grot: u kresu walki* chyba pięć… Wciąż tworzył cenione przez słuchaczy audycje dla Radia Wolna Europa. Nie przyjął obywatelstwa brytyjskiego. Był uchodźcą politycznym z nansenowskim paszportem i niezbyt wysoką emeryturą.

Darka była przez pewien czas zatrudniona w RWE, ale gdy Tadeusz objął stanowisko zastępcy dyrektora, musiała podporządkować się regułom stosowanym przez Amerykanów, wedle których żony kadry kierowniczej nie mogą pracować zwodowo. Pomagała mężowi w działalności publicystycznej i wydawniczej. Miała świetne pióro, ostre, przenikliwe. Działała też w organizacjach kombatanckich.

19 kwietnia 1982 roku opuściłem ośrodek internowania w Jaworzu i wróciłem do Warszawy. Parę miesięcy potem sekretarz Pen Clubu Republiki Federalnej Niemiec przywiózł mi zaproszenie stypendialne do berlińskiego Wissenschaftskolleg zu Berlin – Institute for Advanced Study. Żona i ja złożyliśmy podania o paszporty, z pozytywnym skutkiem i w błyskawicznym tempie. Przez rok – od jesieni 1982 – mieszkaliśmy w Berlinie Zachodnim, potem – aż do 1990 roku – w Bawarii. Wystarczyło podnieść słuchawkę telefonu i wystukać numer Tadeusza – rozmawialiśmy parę razy w tygodniu. Mój

syn studiował wtedy w Cambridge. Jeździliśmy wraz z żoną do Londynu przeważnie dwa razy w roku. Wigilię spędzaliśmy u Żenczykowskich wraz z moim synem, Bogną Domańską (w czasie okupacji kierowniczką sekretariatu komórki więziennej oraz referatu żydowskiego w Departamencie Spraw Wewnętrznych Delegatury Rządu na Kraj, wówczas zaś współpracownicą Studium Polski Podziemnej) i Teresą Lechnicką-Affeltowicz (wiceprzewodniczącą londyńskiej Rady Narodowej). No i dziesiątki listów pisanych otwarcie, bez obawy, że padną łupem perlustratora. Sądzę, że warto zacytować parę ich fragmentów.

List z 23 lutego 1986 roku:

Nasi Kochani! To prawdziwa radość i przyjemność usłyszeć Wasze głosy, ale smutno, że z tak daleka. Jaka szkoda, że nie chcecie obchodzić Wesołego Jajka w Londynie. Bardzo jesteśmy wzruszeni Waszą troską o moje cherlawe cielsko. Zaczynam żałować, że wylazłem z łóżka. Okazuje się, że mam tyle rzeczy do załatwienia, że nie mogę się z tym uporać (...) Nie lubię nawalać zobowiązań i terminów, jestem więc sfrustrowany. Jestem już spóźniony z książką (...) Z Hrabią już zacząłem nagrywać i tego nie chcę odwlekać, gdyż trzeba się śpieszyć z uwagi na wiek i zdrowie Rozmówcy [Edward Raczyński liczył sobie wówczas 95 lat, Tadeusz Żenczykowski – 79 – przyp. MK]. A przecież mam jeszcze audycje, które lubię, ale chłoną czas, wymagają szperania w papierkach (...) Widzicie więc, że coraz częściej gotuje mi się woda w głowie. Żeby jakoś „nie dać się zwariować" będę musiał poprosić Najdera[*] o przerwanie na parę tygodni moich programów (zresztą w tym czasie skończę nagranie z Raczyńskim). Ciągle nasuwają mi się jakieś kuszące tematy i pomysły, wiem jak zgromadzić dokumenty – ale nie mam czasu, choć dałoby mi to pewną przyjemność. Wybaczcie ten minorowy ton sędziwego starca, ale poza Darką z kim się mam poza Wami podzielić swoimi tarapatami. Ale w związku z tarapatami prośba do Władka. Czy mógłbyś poprosić Andrzeja Friszke, aby mi przysłał fotografie Kazimierza Kierzkowskiego i Kazimierza Pluty-Czachowskiego, znanych działaczy Zw. Strzeleckiego. Muszę coś o nich napisać w tym roku, ale brak mi tych podobizn. Niech tylko nie przysyła na adres Studium, bo tam wsiąkną. Lepiej na Teresę[**] [z Lechnickich Affeltowicz – przyp. MK]. Przesyłam Wam zapowiedzianego „Orła Białego", na łamach którego Władek hipnotyzuje czytelników swym wzrokiem.

---

[*] Zdzisław Najder – od początków 1982 r. do wiosny 1987r. był dyrektorem Rozgłośni Polskiej Radia Wolna Europa.

[**] Teresa Affeltowicz – były żołnierz AK, działaczka emigracyjna w Londynie.

List z 13 czerwca 1986 roku:

Nasi Kochani, Wyobraźcie sobie, że niespodziewanie wszystkie dni urlopu spędziliśmy razem z Władysławem Bartoszewskim. A więc mówił nam o Nim Berman i Chajn (*Oni*), informował o Jego Nagrodzie (Księgarstwa Niemieckiego) „Tygodnik Powszechny", on sam też się ujawnił twierdząc, że *Warto być przyzwoitym* i mówiąc o *Samotnym boju Warszawy*. Słowem urlop z Władkiem był niezwykle przyjemny i bardzo udany (…) Wracamy do domu ze świadomością wielu zapowiedzianych lub już przybyłych różnych „wizytatorów" z Kraju, z którymi trudno się nie spotkać. A nadto książka, tygodniowe audycje RWE, które traktuję starannie oraz „popędzanie" VI tomu *Dokumentów AK*, gdyż chcę bardzo oddać przed końcem roku znaczną ich część do druku. W przyszłym roku tom powinien się ukazać w całości – Zosię i Ciebie gorąco pozdrawiam i całuję Was Serdecznie – Tadeusz.

List z 24 lipca 1986 roku:

Lubi i Kochani! (…) Bardzo dużo czasu pochłania mi *Polska Lubelska*. Wątpię, żeby ktoś szybko na emigracji mógł podjąć ten temat, a nowe próby krajowe będą zawsze cenzuralnie ograniczone. Dlatego też szperam skrupulatnie w stosach książek i papierów, by dać możliwie najpełniejszy i politycznie właściwy obraz tamtych wydarzeń (…) W tygodniowych audycjach radiowych zajmuję się teraz 1956 rokiem, gdyż jak się przekonałem, pokolenie 30-latków (oczywiście tym bardziej młodsze) bardzo mało o tym okresie wie, a myśmy wówczas dużo w Radio o tem mówili i jak się dziś okazuje z perspektywy lat – mieliśmy dużo racji w przedstawianiu sytuacji. Pamiętam, jak się wtedy spierałem z Nowakiem od pierwszej chwili objęcia władzy przez Gomułkę. Oceniałem sceptycznie przewidując, że w szybkim tempie Gomułka będzie od „października" odchodził. Nowak gorąco wierzył w Gomułkę i przez długi okres czasu nie dostrzegał tego, co on robi i w jakim kierunku zmierza. (…) Nie to jest ważne jednak, gdyż istotne jest, by w kraju nie było historycznego zamglenia prawdy wydarzeń. Na tle tych refleksji muszę jakoś przemyśleć swój plan działania. Za parę miesięcy kończę 80-tkę. Czas więc najwyższy realistycznie przewidzieć, ile jeszcze mogę mieć czasu na wykonanie różnych swych pomysłów i zamiarów. Jest ich na pewno więcej niż realnych możliwości. Stąd wniosek, że trzeba ustalić sobie kolejność wedle ważności problematyki i w ten sposób plan realizować wiedząc, że nie będzie mógł być w całości dokończony. Dopóki jeszcze mogę, chcę utrzymać pogadanki radiowe, chociaż i one pochłaniają mi sporo czasu. Mimo to

Londyn, 4. 9. 1995

Kochani,

Witamy Was z powrotem w War
szawie. Mamy nadzieję, że dobrze
wreszcie odpoczęliście przed ciężka
orką nad Wisłą.

Bardzo stęskniliśmy się za Wami
w tym zwariowanym okresie. A tym
czasem „Tygodnik Powszechny" zamie
ścił wywiad z Tadeusza młodzień
czych lat.

Oko Tadeusza patrzy trochę le
piej na świat (ale nie ten politycz
ny), trzeba jednak jeszcze poczekać
na ostateczny wynik.

List Daromiły i Tadeusza Żenczykowskich do Zofii i Władysława Bartoszewskich

myślę, że są jednak pożyteczne dla słuchaczy w kraju. „Chodzi mi po głowie" wiele tematów historyczno-akowskich, a w ich liczbie „Akcja N", propaganda BIP-u, nie mówiąc już o innych też ciekawych i przydatnych. Ale nie chcę się ograniczać tylko do spraw AK, bo w dość długim swoim i ruchliwym życiu nałykałem się spraw, wartych ocen i wspomnień, o charakterze bardziej ogólnym, a nie czysto osobistym. W tej rozterce bardzo liczę na przyjacielskie rady Władka. Oczywiście nie da się tego załatwić piśmiennie, a więc będę wzdychał do zapowiedzianego przez Władka Waszcgo przyjazdu na przyszłą Wielkanoc. Muszę się śpieszyć, by ocenić, na co mi wystarczy sił. A cichaczem mówiąc, chciałbym też, abyśmy oboje mogli nieraz naprawdę choć trochę poodpoczywać. Tak mi się w życiu układało – czego zresztą nie żałuję – że na prawdziwy i beztroski odpoczynek niewiele miałem sposobności. A przecież teraz już praca idzie z natury rzeczy znacznie wolniej niż przed laty. Kończę ten rejestr przemyśleń i westchnień, gdyż chciałbym bardzo, abyście po prostu znali moje problemy. Z dość dużą dozą melancholii obserwujemy degrengoladowe wydarzenia emigracyjne. Tego spadku po równi pochyłej nic już chyba nie powstrzyma. Dziwne jest, gdy się obserwuje, że ludzie żyją złudzeniami przeżywanymi zbiorowo, chociaż niektórzy z nich indywidualnie i prywatnie widzą, co się dzieje (…) Rozpisałem się, jak na mnie, wyjątowo długo, bo bardzo nie lubię pisać. Ale to wina Darki, bo z nią – lubię. Całujemy Was serdecznie, obficie i długotrwale…

Po wręczeniu mi 5 października 1986 roku we Frankfurcie Nagrody Pokojowej Księgarstwa Niemieckiego Żenczykowscy pisali: „Kochani i Dostojni Laureatostwo! I my mieliśmy sporo emocji w niedzielę 5 b.m., zwłaszcza, że w ciągu dnia nic nie można było usłyszeć, a dopiero wieczorem – na Smolarowej fali. Później przyszły relacje świadków. Bardzo, bardzo jesteśmy uradowani i szczęśliwi z tak wspaniałego dnia, który nie był tylko Waszym świętem. Wielu bliźnich musiało odczuwać dumę z Władkowej nagrody i z jego naprawdę wspaniałego przemówienia. Było w nim wszystko powiedziane, co jest ważne i potrzebne, a przy tym ubrane w taką formę, że tubylcy nie mogli mieć pretensji, ale zyskali przy okazji – jak mamy nadzieją – możliwość do pewnych refleksji z przeszłości, a i na przyszłość. Kochany Władku – to rzeczywiście wielkie i niezapomniane osiągnięcie. W najwyższym stopniu zasłużyłeś na taki triumf (…) Wiemy o pełnym napięcia poszukiwaniu przez Władka okularów we własnych kieszeniach przed uroczystym przemówieniem. Przypuszczamy, że Zosia bardziej denerwowała się

Daromiła i Tadeusz Żenczykowscy z Janem Nowakiem-Jeziorańskim, Cannes, 1954 rok

Wizyta Zofii i Władysława Bartoszewskich u przyjaciół w Londynie, Wielkanoc 1987 r.
Od lewej: T. Żenczykowski, Lucjan Kindlein (działacz emigracji politycznej, żołnierz AK),
Daromiła Żenczykowska, Władysław Bartoszewski, Zula Kindleinowa

tym poszukiwaniem niż sam laureat, któremu było bardzo do twarzy w krawacie, jak to było widać na fotografii (…) Gorąco Was całujemy i serdecznie ściskamy pozostałą resztą sił – Dara i Tadeusz".

List z 1 lutego 1987 roku:

…Chcielibyśmy Wam przypomnieć o naszym zaproszeniu Was na Święta Wielkanocne. Czy już dokładnie wiecie, kiedy przyjeżdżacie i jak się urządzicie? Ponieważ w I dzień Świąt kolejki są nieczynne, proponuję gościnę z noclegiem (choć nie bardzo wygodnym) tak, jak to na Święta bywało. W Londynie nie powinno już być o tej porze zimno, więc nie zmarzniecie! Czekamy na Was! (…) Ucałowania i serdeczności – Dara.

List z 11 sierpnia 1987 roku:

Carissimi! Właściwie już się skończyły problemy *Polski Lubelskiej*, ale za to bardzo dużo roboty mam z ukończeniem VI tomu AK. Kilka osób dobrej woli dłubie w tym już dłuższy czas, ale okazuje się, że dobre chęci nie wystarczają. Przeżywam więc teraz niemałe kłopoty z korektami i trudności edytorskie. Już drugi raz przeglądam i poprawiam teksty już złożone i przełamane. No, ale w każdym razie Tom nie będzie później niż w październiku. Pisał do mnie Korboński, że podpisał już umowę wydawniczą na książkę o sprawach polsko-żydowskich i maszynopisy musi dostarczyć do końca roku. Prosił, żeby mu wysłać już teraz niektóre dokumenty dotyczące tych spraw, które będą w tomie. Oczywiście pomożemy mu, choć nie mam pewności, czy stać go będzie na poważną książkę na ten temat. Zabrałem się również – co może Zosię zainteresuje – do wygładzania własnych tekstów do wspólnej książki z Raczyńskim. Z nacisków Chodakowskiego wnioskuję, że chce dotrzymać słowa i wydać książkę do końca roku (…) Aha! Może Was to zainteresuje, że w kraju w II obiegu wyszły już 4 wydania *Samotnego boju*. Odbitki trzech dostałem i czekam teraz na czwarte. Tyle, Nasi Drodzy, żmudnego meldunku z naszych perypetii. Mają one ten jeden plus, że zwalniają od rozmaitych „wzruszeń emigracyjnych", na które szkoda czasu.

List z 14 kwietnia 1988 roku:

Kochany Władku! Kunert prosperuje bardzo skutecznie (…) Był już u nas kilka razy (również w II Święto Wielkanocne), jest bardzo przyjemny, naturalny,

Konferencja programowa w Rozgłośni Polskiej RWE. Od lewej: Tadeusz Zawadzki-
-Żenczykowski (zastępca dyrektora), Jan Nowak-Jeziorański (dyrektor), Hanna Ratowa (szefowa
sekretariatu programowego), Cezary Szulczewski (zastępca dyrektora do spraw administracyjnych).

Po wręczeniu Tadeuszowi Żenczykowskiemu Orderu Orła Białego, 4 stycznia 1996 roku,
Londyn, ambasada RP. Od prawej: Tadeusz Żenczykowski, Lucjan Kindlein, Daromiła Żenczykowska,
Ryszard Stemplowski, ambasador RP w Wielkiej Brytanii

miły, skromny. Niewątpliwie wybitnie inteligentny historyk z dużą przyszłością. Naraiłem mu już pieszczoty z Jagodzińskim* (dostałem od niego furę książek) i załatwiłem parę kontaktów, które będą mu przydatne do zebrania materiałów. Ma jednak jedną poważną wadę – nie pije ani kropli alkoholu, zastępując to sokami owocowymi, ale mu w tym nie towarzyszymy (…) Spotkała mnie duża przyjemność, gdyż krajowa „Arka" przyznała mi „honorową nagrodę za rok 1987". Drugim laureatem jest nieznany mi Jerzy Malewski. W roku ubiegłym laureatami byli Herling-Grudziński i Michnik. Doszedł już do mnie egzemplarz *BIP-u* Mazura. Księga potężna – blisko 500 stron. Z powierzchownego przeglądu odniosłem wrażenie, że jest to bardzo solidna i dobra robota. Będę teraz tylko marzył o chwilach wolnych, aby zabrać się do jej lektury. Zanosi się właśnie, że 3-go maja wyjedziemy na 7–10 dni (…) bo już jesteśmy dobrze wykończeni, a Darka nie może ciągle powrócić do pełni zdrowia. Od nas obojga ślemy Wam wiele serdeczności i uścisków. Zosi rączki obficie całuję, a Twoją dłoń kurczowo ściskam…

List z 3 września 1989 roku:

Kochani! Dziękujemy bardzo za list z 26 sierpnia, a Zosi dodatkowo za miłą kartkę z Warszawy. Zazdrościmy, że tam mogła trochę pooddychać innym powietrzem i na wiele rzeczy się napatrzyć. Rozumiemy sytuację Władka, skubanego ze wszystkich stron i kręcącego się jak w ukropie. Myślimy jednak, że to, co robi jest szczególnie ważne w obecnych nastrojach w Niemczech przy objawach regeneracji pretensji terytorialno-granicznych. Mało kto poza Władkiem potrafiłby wytrwale walczyć ze złymi tendencjami i obojętnością. Nasz osobisty raport jest minorowy. Przede wszystkim dlatego, że jesteśmy zmęczeni i ledwo prosperujemy. Przemęczenie odbija się na naszym samopoczuciu, a zwłaszcza na zdrowiu Darki (…). Emocjonujemy się ustawicznie wydarzeniami krajowymi i trzymamy kciuki, aby wszystko wyszło możliwie dobrze…

List z 16 sierpnia 1990 – cztery tygodnie przed objęciem przeze mnie ambasady w Wiedniu:

…Przypuszczamy, że macie Oboje sporo roboty i emocji, ale może Władek miałby jakąś okazję uskrzydlić Kazia Ostrowskiego i może kogoś poważnego w Warszawie w sprawach AK. Niepokoję się „radosną twórczością" Borzobohatego i jego

---

\* Zdzisław Jagodziński – ówczesny Dyrektor Biblioteki Polskiej w Londynie.

24.XII.94

Kochani WTadkowie!
Często o Was mówimy i myślimy
żałując, że tak dawno Was nie
widzieliśmy, czego atrament
– choćby czerwony – nie zastąpi.

*Best Wishes for Christmas*

*And the Coming Year*
Cieszymy się z Waszej
rzuchliwości i sukcesów, energii
i postawy ideowej. Jak przyjemnie
mieć takich Przyjaciół !!!
Na Święta życzymy Wam
z serca wszystkiego co najlepsze
a na Nowy Rok – oby był dla Was
radosny i pomyślny ...
Serdecznie Was ściskamy i całujemy
obficie
*Dara i Tadeusz*

Serdeczna karta bożonarodzeniowa od D. i T. Żenczykowskich do Z. i W. Bartoszewskich

Daromiła i Tadeusz Żenczykowscy w londyńskim mieszkaniu,1995 rok. W tle – panorama Warszawy

ZBoWiDowskich sitwesów, którzy mogą rozłożyć i skompromitować przeszłość i historię AK. Zdaję sobie dobrze sprawę, że nie masz, Władku, za dużo czasu na uboczne sprawy, bo masz przed sobą ważniejsze. Może jednak zdołasz tam, gdzie należy, cośkolwiek powiedzieć. W listopadzie ma być podobno akowski zjazd[*]. Wymieniłem Kazia, bo on jest w komisji statutowej (…) Byłaby wielka szkoda, gdyby jakieś ciemne typy zawładnęły na fest sprawami AK. Zdaje się, że ten wiceminister obrony narodowej, Komorowski, ma dobrze w głowie i podobno jest synem akowca. Może udałoby Ci się parę słów jemu powiedzieć, jako że jest wiceministrem od spraw wychowania wojskowego. Wybacz, że Cię tym niepokoję, ale nie widzę nikogo innego, kto by swoim autorytetem mógł skutecznie w tej sprawie wpłynąć i się wypowiedzieć. Mamy nadzieję, że może odpowiednie władze, tutejsze i krajowe, coś zdziałają w sprawie przepisów paszportowych i zdążymy jeszcze Warszawę zobaczyć…

List pisany na Trzech Króli 1991 roku:

(…) Gryzie nas sprawa Tymińskiego i tak niezdarny sposób ułatwienia mu działalności. Jesteśmy przekonani, że jest to agent wysokiej rangi, może nawet na garnuszku moskiewskim. Dysponuje olbrzymią forsą i tupetem, korzystając z usług różnej kategorii byłych ubeków i partyjników. Świetnie spełniał rolę dywersanta, którego zlekceważyli przywódcy i dygnitarze krajowi (…) PPS nie ma żadnych szans odbudowy, pozostaje więc w szrankach noworodek – Unia Demokratyczna. Ale czy będzie rozumiała, jak trzeba działać politycznie na społeczeństwo? Smutno nam, że Mazowiecki odszedł. Niestety popełniał błędy przez swoje milczenie i nie wykazywanie społeczeństwu, co już robił we wszystkich dziedzinach życia publicznego. Zachęcasz mnie, Władku, do pisania o „N" i „R". Bliskie są memu sercu te tematy i wiele innych, które uważam też za potrzebne. Trudno jednak realizować wszystkie plany i marzenia. Wartość mojej emerytury bardzo zmalała. Ratują mnie audycje radiowe. Ale nie jest to pewne źródło pomocy. Nowy dyrektor Mroczyk przed paru miesiącami postanowił zrezygnować z moich programów, lecz szczęśliwie grupa dawnych kolegów anulowała jego decyzję. Nigdy jednak nie wiadomo, czy ten miecz Damoklesa przestanie nade mną wisieć. Żyję więc w dużej „niepewności bytowej". A w dodatku wiek i zdrowie nas obojga zmniejszają możliwość intensywniejszej pracy. Chcielibyśmy wybrać się jeszcze, póki czas i siły, do

---

[*] Mowa o tworzeniu w kraju Światowego Związku Żołnierzy AK.

kraju na 2-tygodniową wizytę. W dużym stopniu będzie to zależeć od zdrowia. Trochę się boimy, czy nam sił wystarczy i czy nie będzie to za męczące (…) Z Waszego listu wynika, jak duże macie obowiązki – również i towarzyskie. Czy macie kontakty z ciekawymi i przyjemnymi ludźmi? Czy Skalnik jeszcze istnieje? (…) Czy nie warto Władku, abyś w jakiejś wolniejszej chwili napisał coś o konspiracyjnym Towarzystwie Kursów Naukowych? Niektórych wykładowców już nie ma (Kielanowski, Sierpiński), inni zaś milczą. Przecież to ładna karta opozycji niepodległościowej w kraju. Przypuszczam, że Twoje obecne stanowisko służbowe nie może Ci przeszkodzić w zabraniu głosu na ten temat, ściśle naukowo-historyczny.

List z 21 sierpnia 1991 roku:
…Wybaczcie, że odpisujemy tak późno na wieści od Was, ale przeżywamy skomplikowaną gorączkę wyjazdową. Musieliśmy z góry i na zapas napisać moje audycje do RWE, odwalić parę istotnych zebrań, no i przygotować się do podróży, co po tylu latach nieobecności w kraju jest dosyć skomplikowane (…) Nasza marszruta obejmuje Lublin, Częstochowę, Kraków, no i oczywiście mój stary Pruszków. Będziemy się starać, aby nie mieć w Warszawie więcej niż 2 spotkania w ciągu dnia, bo przecież trzeba pooddychać (…) Byliśmy oczywiście na Bogny pogrzebie, który był nawet bardzo liczny. Odbył się uroczyście w kościele Boboli, był poczet sztandarów, sporo b. uczennic. W kościele przemawiała przewodnicząca Studium, a w krematorium wiceprezeska Zarz. Gł. F. Paulińska (…) Dziś w „Polityce" znalazłem notatkę o śmierci Jerzego Kumanieckiego. Czyżby to był syn Kazimierza i mąż Twojej kobiety-konsula? Co się stało? Bardzo mi szkoda, bo to był przyzwoity i zdolny człowiek.

List z 12 października 1991 roku :
…Nareszcie po 4 tygodniach od powrotu wygrzebujemy się z fali różnorakich zaległości w domu i w pracy. Możemy swobodnie odzipnąć i złożyć Wam żołnierski raport. W Polsce bardzo się nam podobało. Do tego stopnia, że może – jeśli zdrowie pozwoli – wybierzemy się tam jeszcze raz w roku przyszłym. Oczywiście mieliśmy dnie od rana do wieczora „zapchane". Mieszkaliśmy u naszych starych, przedwojennych Przyjaciół na Żoliborzu. Tuż przy pl. Wilsona. Zamiast obiecanego pokoju otrzymaliśmy całe piętro, które ich rodzina w tym czasie opróżniła dla nas. Generalne wrażenie o Warszawie to „miasto zieleni i przyszłości". Inne wrażenia: obydwa cmentarze na Powązkach to swoista lekcja historii. Budził nasz podziw stary cmentarz (…) Wojskowy – bardzo wymowny i też mądrze

zaplanowany. Kwatery akowskie są pełne ekspresji. Byłem w „Polsce Zbrojnej" u Śląskiego. Dwukrotne widziałem również Kunerta. (…)

Rozmawiałem z Komorowskim, który robi przyjemne wrażenie. Sądzę, że byłoby dobrze, aby utrzymał się nadal na tym stanowisku, bo nie był pewny, czy po wyborach i nowych władzach nie będzie spławiony. (…) Zrobiliśmy 2-dniową wyprawę do Krakowa. Mieliśmy dzień bardzo pracowity: odczyt w auli uniwersyteckiej, wizyta w redakcji „Tygodnika", konferencja i dyskusja w krakowskiej Unii Demokratycznej („Pod Baranami"), a wieczorem spotkanie w Zarządzie „Wspólnoty Polskiej". Bardzo dobre na nas wrażenie wywarł Kozłowski w „Tygodniku" oraz posłowie Rokita i Zdrada oraz Hennelowa, choć właściwie cała redakcja, którą widzieliśmy, robi dobre wrażenie. Dwie noce – co brzmi dumnie – spędziliśmy u Kazia Ostrowskiego. Był miły, przyjemny, ale wyraźnie już „posunięty". Karmiła nas (nie tyle własną piersią, choć miałaby czym) Jola wieczorami i rankiem. W Warszawie mnóstwo spotkań z przyjaciółmi i dobrymi znajomymi. Aby zdążyć ze wszystkimi, to robiliśmy to w ten sposób, że przychodzili do nas – co godzinę ktoś inny. Było przyjemnie, że bezpośrednio nie wchodziliśmy w smutną politykę. Dodam tylko, że bardzo nam się podobał krakowski zespół Unii. W Sejmie byliśmy u Kozakiewicza głównie po to, żeby mieć okazję spotkania z Krzyżanowską (córką dobrej koleżanki Darki z Pawiaka), która zresztą później do nas przyjechała na Żoliborz. Wicemarszałek bardzo nam się podobała i ciekawie się z nią rozmawiało (…) Tyle – żołnierski raport. Uradowaliśmy się radiową wiadomością, że Władek „rozrobił" i połączył 2 austriackie Polonie. Brawo!!! On zawsze coś rozrobi!

List z 15 sierpnia 1992 roku:

Za tydzień, 22-go będziemy po raz ostatni słuchać p. Żenczykowskiego na falach RWE – i to jeszcze o Powstaniu. Darka powoli nabiera sił i stopniowo czuje się lepiej. Dla lepszego wypoczynku 12-ego września wyjeżdżamy na tydzień do naszego starego pensjonatu w Bournemouth. Z niepokojem i smutkiem obserwujemy sytuację w kraju…

W marcu 1995 roku zostałem ministrem Spraw Zagranicznych. W trakcie przygotowań do mojej oficjalnej podróży w Wielkiej Brytanii poprosiłem o zarezerwowanie czasu na wizytę u Żenczykowskich. Na Ealing zawieźli mnie Brytyjczycy pod specjalną eskortą – ta kolumna samochodów i motocykli rozbawiła moich przyjaciół. Dwa lata później Tadeusz obchodził 90. urodziny. Poleciałem specjalnie do Londynu, aby go uściskać. Był bardzo zmęczony, schorowany, już nie wychodził z mieszkania.

Zmarł 1 kwietnia 1997 roku. Naturalnie znowu przybyłem do Londynu.

Z woli wdowy porządek pogrzebu Tadeusza przewidywał tylko jedno przemówienie. Darka zdecydowała, że to ja mam być mówcą. Pełny tekst przemówienia został opublikowany w prasie emigracyjnej, teraz przywołam końcowy jego fragment: „W obliczu trumny Przyjaciela, Pisarza, Polityka, żołnierza Rzeczypospolitej, kawalera Orderu Orła Białego i Virtuti Militari, najwyższych polskich orderów cywilnych i wojskowych, żegnając Tadeusza, który odszedł od nas w godzinach tegorocznej Rezurekcji, w dniu Zmartwychwstania i Nadziei – przypomnieć pragnę jedną z najpiękniejszych myśli w naszej literaturze narodowej: *A jeśli komu droga otwarta do nieba, Tym, co służą Ojczyźnie...* . Nie mówimy Ci – żegnaj, ufajmy Bogu, że się spotkamy".

Schorowana Darka zaczęła porządkować bezcenne archiwum Tadeusza, by je przekazać do zbiorów Ossolineum. Pojechaliśmy z żoną do Wrocławia na tę uroczystość. Darka miała wygłosić przemówienie o Tadeuszu. Byli małżeństwem niemal 60 lat. Któż lepiej mógłby o nim opowiedzieć? A Darka – jak zwykle dowcipna – oświadczyła, że żony na ogół mówią wspaniałe rzeczy o zmarłych mężach, nawet jeśli nie były z nimi w dobrych stosunkach; ona tworzyła z Tadeuszem wspaniałe małżeństwo, ale może lepiej będzie, jeśli to ja o nim będę mówił. Powiedziałem parę słów. A ona dodała – cytując Słowackiego: *Ani rola, ni handel, ni prac rozdzielenie nie jest źródłem bogactwa, lecz natchnienie.*

Zmarła w Londynie 11 października 2001 roku. Nie mogłem być na jej pogrzebie – w tym czasie przekazywałem Ministerstwo Spraw Zagranicznych, po mojej drugiej kadencji na tym stanowisku w październiku 2001, mojemu następcy z gabinetu Leszka Millera.

Rozmawiamy do dziś z żoną o Tadeuszu i Darce. Często o nich myślę. Ufam, że się spotkamy.

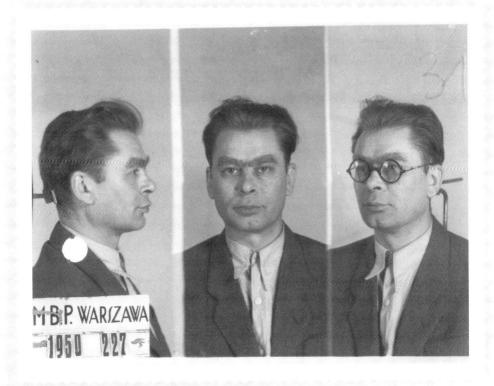

**Teofil Syga,** pseud. **Best, Credo, Jan Styczeń,**

ur. 1903, Warszawa, zm. 1983, Warszawa, prozaik, historyk literatury, krytyk literacki i teatralny. Współpracownik „Gazety Warszawskiej Porannej", „Myśli Narodowej", redaktor tygodnika „Kino". Żołnierz ZWZ-AK, redaktor dwutygodnika Delegatury Rządu „Rzeczpospolita Polska", pism konspiracyjnych „Serwis", „Dzień Warszawy", uczestnik Powstania Warszawskiego, kawaler Virtuti Militari V kl. W latach 1946–47 kierownik działu literackiego „Gazety Ludowej". W latach 1950–54 w więzieniu w Rawiczu. Publicysta tygodników „Stolica", „Świat", współpracownik Polskiego Radia. Główne prace: *Te księgi proste. Dzieje pierwszych polskich wydań książek Mickiewicza; Woda z Niemna; Maria Szymanowska i jej czasy* (we współpracy ze St. Szenicem).

Różniło nas wiele. Nie, to nie były antagonizmy,
ale raczej odmienność ocen i poglądów.
W mojej pamięci pozostał jako starszy kolega,
który w czasach trudnych podał mi pomocną dłoń.

# TEOFIL BERNARD SYGA

Był dziennikarzem w „Gazecie Ludowej", ale – co mówię bez ujmy dla zawodu dziennikarskiego – był kimś więcej. Pasjonował się twórczością Adama Mickiewicza. Jego zbiór esejów *Te księgi proste – dzieje pierwszych polskich wydań książek Mickiewicza* wysoko oceniał nie byle kto, bo sam prof. Stanisław Pigoń, pisząc pochlebną przedmowę do tego tomu. Opowiadania *Woda z Niemna*, też tyczące Mickiewicza, były chętnie czytane w drugiej połowie lat 50., w Polsce i w ZSRR, podobnie jak opowieść dla młodzieży *Pana Adama dzień powszedni*. Ze Stanisławem Szenicem napisał Syga książkę *Maria Szymanowska i jej czasy* – rzecz poświęconą matce żony Adama Mickiewicza, sławnej w pierwszym trzydziestoleciu XIX wieku kompozytorce i pianistce, której pomnik – warto o tym wiedzieć – został odsłonięty we wrześniu 2010 roku na petersburskiej Nekropolii Mistrzów Sztuki obok Ławry Aleksandra Newskiego przy Newskim Prospekcie. Był Syga bardzo przywiązany do posągowo nieskazitelnego wizerunku Wieszcza. Nosił go w sercu. Powiedziałbym, że obsesyjnie. Do tego stopnia, że gdy Sławomir Mrożek przypomniał w *Śmierci porucznika* o prawdziwym, smutnym losie Ordona, który nie zginął na reducie w 1831 roku, lecz popełnił samobójstwo w 1867 roku – Syga przyłączył się do chóru potępiającego młodego dramaturga, chóru politycznego...

Nie za to go ceniłem. Różniło nas wiele. Nie, to nie były antagonizmy, ale raczej odmienność ocen i poglądów. W mojej pamięci pozostał jako starszy kolega, który w czasach trudnych podał mi pomocną dłoń.

Poznałem go jesienią 1945 roku w „Oficynie księgarskiej" – w warszawskiej księgarni, antykwariacie prowadzonym przez znanego bibliofila-księgarza Piotra Hniedziewicza i dwu doświadczonych ludzi książki: Andrzeja Ługowskiego i Franciszka Szaflikowskiego. Przychodziłem tam dosyć często, właściwie niemal codziennie, by obejrzeć książki, które cudem zostały uratowane z wojennej pożogi. Przecież w Warszawie było sporo pięknych, bogatych księgozbiorów. Ich resztki wydobywano w 1945 roku spod gruzów. Książki ocalone, niektóre ze śladami kul i przywrócone do życia – to temat na wielką opowieść... W saloniku oficyny podawano kawę. Kelnerkami były Lalka Winiarska, żona Kazimierza Koźniewskiego, i Alicja Pomorska-Ostrowska, panie z towarzystwa. Tam zasiadałem, by przeczytać nowy numer „Tygodnika Powszechnego".

Syga, popularny w środowisku dziennikarskim, znał wszystkich. Miał też ogromne powodzenie u pań. Nie był przystojny. Raczej brzydki – tak bym to określił – obdarzony za to poczuciem humoru, skłonny do żartów, uśmiechnięty, a to zawsze ułatwia kontakt z ludźmi. Wykształcony, choć nie ukończył formalnie żadnych studiów: maturę zdał jako ekstern po demobilizacji (uczestniczył w wojnie polsko-bolszewickiej), zahaczył o polonistykę u Gabriela Korbuta w Wolnej Wszechnicy, studiował historię, językoznawstwo i filozofię na UW oraz dziennikarstwo w Wyższej Szkole Dziennikarskiej. Zadebiutował w dziale literackim „Gazety Warszawskiej", organu Narodowej Demokracji, tam pracował do połowy maja 1935 roku, poważniejsze artykuły i przekłady poetyckie (z ukraińskiego) publikował w „Myśli Narodowej". Z redakcji odszedł – wraz z towarzyszką życia, późniejszą żoną, Haliną Przewóską – protestując przeciw opublikowaniu na pierwszej kolumnie „Gazety Warszawskiej" w dzień po śmierci Józefa Piłsudskiego zdjęcia uśmiechającego się radośnie ministra Pierre Lavala, który kończył właśnie wizytę w Warszawie. Jak wiadomo, po tym incydencie i opublikowaniu dwa dni później artykułu Romana Dmowskiego o Piłsudskim, w którym autor oskarżał obóz rządowy o brak programu dla Polski, gazeta została skonfiskowana, a „Ruch" odmówił dalszego jej kolportażu. Miejsce „Gazety Warszawskiej" zajął „Warszawski Dziennik Narodowy".

Od września 1935 roku Syga redagował tygodnik „Kino" – zyskując znajomości w środowisku filmowym, znał tam wszystkich: producentów, reżyserów, aktorów, o czym chętnie w 1945 roku opowiadał, ja zaś – kinoman – równie chętnie słuchałem.

Z czasem – widać zyskałem jego zaufanie – Syga zaczął wspominać swoją działalność konspiracyjną. Pracował w konspiracyjnej „Rzeczypospolitej Polskiej" – organie Delegatury Rządu na Kraj, na łamach tejże opublikował m.in. elegię na śmierć generała Sikorskiego: *Hej zapłaczcie i serca i oczy. Kędy tylko garść ziemi jest polskiej* ... Brał udział w akcji „N" kierowanej przez Tadeusza Żenczykowskiego. Kierował Agencją „Serwis", która podlegała Departamentowi Informacji i Prasy w Delegaturze Rządu; szefem Departamentu był jeden z organizatorów działającego od października 1939 roku Tajnego Biura Pracy Społecznej – Stanisław Kauzik, działacz Stronnictwa Pracy, przez pewien czas redaktor naczelny „Rzeczypospolitej Polskiej". Od lutego 1943 roku Syga redagował – wraz m.in z Zygmuntem Hemplem, żołnierzem Legionów, członkiem POW, pierwszym szefem BIP Komendy Okręgu Warszawskiego SZP-ZWZ, przewodniczącym Konwentu Organizacji Niepodległościowych – gazetę „Dzień Warszawy" bliską ideowo Stronnictwu Demokratycznemu. W czasie Powstania miał przydział do „Rzeczypospolitej Polskiej", został poważnie ranny.

Wiosną 1945 roku zaczął współpracować ze Związkiem Młodzieży Chrześcijańskiej YMCA (Young Men's Christian Association), organizował biblioteki dla młodzieży, parę zaś tygodni po podjęciu przez Prezydium NKW PSL decyzji o utworzeniu „Gazety Ludowej" – a stało się to w pierwszych dniach września 1945 roku – trafił do zespołu redakcyjnego, a dokładniej – do działu kulturalnego. Recenzował książki i przedstawienia teatralne, pisywał do pięciokolumnowego dodatku „Kultura...", był też autorem felietonów „Przez moje szkiełko", w których dzielnie polemizował z uszczypliwymi artykułami „Głosu Ludu" (organu PPR) i „Robotnika" (organu PPS) na temat „Gazety Ludowej". Felietony Sygi były drukowane na ostatniej kolumnie „Gazety...", często obok felietonów „Ostrym końcem", których autorką była jego urocza, mądra partnerka – Halina Przewóska-Sygowa.

Syga był zawołanym gawędziarzem, lubił opowiadać, lubił żartować. O mnie wiedział niewiele. Że byłem w BIP-ie, pomagałem więźniom. Z jego wspominek wynikało, że mamy sporo wspólnych znajomych, ja wykazywałem ostrożność. Ujawniłem się dopiero co, mając świadomość, że mogę być – ze względu na działalność w „Nie" i Delegaturze Sił Zbrojnych – przedmiotem zainteresowania UB. Nie miałem pracy. Nie miałem pieniędzy. Chciałem wrócić na studia, znaleźć miejsce w jakiejś redakcji, przecież w czasie okupacji redagowałem „Prawdę Młodych" i współredagowałem niektóre inne tajne pisma.

W pierwszym numerze „Gazety Ludowej", który ukazał się 4 listopada 1945 roku – a ukazał się w żałobnej szacie z powodu śmierci Wincentego Witosa – przeczytałem artykuł redakcyjny „Do wszystkich" zawierający zasady, którymi będzie kierował się dziennik. Po pierwsze – suwerenność i niepodległość Rzeczypospolitej, po drugie demokratyczna Polska Ludowa, która zapewnia obywatelom podstawowe swobody i otwiera masom drogę do dobrobytu, po trzecie – odrodzenie moralne narodu i odbudowa miejsca Polski w świecie, po czwarte – przyjaźń po równi z ZSRR i z państwami Zachodu, po piąte – walka przeciw wrogom wolności, praw i swobód obywatelskich. To był zestaw godny rozważenia, skoro został opublikowany na łamach organu partii obecnej co prawda w Tymczasowym Rządzie Jedności Narodowej, ale zarazem przeciwstawiającej się zamysłom i ambicjom komunistów.

Podjąłem próby ulokowania się w redakcji „Gazety Ludowej" odwiedzając mego kolegę z „Żegoty" – Tadeusza Reka, który był zastępcą Kazimierza Bagińskiego, a więc szefa propagandy i prasy w PSL, rozmawiałem też z Władysławem Dunin-Wąsowiczem – wówczas sekretarzem redakcji, ale wiem, że bez wsparcia Sygi byłoby mi znacznie trudniej. W grudniu 1945 roku Syga wręczył mi czerwony kartonik z napisem „Prasa" – kartę wstępu na kongres Polskiego Stronnictwa Ludowego. Rzecz trudna do uzyskania, trudniejsza niż dziś zaproszenie na najbardziej sensacyjny koncert rockowy. Tysiąc delegatów. Przedwojenni działacze chłopscy, a każdy z sumiastym wąsem, młodzi ludzie w kurtkach, bryczesach i oficerkach, do niedawna żołnierze Batalionów Chłopskich. Kiedy wszedł Mikołajczyk, cała sala powstała z miejsc, by zaśpiewać *Jeszcze Polska nie zginęła....* Gośćmi kongresu byli Bierut, Osóbka-Morawski, Cyrankiewicz, Rola-Żymierski; Stronnictwo Demokratyczne reprezentował minister Jan Rabanowski. Ich wystąpienia przyjęte zostały z godną uwagą, natomiast przemówienie Podedwornego, który reprezentował „lubelskie" Stronnictwo Ludowe, było przerywane krzykami. On nie ustępował, odkrzykiwał, kłócił się z salą, aż w końcu powiedział: – Jeśli nie chcecie mnie słuchać jako działacza Stronnictwa Ludowego, to wysłuchajcie mnie jako ochotnika z 1920 roku! Sala wybuchła oklaskami. Pozwolono mu dalej mówić. A ja pomyślałem, że to są prawdziwi Polacy, którzy mogą coś rozumieć albo czegoś nie rozumieć, ale miejsce polskiego inteligenta jest pośród nich.

Uważnie wysłuchałem przemówienia Mikołajczyka, który wziął na siebie pełną odpowiedzialność polityczną za poparcie Delegatury Rządu dla rozkazu do

# GAZETA LUDOWA

### PISMO CODZIENNE DLA WSZYSTKICH

Cena numeru 2 zł
WARSZAWA
NIEDZIELA
PONIEDZIAŁEK
4 listopada 1945
5 listopada 1945
Rok 1    Nr. 1

## NAD TRUMNĄ WINCENTEGO WITOSA

Pierwszy numer „Gazety Ludowej", 4–5 listopada 1945

rozpoczęcia Powstania. To była dla mnie sprawa decydująca: położenie akcentu na więź z Polską Podziemną, z Armią Krajową.

**M.K.** A jednocześnie Mikołajczyk odciął się od gen. Andersa i rządu emigracyjnego.

**W.B.** To skomplikowana sprawa. Niewątpliwie Mikołajczyk był wtedy postrzegany przez większość Polaków na emigracji jako zdrajca. W kraju został przyjęty życzliwie, może nawet z entuzjazmem. Wydawało się, że PSL pod jego kierownictwem stanie się siłą gwarantującą przeprowadzenie wolnych, demokratycznych wyborów do sejmu. W PSL zaczął działać Kazimierz Bagiński, były więzień Brześcia, dopiero co zwolniony z więzienia moskiewskiego, zaczął działać Stefan Korboński, do końca czerwca 1945 roku Delegat Rządu na Kraj i jeszcze ktoś, kogo poznałem w 1944 roku, mianowicie Łukasz Witkowski, emisariusz cywilny rządu w Londynie. A tak się złożyło, że w 1946 roku ożenił się z Wandą Muszyńską, naszą łączniczką w Delegaturze i „Żegocie"... Trzeba pamiętać o głębokiej nieufności ludowców do elit rządowych II Rzeczypospolitej. Żywa była pamięć krwawych rozpraw ze strajkującymi chłopami w sierpniu 1937 roku, gdy w wyniku strzałów policji zginęło – według oficjalnych sprawozdań – 42 demonstrantów, według zaś działaczy Stronnictwa Ludowego do tych 42 należało dodać kilkuset chłopów pobitych i śmiertelnie rannych. Mówiono więc na Kongresie o „faszystowskich i wstecznych praktykach sanacji", o hańbie Brześcia i o procesie brzeskim. Ale te odwołania się do niedawnej przeszłości miały swój bardzo jednoznaczny i dobrze wówczas rozumiany sens aktualny: na Kongresie uchwalono rezolucję wzywającą do likwidacji Ministerstwa Bezpieczeństwa Publicznego. Tu warto przypomnieć polityczne i społeczne hasła programowe PSL: „Demokracja – realizując swe zasady w polityce, w organizacjach społecznych, gospodarce i kulturze – nie może się wyrzekać uzyskanych przez lud w krwawych walkach zdobyczy politycznych. Pełnej wolności człowieka w życiu prywatnym i publicznym nie wyrzekniemy się za żadną cenę! Uważamy, że wojna powinna była całkowicie pogrzebać wzory totalistycznych rządów (...) Nie możemy nigdy dopuścić do tego, aby powróciły sanacyjne czasy, gdy wyrocznią i stróżem praworządności obywatelskiej była »granatowa policja« (...) Dokonane fakty przebudowy ustroju społeczno-gospodarczego cofnięte być nie mogą. Ani ziemia nie wróci do obszarników, ani przemysł do fabrykantów, ani też banki do bankierów (...) Gospodarka państwowa nie może się przeradzać w wybujały kapitalizm państwowy, który Państwu dawałby tylko pozorne oznaki siły, a warstwom pracującym mógłby zagrażać podobną nędzą, jak w ustroju kapitalistycznym. Żądamy przebudowy społecznej, która by realizowała skutecznie zasadę wolności od nędzy (…) Chłopi w dobie obecnej (..) są współtwórcami polskiej kultury. Chcą uczestniczyć w pełnym korzystaniu ze wszystkich zdobyczy kulturalnych i przyczyniać się bezpośrednio do ich dalszego pomnażania. Żądają jednak naprawy krzywdy oświatowej, wyrządzonej przez to, że szkoła dla chłopskich dzieci nie była i nie jest jeszcze szeroko otwarta". Taki był tworzony przez PSL projekt Polski Ludowej. A warunkiem jego realizacji – co raz po raz powtarzano na Kongresie – „jedynym wyjściem" miały być całkowicie swobodne i demokratyczne wybory do przyszłego sejmu, wybory zgodne z Konstytucją z marca 1921 roku. Kongres PSL zakończył się 21 stycznia 1946 roku. Jedenaście dni potem zostałem członkiem redakcji „Gazety Ludowej". I nie była to jedynie sprawa zatrudnienia na etacie.

Teraz widywałem się z Sygą często, w ciągu dziewięciu dalszych miesięcy praktycznie codziennie. Potem nastąpiła kilkuletnia przerwa. Gdy w sierpniu 1954 roku odzyskałem wolność, dowiedziałem się, że Syga został aresztowany w 1948 roku, skazany na dwa lata za rzekomą współpracę z Niemcami, ponownie stanął przed sądem, tym razem skazano go na siedem lat, z więzienia wyszedł parę miesięcy przede mną dzięki interwencji Stanisława Strumph-Wojtkiewicza, który w latach 1938–39 był redaktorem „Polski Zbrojnej", w czasie wojny oficerem prasowym sztabu gen. Andersa, następnie szefem wydziału prasowego przy gen. Sikorskim, zaś w 1945 roku powrócił do kraju.

Spotkaliśmy się jesienią 1955 roku – roku uroczyście obchodzonego stulecia śmierci Adama Mickiewicza. Czasy nie sprzyjały opowieściom więziennym, siedziało jeszcze sporo naszych wspólnych znajomych, więc rozmawialiśmy o Wieszczu. A dokładniej o sukcesach Sygi związanych z twórcą *Dziadów*. Jego opowiadanie o Mickiewiczu *Pierścień i lira* zwyciężyło w konkursie Związku Literatów Polskich i zostało opublikowane w „Twórczości". W poczytnym tygodniku „Świat" prowadził rubrykę antykwarską. Jego teksty ukazywały się też na łamach „Stolicy". Pismo wychodziło od 1946 roku nakładem – jeśli dobrze pamiętam – Rady Odbudowy Warszawy, potem zostało przejęte przez RSW „Prasa". Całkowicie apolityczne, w czasach stalinowskich zajmowało się odbudową Starówki, fasadami domów na Mariensztacie, rekordami „trójek" murarskich, z jakimś drobnym pensum ideologicznym w postaci dwóch–trzech uroczystych fotografii... Syga zwrócił moją uwagę na to, że w redakcji prócz młodziutkiego redaktora naczelnego Dobrosława Kobielskiego nie ma członków PZPR, są natomiast tacy ludzie, jak Marek Sadzewicz, przedwojenny dziennikarz, w kampanii wrześniowej oficer Samodzielnej Grupy Operacyjnej „Polesie", Zbyszek Grzybowski, też oficer Września, fotografik Eustachy Kossakowski, syn znanego profesora medycyny, żołnierz AK, fotografik Tadeusz Rolke, młodociany żołnierz Powstania... Pomyślałem, że to byłoby dobre miejsce dla mnie. Syga mówi: – Spróbuj coś napisać, ja zaniosę... Napisałem tekst o 3 maja 1943 roku, o podłączeniu się ludzi z małego sabotażu do megafonów niemieckich z przemówieniem patriotycznym... Wkrótce poznałem redaktora naczelnego. Sympatyczny młody człowiek z inteligenckiej rodziny, zapalony varsavianista. Potem zrobił karierę w RSW „Prasa", ale to już inna opowieść. W styczniu 1957 roku zostałem członkiem redakcji „Stolicy". Dyrektorem Warszawskiego Wydawnictwa Prasowego – części RSW właśnie – był Stanisław Błotnicki, warszawiak uratowany przez ludzi związanych z „Żegotą", który zadbał o przyzwoite dla mnie uposażenie, wysokie wierszówki. Dzięki temu mogłem kupić porządne buty, bieliznę, a nawet kilka garniturów. Miałem satysfakcję, dowiadując się, że moje teksty o AK, o Powstaniu Warszawskim, o powstaniu w getcie, o likwidacji „szmalcowników" mają odzew i w kraju, i w kręgach emigracyjnych: Który to Bartoszewski? – A ten z BIP-u, co siedział, co nie pękał... Dochodziły do mnie echa z kraju i z zagranicy, z Ameryki, przez czwarte czy piąte usta, że pamiętają o mnie Korboński i Bagiński, i z Izraela, że to ten z „Żegoty".

Mój publikowany od 1 lipca 1956 roku na łamach „Stolicy" cykl „Z notatnika kronikarza 1939–1944" przeobraził się w książkę, która – niestety – nie ujrzała światła dziennego. W 1957 roku wydaliśmy w „Stolicy" zeszyt *Powstanie Warszawskie w ilustracji* w nakładzie stu tysięcy egzemplarzy. Były z tym pewne kłopoty, bo cenzor zażądał zmiany podpisów pod niektórymi zdjęciami i wprowadzenia fotografii oddziałów ludowego WP, które weszły do Warszawy w styczniu 1945 roku. Ponieważ byłem podpisany jako autor, zaproponowałem cenzurze współautorstwo. Na kolejnej odbitce wpisałem obok swojego nazwiska nazwisko cenzora. Zrobiła się z tego piekielna awantura, którą załagodził Kobielski. W efekcie zeszyt wyszedł w ogóle bez nazwiska autora, jako opracowanie zbiorowe. Obszernym artykułem o Powstaniu Warszawskim rozpocząłem równocześnie w sierpniu 1957 roku współpracę ze świeżo wznowionym krakowskim „Tygodnikiem Powszechnym".

POWSTANIE
WARSZAWSKIE

W ILUSTRACJI

W XIII rocznicę wybuchu Powstania Warszawskiego cały Naród złoży hołd powstańcom, tym z Armii Krajowej i tym z Armii
Ludowej, i tym, którzy nie należąc do
żadnej organizacji oddali swe życie w walce z okupantem hitlerowskim. W dniu tym
wszyscy cześć będą pamięć bohaterskich żołnierzy I Armii, którzy polegli na Przyczół-
ku Czerniakowskim.

WARSZAWA, 1 SIERPNIA 1957 R.

WYDANIE
STOLICA
WARSZAWSKI TYGODNIK ILUSTROWANY
SPECJALNE
CENA ZŁ. 10

1 VIII 1957. Powstanie Warszawskie w ilustracji. Wydanie specjalne Warszawskiego Tygodnika Ilustrowanego „Stolica".

**M.K.** W 1958 roku został pan sekretarzem redakcji „Stolicy".

**W.B.** Nastąpiła zmiana redaktora naczelnego. Dobrosław Kobielski zaczął wspinać się po szczeblach kariery w RSW „Prasa", a na jego miejsce przyszedł Leszek Wysznacki, dziennikarz partyjny, działacz PZPR, nie zajadły, ale nakręcany przez żonę, która w późniejszych latach, jako ważna osoba w „Walce Młodych", zyskała sobie opinię „moczarowy". Wysznacki nie lubił się przepracowywać, robił to, co konieczne, ale redakcji sobą nie obciążał. Dzięki temu mogłem powoli, acz konsekwentnie zacząć zmieniać profil tygodnika. Pojawili się nowi autorzy. Pojawiły się znaczące nazwiska: Maria Dąbrowska, Jarosław Iwaszkiewicz, Jerzy Zawieyski, Leopold Buczkowski, Kazimierz Truchanowski.

Na piętnastą rocznicę Powstania Warszawskiego zacząłem umieszczać setki fotografii powstańców, wedle rzeczywistych proporcji, czyli że większość z AK, z Armii Ludowej zaś odpowiednio mniej, zgodnie z prawdą, co wywołało zgorszenie w Biurze Prasy KC. Przeprowadzili rozpoznanie i doszli do wniosku, że redakcją rządzi Bartoszewski. W związku z tym zgłosili pretensje do Wysznackiego. Ten zaś, zapewniając, że mnie lubi i szanuje, zaczął prosić, żebym się nie wychylał. Problem polega na tym, że ja chyba inaczej nie umiem – wychylałem się przez całe życie. Tym razem poszło ostatecznie o moje wystąpienie na dorocznym spotkaniu pracowników i współpracowników „Tygodnika". A trzeba pamiętać, że z „Tygodnikiem Powszechnym" byli związani posłowie „Znaku". Ściśle współpracowałem z redakcją, prowadziłem cotygodniowe zebrania w mieszkaniu Anieli Urbanowiczowej z Klubu Inteligencji Katolickiej, przychodzili tam Aleksandra Olędzka-Frybesowa, Zofia Lewinówna, Hanna Szczypińska, Jerzy Narbutt, Władysław Terlecki, natomiast w zasadzie unikałem świadczeń na rzecz koła poselskiego. Dlaczego? Bo nie zawsze podobały mi się ich działania. I na dodatek Kisiel trochę mnie podhecował... Akurat wtedy na łamach „Tygodnika Powszechnego" pojawił się artykuł Kazimierza Studentowicza, chadeka, który później zaczął flirtować z Zenonem Kliszką, a jeszcze później wylądował w „Grunwaldzie"*, o dialogu i koegzystencji... Powiedziałem, że na podstawie własnych doświadczeń wiem, co oznacza dialog i koegzystencja więźnia ze strażnikiem, mianowicie do pewnego momentu toczy się wymiana zdań, potem zaś

---

\* „Grunwald" – Zjednoczenie Patriotyczne „Grunwald" – antysemickie i antyopozycyjne stowarzyszenie polityczne istniejące w latach 1980–1995, powołane z inicjatywy kilkunastu działaczy PZPR (frakcja Albina Siwaka), z reżyserem Bohdanem Porębą na czele.

zaczyna się mordobicie. Więc jeśli taka rozmowa ma być nazywana dialogiem, to ja bardzo dziękuję... Na mój głos ostro zareagował Studentowicz. Na sali oprócz ludzi z „Tygodnika Powszechnego", „Znaku" i kurii krakowskiej znajdował się ktoś, kto złożył stosowne (i udokumentowane nagraniem) doniesienie w Biurze Prasy KC. Po niewielu dniach redaktor Wysznacki wręczył mi wymówienie ze „Stolicy" z zakazem przychodzenia do redakcji. Na wieść o wyrzuceniu mnie z pracy dyrektor Stanisław Błotnicki, któremu w wydawnictwie podlegały sprawy personalne, postanowił zachorować. Zachorował, aby nie podpisać zwolnienia. I dzięki temu moje płatne wymówienie przedłużyło się z trzech do czterech miesięcy. Gest, ale znaczący. Większość kolegów redakcyjnych, właściwie prawie wszyscy, okazała mi wtedy serdeczne wsparcie. Natomiast Teofil Syga – u którego bywałem często w domu – zaczął mnie unikać, chcąc nie chcąc manifestując lojalność wobec Wysznackiego. Uląkł się? A może był wierny swoim poglądom? Nie wiem. Wolę myśleć, że starszy ode mnie o dwadzieścia lat pokierował się tym rodzajem realizmu, który wyrastając z bolesnych doświadczeń całego życia każe człowiekowi stanąć z boku, nie wtrącać się, nie wychylać... Ale przecież nie zapomnę, że w trudnych czasach podał mi pomocną dłoń. I że niemało się od niego zawodowo nauczyłem.

**Stefan Korboński**, pseud. **Nowak, Zieliński** i in.,
ur. 2 marca 1901, Praszka k. Wielunia, zm. 23 kwietnia 1989, Waszyngton, mąż Zofii, polityk, działacz
ruchu ludowego, adwokat. Od 1917 członek skautingu i POW. W 1918 uczestnik walk o Lwów, żołnierz
wojny polsko-bolszewickiej, uczestnik III powstania śląskiego 1921. Związany z PSL „Wyzwolenie";
1931–39 działał w SL, następnie w SL „Roch". W latach 1939–40 członek Rady Głównej Politycznej,
od lutego 1940 do marca 1941 — Politycznego Komitetu Porozumiewawczego. Organizator sieci
łączności radiowej SL i Delegatury Rządu RP na Kraj, utrzymującej łączność z Londynem od sierpnia
1941. Pełnomocnik ds. walki cywilnej: Komendanta Głównego ZWZ (1941–42), Delegata Rządu RP
na Kraj (1942–43). W latach 1943–44 szef Oporu Społecznego w Kierownictwie Walki Podziemnej.
Od października 1943 zastępca przewodniczącego Społecznego Komitetu Antykomunistycznego. Od
sierpnia 1944 do marca 1945 dyrektor Departamentu Spraw Wewnętrznych Delegatury Rządu RP na
Kraj. Od marca od czerwca 1945 (po aresztowaniu J. St. Jankowskiego) pełniący obowiązki Delegata
Rządu RP na Kraj. W latach 1945–47 w PSL (1946–47 członek Rady Naczelnej, 1947 — NKW). W 1947
poseł na Sejm Ustawodawczy. Zagrożony aresztowaniem przez władze komunistyczne, przedostał
się za granicę. Od listopada 1947 w USA. Współzałożyciel Zgromadzenia Europejskich Narodów
Ujarzmionych (Assembly of Captive European Nations, ACEN), a w roku 1958 i 1966 oraz w latach
1971–83 jego przewodniczący. Autor wspomnień: *W imieniu Rzeczypospolitej* (Paryż 1954, wydanie
poza cenzurą „Krąg"1982, pierwsze oficjalne wydanie krajowe 1991), *W imieniu Kremla* (Paryż 1956,
wydanie poza cenzurą „Vademecum" 1983), *W imieniu Polski Walczącej* (Paryż 1963), *Polonia Restituta.*
*Wspomnienia z dwudziestolecia Niepodległości 1918–1939* (Filadelfia 1986); ponadto *Polskie Państwo*
*Podziemne. Przewodnik po podziemiu z lat 1939–1945* (Paryż 1975, wydanie krajowe poza cenzurą
„Krąg"1981, wydanie oficjalne 1990).

To były szczyty konspiracji! „Grot" i Cyryl Ratajski
wyznaczyli go w kwietniu 1941 roku na organizatora
i szefa Kierownictwa Walki Cywilnej...

# Stefan Korboński

Zacznijmy od wydanej w 1983 roku powieści Stefana Korbońskiego *Za murami Kremla* (Bicentennial Publishing Corporation, New York). Oto 3 maja 1987 roku na Placu Piłsudskiego w Warszawie interrex prymas Glemp – „na prośbę generała Jaruzelskiego i wojska" – przejmuje pełną władzę nad Polską. „...prymas oświadczył: – W tym nowym charakterze powierzam misję utworzenia rządu tymczasowego Lechowi Wałęsie, który zapozna was ze składem nowego rządu i treścią jego Dekretu Numer Jeden (...) Po ogłoszeniu składu rządu, w którym każde nazwisko, a szczególnie wicepremierów Władysława Bartoszewskiego i Tadeusza Mazowieckiego, wywoływało okrzyki i oklaski, Wałęsa odczytał dekret numer pierwszy z datą trzeciego maja 1987. Dekret zarządzał: 1. Zniesienie wprowadzonego na nowo stanu wojennego. 2. Rozwiązanie partii komunistycznej i przejęcie jej majątku przez państwo. 3. Unieważnienie konstytucji PRL. 4. Zwolnienie wszystkich więźniów politycznych. 5. Wymierzenie kar za indywidualne nadużycia władzy bez stosowania zasady zbiorowej odpowiedzialności dla państwowych służb policyjnych. 6. Przywrócenie własności prywatnej w każdej dziedzinie z wyjątkami, które będą określane przez specjalne ustawy. 7. Parcelacja państwowych gospodarstw rolnych. 8. Przywrócenie pełni praw obywatelskich, w szczególności wolności słowa, druku, prasy, zgromadzeń i stowarzyszeń. 9. Wolne pięcioprzymiotnikowe wybory do Sejmu, który określi ustrój Polski i uchwali jej konstytucję. 10. Podziękowanie sowieckiej Wojskowej Radzie Ocalenia Narodowego za ujawnienie prawdy o Katyniu. 11. Wysłanie pozdrowień dla rządu premiera Sacharowa[*] wraz z zapewnieniami współpracy i przyjaźni".

---

[*]   Andriej Sacharow – rosyjski fizyk i działacz na rzecz praw człowieka.

**W.B.** Przypominam, że pełny tytuł tego tomu to *Za murami Kremla. Opowieść fantastyczna*, zaś w otwierającej książkę nocie odautorskiej czytamy: „Zmęczony obszerną literaturą poświęconą wizji trzeciej wojny światowej, zagładzie atomowej ludzkości czy innego rodzaju końcowi świata, postanowiłem dać czytelnikowi za marnych parę dolarów (franków, funtów, marek) inną wizję świata, który osiągnął zgodę i pokój. Niech druga wizja zrównoważy pierwszą i zachęci nas do wegetowania na tym ziemskim padole (…) Konstrukcja jej jest oparta na mieszance znanych wydarzeń historycznych, prawdziwych faktów oraz czystej fikcji. Interpretacje tych wydarzeń i faktów (…) są wytworem czystej wyobraźni podpartej pewną znajomością mechanizmu życia politycznego obu ustrojów, totalitarnego i demokratycznego (…) książka kończy się *happy endem* i powinna być zaliczona do literatury rozrywkowej, w której fikcja, marzenie i rzeczywistość zamieszkały pod jednym dachem". Stefan Korboński był obdarzony cichym, ironicznym poczuciem humoru i wiedział, że dobra rozrywka, ta na wysokim poziomie, powstaje z konfrontacji powagi ze śmiechem. Pół żartem, pół serio.

**M.K.** Mam wrażenie, że bawiła go ufność potencjalnego czytelnika... Kazał mu uwierzyć, że 1 grudnia 1945 roku marszałkowie Żukow, Koniew i Tołbuchin zawiązali w czasie hucznego bankietu w poczdamskim Saint-Souci spisek, który z pokolenia oficerskiego na pokolenie „wdraża doktrynę rosyjskiej armii narodowej", aby w 1987 roku dokonać zamachu stanu ratującego *Matuszkę-Rosiję*: „...pierwszym krokiem Wojskowej Rady będzie wysłanie do Stanów Zjednoczonych profesora Sacharowa z odpowiednimi propozycjami. Główną rzeczą, jaką zaproponuje, będzie wycofanie się Sowietów z Kuby, Afganistanu i krajów wschodniej Europy...". Kazał czytelnikowi uznać za możliwe zawarcie przez Jana Pawła II i Chomeiniego sojuszu, którego celem jest „zakaz i zniszczenie istniejących arsenałów" i „zawarcie światowego układu pokojowego wykluczającego raz na zawsze wojnę", bezpośrednim zaś skutkiem „zrewolucjonizowanie wszystkich muzułmańskich republik sowieckich". Więcej: w wyniku tych działań Związek Radziecki zamienia się w „federację wolnych państw z Rosją, Ukrainą i Białorusią na czele (...) republiki azjatyckie przystąpiły również do tej federacji z obawy przed zaborczością Chin. Federacja wybrała sobie ustrój monarchii konstytucyjnej i zaprosiła na tron nie potomka carów Romanowów, lecz księcia Andrzeja z angielskiej monarchii Windsor". Na koniec – w 2000 roku Jan Paweł II apeluje do wszystkich rządów i parlamentów o zwołanie konferencji, która „zawarłaby układ pokojowy likwidujący wreszcie skutki drugiej wojny światowej, a następnie zarządziła powszechne rozbrojenie i zamieniła Organizację Narodów Zjednoczo-

Stefan Korboński

# ZA MURAMI KREMLA

Opowieść fantastyczna

Bicentennial Publishing Corporation,
New York

Pierwsze wydanie książki Stefana Korbońskiego *Za murami Kremla*

nych na światowy parlament, z poleceniem, by się zajął wyłonieniem pierwszego rządu światowego".

**W.B.** Te pomysły mieszczą się w konwencji rozrywki, w konwencji powieści fantastycznej… Mnie zainteresowało długodystansowe myślenie Korbońskiego. Zdolność przewidywania tego, co z trudem daje się przewidzieć. To sprawa zarówno mądrości i wiedzy, jak i niepospolitego instynktu politycznego. Niewielu było ludzi, którzy w 1913 roku rozważali możliwość Wielkiej Zmiany, której skutkiem będzie nowa mapa Europy po 1918 roku. Kto w 1938 roku mógł przewidzieć, jak będzie wyglądał świat sześć lat później? Korboński pisał *Za murami Kremla* w 1982 roku, wydał rok później – a więc za czasów Leonida Breżniewa i Konstantina Czernienki, gdy nadzieje na jakiekolwiek zmiany w ZSRR wydawały się pozbawione sensu. Tymczasem Korboński wyznaczając bunt spiskowców-sowieckich marszałków na 1987 rok wkłada im w usta sformułowania, którymi Gorbaczow rzeczywiście posłużył się w 1988 roku, gdy ogłaszał *pierestrojkę*. Korboński pisał: „Litania oskarżeń partii i Politbiura rosła z minuty na minutę. Zarzucano im odpowiedzialność za niedocenianie potrzeby stałej modernizacji, za niepokój we wschodniej Europie i rewoltę w Polsce, (…) za odrodzenie się panislamizmu, (…) za skostniałą ideologię i za najniższy poziom życia ludności w Europie. (…) Nic niewart taki ustrój, który nie potrafi wyżywić własnej ludności i ratuje się corocznymi zakupami we wrogich nam krajach pięćdziesięciu ton zboża". Druga sprawa – niezwykle ważna – która rzuca światło na fundamenty myślenia Korbońskiego. Sprawa Polski. Bo nawet jeśli przyjmiemy, że pisał powieść rozrywkową, to ponad płaszczyzną półżartu postawił myśl, że celem dziejów świata – jeśli ma przetrwać – musi być likwidacja skutków Jałty i odzyskanie przez Polskę pełnej suwerenności… Korboński przysłał mi *Za murami Kremla* w listopadzie 1983 roku z Waszyngtonu do Monachium z dedykacją: „Władysławowi Bartoszewskiemu, któremu niniejsza opowieść wyznacza pewną rolę – z wyrazami przyjaźni"… Zaśmiałem się czytając, że mianował mnie wicepremierem w rządzie Lecha Wałęsy. Rząd Wałęsy, rozwiązanie PZPR, wolne wybory – z perspektywy jesieni 1983 roku całkowicie niemożebne!

**M.K.** Pana spotkanie ze Stefanem Korbońskim…

**W.B.** Po raz pierwszy uścisnęliśmy sobie dłonie na przełomie stycznia i lutego 1946 roku, w przededniu rozpoczęcia przeze mnie pracy w „Gazecie Ludowej".

– Więc to on! – pomyślałem – „Nowak", „Zieliński"... Od jesieni 1942 roku przez moje ręce przechodziły rozmaite dokumenty związane z działalnością komórki więziennej i referatu żydowskiego Departamentu Spraw Wewnętrznych Delegatury Rządu, BIP-u, „Żegoty". Rzecz jasna były to dokumenty sygnowane zmienianymi pseudonimami, ale z czasem zaczynałem się orientować, kto jest kim. Nie znałem prawdziwych nazwisk, ale jednak dowiedziałem się, że dyrektorem Departamentu Spraw Wewnętrznych jest Leopold Rutkowski i że w 1944 roku jego następcą został ktoś – „Nowak", „Zieliński" – kto poprzednio był szefem Kierownictwa Walki Cywilnej, następnie zaś szefem Oporu Społecznego w Kierownictwie Walki Podziemnej i odpowiadał, między innymi, za działalność sądów podziemnych, za karanie zdrajców, konfidentów, szmalcowników. W maju 1945 roku wiedziałem, że Stefan Korboński pełni obowiązki Delegata Rządu na Kraj, usiłowałem mu nawet dostarczyć raport dotyczący mojego przełożonego z komórki więziennej, który w grudniu 1944 roku został aresztowany przez NKWD i uwikłał się, mówiąc delikatnie, w dziwną sytuację. W pierwszych dniach lipca 1945 roku wiedziałem, że Korboński wpadł w ręce NKWD. Wkrótce – w związku z utworzeniem Tymczasowego Rządu Jedności Narodowej – odzyskał wolność i objął prezesurę Zarządu Stołecznego Polskiego Stronnictwa Ludowego. Z publikacji PSL wynikało, że urodzony w 1901 roku w Praszce, wówczas małej wsi w powiecie wieluńskim, jako kilkunastoletni chłopiec wstąpił do POW, brał udział w wojnie polsko-bolszewickiej i w III powstaniu śląskim, ukończył studia prawnicze na Uniwersytecie Poznańskim, jako działacz PSL „Wyzwolenie" uczestniczył w 1930 roku w krakowskim Kongresie Obrony Prawa i Wolności Ludu (Kongresie Centrolewu), zaś od 1936 roku był prezesem Stronnictwa Ludowego w województwie białostockim. Polityczny sojusznik Stanisława Mikołajczyka – odegrał istotną rolę w strajku chłopskim w sierpniu 1937 roku, w czasie którego demonstranci żądali przywrócenia Konstytucji marcowej i demokratycznej ordynacji wyborczej.

Nasza pierwsza rozmowa przebiegła w miłej atmosferze. Starszy – miał wtedy czterdzieści pięć lat – poważny pan o wysokim czole i zdecydowanych gestach znał moją biografię konspiracyjną.

**M.K.** Od kogo?

**W.B.** Od kogoś z Komendy Głównej AK i z Delegatury Sił Zbrojnych na Kraj... Może od Kazimierza Bagińskiego – w czasie powstania dyrektora Departamentu

Spraw Wewnętrznych? Może też od Tadeusza Reka, reprezentującego PSL w „Żegocie"? Wiedział też najpewniej, że mój ojciec od lat pozostaje w bliskich stosunkach z Wincentym Bryją, który od niedawna był skarbnikiem Naczelnego Komitetu Wykonawczego PSL.

Kim wówczas był Korboński dla mnie? Wiedziałem, że już w październiku 1939 roku został zaprzysiężony w Służbie Zwycięstwu Polski, zaś po aresztowaniu przez Gestapo Macieja Rataja wszedł w skład Politycznego Komitetu Porozumiewawczego*, gdzie zasiadał z takimi działaczami jak Kazimierz Pużak z PPS, Aleksander Dębski ze Stronnictwa Narodowego i gen. Stefan Rowecki. To były szczyty konspiracji! „Grot" i Cyryl Ratajski wyznaczyli go w kwietniu 1941 roku na organizatora i szefa Kierownictwa Walki Cywilnej.... Był dla mnie wybitnym przedstawicielem grupy inteligencji chłopskiego pochodzenia, która dzięki talentom i uporowi odgrywała coraz ważniejszą rolę w życiu państwowym, politycznym i kulturalnym niepodległej Polski. Czytałem *Młode pokolenie chłopów* Józefa Chałasińskiego – dla mnie pojęcie „awansu społecznego" miało wymiar nie tyle teoretyczny, co ściśle praktyczny, dotyczyło także kariery mojego ojca, który z „chłopów", ze wsi Żaby pod Bożą Wolą wybił się kosztem ogromnych wyrzeczeń na stanowisko zastępcy naczelnika Skarbca Emisyjnego Banku Polskiego. Właśnie z tego środowiska wyszli twórcy ruchu spółdzielczego, organizatorzy Batalionów Chłopskich, działacze „Wici", „Siewu", Uniwersytetów Ludowych, Zielonego Krzyża**... Trudno więc, bym nie odczuwał do Korbońskiego szacunku i sympatii, on zaś obdarzył mnie znacznym zaufaniem. Spotykaliśmy się często, w jego gabinecie, w redakcji, niekiedy w kawiarni, gdzie pewnego wiosennego dnia 1946 roku przedstawił mnie swej pięknej żonie Zofii. Od niej dowiedziałem się paru ciekawych szczegółów o fonicznej radiostacji „Świt", nadającej z Anglii, ale uważanej przez wielu (choć ja miałem wątpliwości) za stację nadającą w Polsce z uwagi na aktualność informacji krajowych. Te informacje docierały do Londynu za pośrednictwem radiostacji obsługiwanej przez Korbońskich. Przy kawie Korboński opowiedział mi, że rankiem 19 września 1940 roku został – tak jak ja – wygarnięty z mieszkania i przewieziony do koszar kawalerii SS, gdzie przebywał przez dwa

---

\* Polityczny Komitet Porozumiewawczy – utworzona w lutym 1940 r. przy ZWZ-AK reprezentacja czterech głównych stronnictw politycznych podziemia rządowego: PPS, Stronnictwa Ludowego, Stronnictwa Narodowego i Stronnictwa Pracy; zalążek podziemnego parlamentu; od marca 1943 r. pod nazwą Krajowa Reprezentacja Polityczna.

\*\* Zielony Krzyż – służba sanitarna Batalionów Chłopskich, wyodrębniona w 1941 r. z Ludowego Związku Kobiet.

**ZA MURAMI KREMLA**
Opowieść fantastyczna

Władysławowi Bardoszewskiemu
któremu niniejsza opowieść
wyznacza pewną rolę, z
wyrazami przyjaźni

Stefan Korboński

Waszyngton, list. 1983

**"SOLIDARNOŚCI"** poświęca
autor

Dedykacja Stefana Korbońskiego dla Władysława Bartoszewskiego

dni w oczekiwaniu transportu do Auschwitz. A więc byliśmy obok siebie, w tej samej hali…. Uniknął wywózki dzięki interwencji instytucji, której dokumentami się posługiwał. To w sposób naturalny zbliżało mnie do niego. I jeszcze to, że przed wojną brał udział, jako prawnik, w przygotowaniu budowy Prudentialu, a ja naprawdę byłem dumny z pierwszego w stolicy drapacza chmur.

Tak się ułożyło, że niemal od początku mojej pracy w „Gazecie Ludowej" miałem dwóch szefów. Pierwszym był Zygmunt Augustyński, redaktor naczelny. Drugim – właśnie Korboński, który – zdarzało się to często – wzywał mnie i mówił: „Kolego, proszę pojechać do Lublina. Tam zaczyna się proces naszych członków oskarżonych o rzekomą działalność w WiN-ie* przeciwko Polsce Ludowej. Sprawozdania w gazecie cenzura pewnie nie puści, ale ja chciałbym mieć notatkę, możliwie szczegółową". Uzbrojony w legitymację dziennikarską jechałem na proces, pisałem sprawozdanie dla gazety, oczywiście cenzura je zatrzymywała albo bezlitośnie cięła, a jednocześnie przygotowywałem materiał informacyjny dla Korbońskiego.

Na kwiecień 1946 roku przypadała trzecia rocznica powstania w getcie warszawskim. Zaproponowałem Korbońskiemu, aby organ PSL zajął w tej sprawie ofensywne stanowisko, to znaczy, aby ukazał zakres pomocy udzielanej Żydom przez Państwo Podziemne. Trzeba pamiętać, że w tym czasie Polska Partia Robotnicza przypisywała sobie szczególną rolę w tej sprawie, rolę jedynego sprawiedliwego, z drugiej zaś strony środowiska centrowe i prawicowe przygniecione ciężarem własnych strat okupacyjnych i terrorem UB, przywiązane do przedwojennych stereotypów dotyczących sprawy żydowskiej, nie zawsze chciały i umiały zrozumieć znaczenia Zagłady oraz jej polskiego kontekstu. Ruch ludowy miał swego przedstawiciela w Radzie Pomocy Żydom. Był nim Tadeusz Rek – w 1946 roku zastępca kierownika Wydziału Propagandy i Prasy w Naczelnym Komitecie Wykonawczym PSL. Korboński zaakceptował moją propozycję. I tak w numerze 97/1946 z 7 kwietnia „Gazety Ludowej" ukazał się tekst „Prawdziwe oblicze akcji Żegota, czyli jak Polska podziemna ratowała Żydów". Artykuł podpisałem pseudonimem z „Żegoty" – „Ludwik". Dwa dni potem „Gazeta" opublikowała moją rozmowę z Korbońskim zatytułowaną „Konspiracja polska alarmowała świat" z podtytułem: „Dokumenty i informacje byłego kierownika Walki Cywilnej o pomocy niesionej

---

* WiN – Zrzeszenie Wolność i Niezależność – najważniejsza ogólnopolska organizacja antykomunistyczna, założona we wrześniu 1945 r. w Warszawie; działająca (faktycznie do 1947 r.) na podstawia struktur rozwiązanej AK i Delegatury Sił Zbrojnych na Kraj; przywódcy: płk Jan Rzepecki, ppłk Józef Rybicki, płk Franciszek Niepokólczycki, ppłk Wincenty Kwieciński, płk Antoni Sanojca.

Żydom". Rzecz istotna: szef Walki Cywilnej, potem zaś szef Oporu Społecznego w Kierownictwie Walki Podziemnej udzielił wywiadu młodemu dziennikarzowi, który w czasie okupacji był członkiem Rady Pomocy Żydom i zastępcą kierownika referatu żydowskiego w Departamencie Spraw Wewnętrznych Delegatury Rządu na Kraj. Korboński uświadamiał opinii publicznej, że dzięki łączności radiowej Kierownictwa Walki Cywilnej „zagranica otrzymywała dokładne wiadomości np. o wywożonych codziennie z getta ilościach osób, o obozach śmierci w Majdanku, Treblince, Sobiborze, Bełżcu, o działalności komór gazowych i krematoriów, (…) Niestety, do wiadomości naszych odnoszono się początkowo z niewiarą. Uważano je, jeśli nie za fałszywe, to przynajmniej za przesadne, podczas gdy w rzeczywistości opierały się na ścisłych danych. Depesze od organizacji żydowskich: »Bundu« i »ŻKN-u« czy też Komisji Koordynacyjnej obu tych organizacji, przekazywane również przez nas za granicę, spotykały się, podobnie jak i nasze alarmy, z niedowierzaniem". Następnie Korboński przypomniał o wydanej w marcu 1943 roku przez Kierownictwo Walki Cywilnej odezwie ostrzegającej „jednostki wyzute ze czci i sumienia (…), które stworzyły sobie nowe źródło występnego dochodu przez szantażowanie Polaków ukrywających Żydów i Żydów samych", że wypadki szantaży są rejestrowane i będą karane z całą surowością prawa. Mówił: „Po wydaniu tej odezwy, jako kierownik Walki Cywilnej (…) wydałem instrukcję nakazującą najsurowsze ściganie osób denuncjujących ukrywających się Żydów. W wyniku tego polecenia organy śledcze KWC wykryły szereg denuncjatorów". Zwrócił też uwagę na skalę pomocy finansowej udzielanej przez cywilne władze podziemne Radzie Pomocy Żydom i podziemnym organizacjom żydowskim.

Od wiosny 1946 roku moje kontakty z Korboński zaczęły się zacieśniać. Za jego wiedzą występowałem na wiecach PSL związanych z pięćdziesięcioleciem polskiego ruchu ludowego, którego obchody przełożono celowo z roku 1945 na rok następny. Zbliżało się referendum. Kazimierz Bagiński, wtedy kierownik Wydziału Propagandy i Prasy, i Korboński zwrócili moją uwagę na konieczność obserwacji wydarzeń w lokalach wyborczych. Włączyłem się do tej akcji. Zorganizowałem grupę obserwatorów, z wejściem do lokali nie było kłopotu, bo w Ministerstwie Informacji i Propagandy dano mi stosowne upoważnienie.

Wyraźnie Korbońskiemu zależało na tym, abym działał w PSL. Już w lutym 1946 roku złożyłem deklarację członkowską, a 8 września 1946 roku, w niedzielę, uczestniczyłem w zebraniu delegatów, którzy mieli wybrać zarząd PSL powiatu (starostwa grodzkiego) Warszawa-Śródmieście. Tu muszę dodać, że dwa dni wcześniej sekretarz stanu USA, James F. Byrnes, wygłosił w Stuttgarcie mowę kwestionującą ostateczny charakter granicy na Odrze i Nysie. Machina propagandowa PPR runęła na Polskie Stronnictwo Ludowe wykazując, że Mikołajczyk idzie na pasku Zachodu, który zamierza pozbawić Polskę Ziem Odzyskanych. Protesty PSL przeciw mowie Byrnesa były w naszych wydawnictwach zdejmowane przez cenzurę... Wracam do zebrania. Rzecz rozgrywała się na szóstym piętrze budynku PSL w Alejach Jerozolimskich. Korboński – świetny mówca – wygłosił referat na temat aktualnej sytuacji politycznej, z którego wynikało, że mimo nacisków, aresztowań i procesów organizacja PSL w Warszawie rozwija się w zadowalającym tempie: liczyła 1130 członków, w tym 364 robotników, 345 rzemieślników, reszta to urzędnicy i przedstawiciele wolnych zawodów. Struktura interesująca, jak na partię uchodzącą za chłopską – i działającą w centrum miasta! Delegaci wybrali nowy zarząd grodzki PSL Warszawa-Śródmieście. Prezesem został Stanisław Wycech, pracownik kolportażu „Gazety Ludowej", rodzony brat Czesława, który – przypominam – był dyrektorem Departamentu Oświaty w Delegaturze Rządu na Kraj; w skład zarządu weszli m.in. – bliscy Korbońskiemu – Władysław Konopacki, bankowiec Stefan Buczkowski, brat pisarzy Leopolda Buczkowskiego i Mariana Ruth-Buczkowskiego, dawnego współpracownika „Biuletynu Informacyjnego" AK, Aleksander Koc, pracownik techniczny Delegatury, którego znałem z AK, i ja. Zebranie dobiegało końca, gdy usłyszeliśmy hałas, brzęk tłuczonych szyb. Z wysokości szóstego piętra zobaczyliśmy tłum ze sztandarami PPR i PPS, niektórzy demonstranci mieli łomy w dłoniach. Wdarli się do gmachu PSL, pobili woźnego, zdemolowali urządzenia na parterze, zniszczyli kartoteki prenumeratorów „Gazety Ludowej". Inscenizacja „gniewu ludu"! Parę dni potem Korboński udał się do Ministerstwa Bezpieczeństwa Publicznego, by złożyć protest przeciw tej napaści i biernej postawie MO. Oczywiście żadnej odpowiedzi nie było.

Wydarzenia 8 września 1946 roku zapoczątkowały wzmożenie nacisku władz na PSL. Wzywano na przesłuchania pracowników aparatu partyjnego, zastraszano ich, niekiedy pozyskiwano pod naciskiem konfidentów. W październiku zostali aresztowani Kazimierz Bagiński i Zygmunt Augustyński. Funkcję redaktora naczelnego „Gazety Ludowej" przejął Witold Giełżyński, kierownikiem Wydziału Propagandy Naczelnego Komitetu Wykonawczego został Aleksander Bogusławski. Właśnie on zaproponował mi prowadzenie „Biuletynu Wewnętrznego" PSL, który był przez UB uważany za wydawnictwo nielegalne, bo nie przechodziło przez cenzurę, my z kolei staliśmy na stanowisku, że „Biuletyn" jest legalną publikacją legalnej partii politycznej. Złości UB nie należy się dziwić: w „Biuletynie" oprócz komunikatów organizacyjnych pojawiały się m.in. interpelacje posłów PSL w pełnym brzmieniu, dotyczące notorycznego gwałcenia prawa przez aparat bezpieczeństwa, aresztowań, skrytobójczych morderstw. Do połowy listopada zdążyłem przygotować dwa albo trzy numery „Biuletynu". 13 listopada 1946 roku ogłoszono, że wybory do sejmu odbędą się 19 stycznia 1947 roku. Korboński wezwał mnie do biura i powiedział: „Kolego, zbliżają się wybory, widzicie, że sytuacja jest trudna, przewiduję, że będzie jeszcze trudniejsza. Potrzebujemy ludzi z doświadczeniem, sprawdzonych. Chcemy z ich pomocą stworzyć przy każdym naszym zarządzie stanowisko koordynatora do spraw propagandy przedwyborczej. Uważam, że powinniście objąć taką funkcję na terenie Śródmieścia". Podziękowałem mu za zaufanie, dodając, że moim zdaniem należy opracować wspólny plan propagandowy dla całej Warszawy. Dwa dni po tej rozmowie zostałem aresztowany.

**M.K.** W wyborach 19 stycznia 1947 roku Stefan Korboński uzyskał mandat poselski. W tym samym czasie został członkiem Naczelnego Komitetu Wykonawczego PSL.

**W.B.** Do 23 czerwca 1947 roku, to znaczy do dnia przeniesienia mnie z pawilonu śledczego MBP do głównego budynku na oddział ogólny, byłem całkowicie odizolowany od świata zewnętrznego; w celi ogólnej też nie mieliśmy gazet. Natomiast o ucieczce Mikołajczyka i Korbońskiego dowiedziałem się od oficera śledczego, który dał mi do zrozumienia, że odzyskam wolność, jeśli publicznie potępię uciekinierów, to znaczy napiszę oświadczenie, które zostanie opublikowane na łamach prasy. Odpowiedziałem, że nic o tej sprawie nie wiem, a skoro nie wiem, to nie mogę się o niej wypowiadać. Wtedy oficer śledczy pokazał mi „Głos Ludu" z artykułem na temat „zdradzieckiej roboty" Mikołajczyka i Korbońskiego, ich ucieczki i tak dalej.

– I co wy na to? – zapytał.

– Bardzo ubolewam… – odrzekłem – Uważam, że Mikołajczyk jest działaczem oddanym sprawom Polski, próbował tworzyć warunki porozumienia narodowego, budował pomosty…

– Napiszecie oświadczenie?

– Nie mogę niczego napisać, dopóki nie poznam motywów ucieczki. Z pewnością obaj ogłoszą swoje wyjaśnienia. Wtedy wyrobię sobie jakiś pogląd.

– No to przypieczętowaliście swój los! – oświadczył oficer śledczy.

Ludzie z UB wiedzieli, że byłem człowiekiem zaufania Korbońskiego, więc gdy zimą 1949/1950 ponownie zostałem aresztowany, pytano mnie o jakieś szczegóły związane z jego działalnością. Zasłoniłem się brakiem pamięci.

Po moim pierwszym wyjściu z więzienia w kwietniu 1948 roku dowiedziałem się, że Korbońscy po krótkim pobycie w Szwecji i Anglii osiedli w Stanach Zjednoczonych. Bardzo rzadko słuchałem audycji Zofii w „Głosie Ameryki", gdzie pracowała od 1948 roku jako spikerka i redaktorka szeregu programów – występując pod pseudonimem autorskim Zofia Zielińska. On działał na wielu polach – wyróżniając się pośród polskich polityków emigracyjnych szerokością horyzontów i energią. Zdawał sobie sprawę z konsekwencji przyjętej przez Stany Zjednoczone *policy of containment*, szukał – i znalazł – wsparcie rządowych czynników amerykańskich. Zanim to się stało, był inicjatorem zacieśnienia związków między Prezydium PSL a Kongresem Polonii Amerykańskiej, co wcale nie było łatwe, z uwagi na sprawę „jałtańskich" zmian terytorialnych. Nieproste okazały się też stosunki pomiędzy kierownictwem PSL a prezydentem i rządem emigracyjnym, działającym na podstawie Konstytucji z 1935 roku. Polskie Stronnictwo Ludowe odrzucało konstytucję kwietniową, akceptowało – zgodnie z uchwalonym w 1946 roku Programem – porozumienia jałtańskie. Korboński niewątpliwie działał na rzecz konsolidacji politycznej emigracji, stawał ponad historycznymi urazami i podziałami, co w końcu doprowadziło do jego konfliktu z Mikołajczykiem. W 1949 roku rozpoczął współpracę z Komitetem Wolnej Europy. Objeżdżał Stany Zjednoczone, prowadząc odczyty na temat komunizmu, a jako przewodniczący amerykańskiego Przedstawicielstwa Rady Politycznej wspierał kandydaturę Jana Nowaka na stanowisko dyrektora Rozgłośni Polskiej Radia Wolna Europa. Od 1954 roku odgrywał istotną rolę w Zgromadzeniu Europejskich Narodów Ujarzmionych (Assembly of Capitive European Nations), trzykrotnie był wybierany prezesem Zgromadzenia. Jesienią 1956 roku w czasie rozmów z przedstawicielem Departamentu Stanu opowiedział się za udzieleniem Polsce pomocy gospodarczej i uznaniem przez USA granicy na Odrze i Nysie. Okazał się też utalentowanym pisarzem. Wydany w 1954 roku w Instytucie Literackim tom *W imieniu Rzeczypospolitej* otrzymał nagrodę Związku Pisarzy Polskich na Obczyźnie. Wkrótce Jerzy Giedroyć wydał tom następny: *W imieniu Kremla*, obejmujący wspomnienia z lat 1945–47. Obie książki trafiły do Polski dzięki przemyślnym działaniom Giedroycia, który opakował *W imieniu Rzeczypospolitej* w okładkę z tytułem *Od Polski sanacyjnej do*

Zofia Korbońska – zdjęcie z okresu okupacji (1942, do kenkarty)

*Polski Ludowej.* Czytałem je chyba w 1956 roku, rozmyślając, czy kiedykolwiek będę jeszcze mógł spotkać się z ich autorem.

Nawiązałem z nim kontakt korespondencyjny w drugiej połowie lat 60., gdy zacząłem wyjeżdżać na Zachód. Pisał m.in. o prowadzonej przezeń działalności prasowej na rzecz uznania przez Zachód granicy na Odrze i Nysie, o swych artykułach w prasie amerykańskiej dotyczących udziału polskich władz podziemnych w ratowaniu ludności żydowskiej, o spotkaniach z politykami amerykańskimi, którym przypominał o konieczności ujawnienia prawdy o Katyniu, także o swych złożonych relacjach z „polskim" Londynem. Sprawiał mi w kolejnych latach wielką radość wysoko oceniając moje prace na łamach wydawanych przez Giedroycia „Zeszytów Historycznych", a w połowie lat 60. podjął, wraz z Jerzym Giedroyciem, starania związane z wydaniem *Ten jest z ojczyzny mojej* na Zachodzie.

Do naszego osobistego spotkania doszło ponownie w 1968 roku. Od dawna planowaliśmy z żoną wyjazd do Włoch, na przeszkodzie stawał brak środków, na hotel nie było nas stać. Sprawę rozwiązał Jan Nowak. Rzymska ekspozytura RWE załatwiła dla nas pokój w małym rzymskim hoteliku. I właśnie tam przez szereg dni rozmawialiśmy z Korbońskimi. Po latach dowiedziałem się z dokumentów IPN, że te spotkania zostały zanotowane przez agenta SB, ale widać funkcjonariusz był mało rozgarnięty, bo raportował, że Bartoszewscy spotykali się w Rzymie z Nowakiem-Jeziorańskim i Aleksandrą Stypułkowską, co było całkowicie wyssane z palca.

Ponownie spotkałem się z Korbońskimi w 1977 roku w Waszyngtonie. Od jesieni 1970 roku nie miałem paszportu w związku z postawieniem mi przez prokuraturę zarzutu „kierowania siatką wywiadowczą Wolnej Europy na Polskę". Z listów Korbońskiego (które – niestety – musiałem niszczyć ze względów bezpieczeństwa), a także z jego wypowiedzi publicznych wiedziałem, że krytycznie odnosi się do sposobu, w jaki Stany Zjednoczone zaangażowały się w Konferencję Bezpieczeństwa i Współpracy w Europie. Jego niepokój wzrósł w związku z podpisaniem Aktu końcowego KBWE[*], gdyż uznał to za odejście od złożonych w Jałcie gwarancji wolnych wyborów w Polsce, ujawniona zaś wiosną 1976 roku instrukcja Sonnenfeldta[**] potwierdziła jego obawy.

---

[*]   Akt końcowy KBWE – dokument  przyjęty w 1975 r. na zakończenie odbywającej się w Helsinkach Konferencji Bezpieczeństwa i Współpracy w Europie, podpisany przez wszystkie państwa europejskie (z wyj. Albanii) oraz USA i Kanadę, stanowiący uroczystą deklarację dobrych wzajemnych intencji; zwany też Wielką Kartą Pokoju.

[**]   Instrukcja (deklaracja) Sonnenfeldta – zapis poufnego odczytu wygłoszonego w grudniu 1975 r. w Londynie przez wysokiego urzędnika Departamentu Stanu, Helmuta Sonnenfeldta, do ambasadorów amerykańskich akredytowanych w Europie, omawiającego koncepcję polityki zagranicznej USA. Zakładała ona oddanie krajów Europy Wschodniej pod dominację ZSRR dla zagwarantowania pokoju i uniknięcia III wojny światowej.

Zwrócił się wówczas – jako przewodniczący ACEN – do Departamentu Stanu, aby prezydent Ford zdezawuował założenia tej „doktryny" współbrzmiącej przecież z „doktryną Breżniewa". W 1974 roku do USA wybrał się Edward Gierek. Korboński podjął w związku z tym interwencję w Departamencie Stanu w sprawie odszkodowań dla osób represjonowanych w latach 1944–56 i rehabilitowanych oraz w kwestii amnestii dla więźniów politycznych: braci Czumów, Stefana Niesołowskiego, braci Kowalczyków. W 1975 roku wziął udział w organizowaniu w USA wsparcia dla Listu 59, którego sygnatariusze sprzeciwiali się hołdowniczym wobec ZSRR zmianom w Konstytucji PRL.

20 stycznia 1977 roku Jimmy Carter został zaprzysiężony jako 39. prezydent USA. Doradcą do spraw bezpieczeństwa narodowego został Zbigniew Brzeziński. Koncepty Sonnenfeldta poszły w zapomnienie. Stany Zjednoczone wykorzystały „Trzeci koszyk" do KBWE*, a więc helsińskie deklaracje tyczące praw człowieka, do swej polityki osłabiania dyktatu ZSRR w Europie Wschodniej. Miało to bezpośredni wpływ także i na mój los. Otóż dzięki interwencji Zbigniewa Brzezińskiego otrzymałem paszport i wyjechałem do Stanów Zjednoczonych na czterotygodniowe stypendium Departamentu Stanu. Serdeczne powitanie w domu Korbońskich w Waszyngtonie… Długie rozmowy. O czym? Przybyłem z Polski, w której zaczynało wrzeć: działał Komitet Obrony Robotników, działał Ruch Obrony Praw Człowieka i Obywatela, aktywne było duszpasterstwo akademickie. Korbońscy chłonęli wiadomości z Polski. On opowiadał o stosunku USA do „sprawy polskiej". Był umiarkowanym optymistą, wiedza polityczna nie pozwalała mu trwać w dogmatach, z drugiej strony zdawał sobie sprawę, że jego przenikliwość może zostać uznana przez niektóre kręgi polonijne za obrazoburczą, zaś jako zwolennik budowania mostów między zwaśnionymi odłamami emigracji nie mógł sobie na to pozwolić. Wiem, że wyniki konklawe z 16 października 1978 roku przyjął z entuzjazmem, widząc w tym początek koniunktury dla Polski. Poziom jego optymizmu wzrósł w momencie podpisania porozumień sierpniowych. Choć liczył się z interwencją sowiecką, uznał, że „Solidarność" zapowiada globalne zmiany w Europie Wschodniej. Wiosną 1980 roku wydawało się oczywistym, że Korboński – ostatni żyjący przywódca Państwa Podziemnego – zostanie wyznaczony przez prezydenta Edwarda Raczyńskiego na następcę. W związku z tym latem 1980 roku Korboński opublikował na łamach prasy polonijnej (najpierw

---

\* „Trzeci koszyk" KBWE – część trzecia dokumentu KBWE, zawierająca deklarację współpracy w dziedzinie humanitarnej (swobody kontaktów międzyludzkich, wymiany informacji, współpracy w dziedzinie kultury i oświaty).

w paryskiej „Kulturze", potem w gazetach w USA i Kanadzie) artykuł „O naprawie Rzeczypospolitej emigracyjnej", w którym zaproponował utrzymanie stanowiska prezydenta RP przy jednoczesnym zlikwidowaniu rządu londyńskiego i powołaniu trzech centrów polityki emigracyjnej: w Waszyngtonie, Rzymie i Londynie. To oczywiście wywołało gwałtowne sprzeciwy jego londyńskich oponentów... Rzecz – jak się wkrótce okazało – miała pośredni związek także ze mną, bo po raz pierwszy w marcu 1981 roku, i ponownie w grudniu 1982 roku prezydent Edward Raczyński zaproponował, bym zgodził się na powołanie na jego następcę i zadeklarował, że wnet potem ustąpi ze stanowiska. Odmówiłem.

W 1980 roku Stefan Korboński otrzymał od Yad Vashem tytuł i medal Sprawiedliwego wśród Narodów Świata. Przeżył też później chwilę radości, gdy dowiedział się, że jego artykuł „Służba Zwycięstwu Polski" ukazał się na łamach „Tygodnika Solidarność", wtedy – legalnego organu związku – praktycznie bez skreśleń cenzuralnych. Było to dokładnie miesiąc przed „stanem wojennym".

Nasze kolejne spotkanie przypadło na wiosnę 1984 roku. Przebywaliśmy wraz z żoną w Monachium. Polecieliśmy do USA na wspólne zaproszenie Kongresu Polonii Amerykańskiej i American Jewish Committee. Znów długie i serdeczne rozmowy z Korbońskimi, którzy pomogli mi nawiązać bliższe stosunki z rozmaitymi ugrupowaniami Polonii. Korboński wspomniał o pewnych swych zamiarach związanych z czterdziestą rocznicą powstania warszawskiego, więc nie zdziwiłem się, gdy prasę amerykańską obiegła fotografia, na której Stefan Korboński dekoruje prezydenta Ronalda Reagana Krzyżem Armii Krajowej. Jesienią 1984 roku wróciłem na 10 miesięcy do kraju, by na rok akademicki 1985/86 objąć profesurę na Wydziale Historii i Nauk Społecznych Katolickiego Uniwersytetu Eichstätt. Natychmiast powiadomiłem o tym Korbońskich. W odpowiedzi otrzymałem w grudniu 1985 roku list:

Drogi Panie Władysławie, Drodzy Państwo!
Pana pismo dobrze znam, to też na widok adresu na kopercie krzyknąłem: „Zosiu, przyszedł głos z Polski!". Odczytaliśmy list parokrotnie i ucieszyliśmy się, że emigrację wzbogaci na dwa lata Pana obecność. Niezależnie od Pana wykładów, które odbiją się korzystnie dla nas na kulturze niemieckiej, będzie Pan poniekąd automatycznie oddziaływał swą obecnością na „Kulturę", „Zeszyty Literackie", na Zdzisława Najdera i polski zespół w Monachium, i na emigrację w Londynie. Ale dobrze rozumiem Pana uwagę, że pragnie Pan w dalszym ciągu pisać i uzupełniać

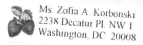

Ms. Zofia A. Korbonski
2238 Decatur Pl. NW 1
Washington, DC 20008

*Mr. & Mrs. Władysław Bartoszewski*

*Warszawa*

*POLAND*

00148-0001

List Zofii Korbońskiej do Zofii i Władysława Bartoszewskich

Wizyta prezydenta Edwarda Raczyńskiego (drugi z lewej) i Anieli Mieczysławskiej (druga z prawej) u Zofii i Stefana Korbońskich w Waszyngtonie, 1980 rok, z tyłu Zdzisław Dziekoński, ówczesny prezes Koła AK w Waszyngtonie DC

swoją już bogatą bibliotekę. Mam nadzieję, że dożyję Pana zbiorowego wydania. W tym miejscu bardzo dziękuję za Pana historyczne *1859 dni Warszawy*, wydanie z roku 1984, które z wielką paradą, bo listem poleconym, przesłał „Znak" z Krakowa na moje prawdziwe nazwisko! Również dziękuję za miłe wzmianki o „obecności" w kraju moich książek o Polskim Państwie Podziemnym i *W imieniu Rzeczypospolitej*. Te krajowe wydania dotarły do mnie do Waszyngtonu drogą prywatną i ostatnio dwa różne wydania doskonałym drukiem *W imieniu Kremla*, wreszcie wiadomości o przedruku przez „Kulturę" i „Zeszyty Historyczne" czterech moich ważniejszych artykułów. Wszystko to dodało mi ducha i było zachętą do napisania nowej pracy *Polonia Restituta – wspomnienia z dwudziestolecia 1918–1939*. (…) Pana krótkie, ale treściwe uwagi o sytuacji w kraju i prognozie na najbliższe lata dobrze rozumiem, m.in. pilnie obserwując najnowsze kroki Jaruzela. Objęcie przez niego stanowiska po nie liczącym się Jabłońskim, którego czasami spotykałem przed wojną, narzuca mi podejrzenia, że będzie chciał naśladować Piłsudskiego i będzie starał się uzyskać szerszą popularność. Nie chcę zabierać Panu cennego czasu, ale muszę poprosić o szersze omówienie sytuacji w Polsce, Solidarności, Kościoła, itd. Proszę o opinię, czy wielki rozwój wydawnictw podziemnych nie oznacza tolerowania tego przez reżym?

Wobec tego, że spędzicie Państwo święta Bożego Narodzenia w Londynie załączam, by Pana poinformować, odbitkę z „Nowego Dziennika" z 15 listopada b.r., w którym to najlepsze obecnie codzienne pismo otworzyło dyskusję nad problemem legalizmu, rozpoczynając ją przedrukiem wyjątków z mego artykułu „O naprawie Rzeczypospolitej emigracyjnej" ogłoszonego przed pięciu laty, gdyż w lipcu–sierpniu 1980 roku w „Kulturze". W ślad za nim ukazały się obecnie w „Nowym Dzienniku" dwa inne artykuły i w druku jest obszerny prof. Jerzego Lerskiego (…) Przyczyną otwarcia dyskusji jest zapowiedź prez. Raczyńskiego, że ustąpi 17 kwietnia 1986 roku. Po nim ma je objąć Kazimierz Sabbat, którego spotkałem przez dwie godziny raz w życiu, ale i tak jak wielu innych uważam, że ten siedemdziesięcioparoletni byznesman, bez żadnej przeszłości i biografii, operujący forsą i skrzynką z Poloniami Restitutami, nie może stać się symbolem Polski Walczącej. Muszę liczyć się z tym, że Raczyński wzgl. Sabbat będą chcieli wykorzystać Pana obecność w Londynie tylko po to, by otrzymać od Pana oświadczenie, popierające monopol Londynu (…), na co nie sądzę, by się Pan dał nabrać. Wiele uścisków i ucałowania rąk dla Pani Zofii.

Stefan Korboński

P.S. Co za radość, że jesteśmy znów po tej samej stronie granicy. Niech się Państwu jak najlepiej wiedzie i niech zdrówko dopisuje; Wesołych Świąt, Szczęśliwego Nowego Roku. Mnóstwo serdeczności

Zofia Korbońska.

List bardzo interesujący, ale niektóre emocjonalne sądy szczegółowe Korbońskiego na temat rządu emigracyjnego traktowałem z dystansem, nie znałem przecież londyńskich realiów.

Kolejny list, z 13 maja 1986 roku:

Kochany Panie Władysławie, Drodzy Państwo!

(…) Jesteście oboje stale przedmiotem naszych rozmyślań i stawiamy pasjansa na Wasze losy. Nie stać nas na to, by Was zaprosić do Stanów Zjednoczonych, ale nie wyrzekamy się nadziei na przyjazd do Monachium i spędzenia tam z Wami paru spotkań. Mogłoby nas oboje zaprosić np. RWE na kilkanaście dni dla wygłoszenia naszych audycji w kraju. Wszak figuruję w Pana znakomitym dziele *1859 dni Warszawy* na str. 119 jako jedyny żyjący jeszcze założyciel Polskiego Państwa Podziemnego, a obecnie ostatni żyjący jego szef. Przecież warto, by ten żywy jeszcze głos odezwał się do najmłodszych pokoleń. Poniosło mnie i za bardzo się rozpisałem. Ale to nic nie szkodzi.

Pana ocena zła polskiej sytuacji w Londynie pokrywa się z moją. Mogło ją mimo to w ostatniej chwili uratować objęcie przez Pana prezydentury po ogólnie szanowanym Raczyńskim, na co parokrotnie namawiałem, ale gdy to zostało rozwiązane inaczej, mamy teraz sabat czarownic na Zamku.

W ocenie sytuacji krajowej postawił Pan kropkę nad „i". Zmartwiłem się nią i łamię głowę nad wyprodukowaniem tzw. „małego programu", który by pozwalał uzyskać od Stanów Zjednoczonych dla kraju pewnej pomocy materialnej, za którą reżym musiałby zapłacić koncesjami. Może się na ten temat odezwę. (…) Zawisł Pan obecnie między krajem a zachodem, ale wyraźnie z pożytkiem dla kraju i dla siebie. Moim zdaniem, Pańska praca zmierza konsekwentnie w tym samym kierunku. Zajął Pan już w kraju czołowe historyczne stanowisko i będzie posuwał się dalej jako pisarz. Ciekaw jestem następnych Pana prac. Ja marzę o tym, by Pan powołał w kraju kolegium historyków, którzy pod Pana kierownictwem zamieniliby każdy z 26 rozdziałów mojej książki o „Polskim Państwie Podziemnym" na 26 tomów. (…) Za parę dni wyślę Panu listem lotniczym moje najnowsze dziecko, czyli książkę *Polonia Restituta – wspomnienia z dwudziestolecia niepodległości 1918–1939.* Wygląda ślicznie, biało i czerwono, ale co znajdą w główce recenzenci – nie wiem. Proszę o parę słów szczerej oceny.

Przesyłamy Wam oboje z Zosią jak najwięcej serdecznych życzeń.(…) Niech Pan się odzywa od czasu do czasu! Chociaż pisze Pan z Niemiec, ale mówi z kraju, na który nigdy nie ogłuchnę!

Stefan Korboński

W listopadzie 1987 roku pisał:

… wnioskuję, że Pan w tym roku wraca do Polski? Żałuję, że nie udało nam się zobaczyć. Każde z Panem spotkanie było przeżyciem. Mnie niewiele już czasu zostało, więc nie wiem, czy się jeszcze spotkamy. Na wszelki wypadek chcę Panu powiedzieć, że uważam Pana za wybitnego człowieka, doskonałego pisarza i historyka, który słusznie dostał niemiecką Nagrodę Nobla [Nagrodę Pokojową Księgarstwa Niemieckiego – przyp. MK]. Ściskam mocno Pana dłoń, ręce Pani całuję, moja Zosia przesyła bardzo serdeczne pozdrowienia

Stefan Korboński

Zdaje się, że patrząc z oddali na rozwój sytuacji w kraju, zaczął myśleć o ewentualnym powrocie – „gdyby powstały tam warunki do normalnej pracy społecznej i politycznej” – jak oświadczył w 1988 roku przedstawicielom „Przeglądu Powszechnego”, miesięcznika wydawanego przez jezuitów. Zmarł 23 kwietnia 1989 roku – czterdzieści dwa dni przed wyborami w Polsce, w wyniku których w sierpniu 1989 roku powstał w Warszawie rząd z Tadeuszem Mazowieckim na czele.

Nasze przyjacielskie kontakty z Zofią Korbońską trwały. W lutym 1994 roku powiadomiłem ją o moim planowanym na marzec krótkim przyjeździe do USA. Natychmiast odpisała:

Szalenie ucieszyłam się Pana listem i perspektywą naszego spotkania. Bardzo brak mi ludzi, z którymi można pogadać o różnych bolączkach politycznych i nie politycznych, i powspominać dawne czasy bez potrzeby zaczynania wszystkiego od początku i bez obawy niepożądanych skutków. Szkoda oczywiście, że nie będzie Pani Zofii, ale może jeszcze się coś zmieni i jakaś manna kapnie z nieba? (…) Tydzień trzymam wolny, tak żeby mógł Pan wybrać sobie dogodny termin na spotkanie ze mną. Najlepiej byłoby, gdyby mógł Pan przyjść któregoś dnia, żeby pogadać i zjeść obiad, a po obiedzie zaprosiłabym ewentualnie parę osób z Pana wielbicieli na deser i winko. (…) Dlaczego, dlaczego tak krótko? Zebrało się sporo rzeczy, które chciałabym Panu

Nagroda Pokojowa Ksiegarzy Niemieckich (Frankfurt nad Menem, RFN, 5 X 1986 r.)
Władysław Bartoszewski z prezydentem Niemiec Richardem von Weizsäckerem

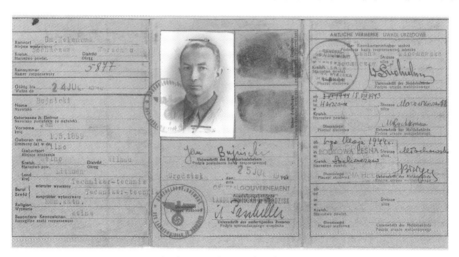

Kenkarta Stefana Korbońskiego

opowiedzieć, bośmy się przecież strasznie dawno nie widzieli. O Boże, jak dawno! No i również trochę plotek… Jestem jeszcze, jak to się mówi, „na chodzie", ale te pięć lat blisko (!) bez Stefana mnie wykończyło i przyszła pora, żeby oddać się dobrowolnie w szpony lekarzy. Odwlekam tę chwilę, bo może uda się dotrzeć do końcowej stacji bez tego, choć w kiepskiej formie. Nie piszę więcej, zachowując wszystko do spotkania i rozmowy „wręcz", na którą bardzo liczę i ogromnie się cieszę!

Serdecznie oboje Państwa ściskam i do zobaczenia w marcu

Zofia Korbońska

Oczywiście spotkaliśmy się i to parę razy, co Zofia Korbońska sumowała w liście do mojej żony, pisząc:

„Spotkanie z p. Władysławem tak mnie rozczuliło, że zaproponowałam mu bruderschafta po starej (aż strach pomyśleć jak starej!) znajomości, co teraz z kolei proponuję Drogiej Pani. Mam nadzieję, że kiedyś to wspólnie, należycie oblejemy – na razie – na odległość i sucho".

Gdy rok potem ponownie znalazłem się w Waszyngtonie, tym razem jako minister Spraw Zagranicznych Rzeczypospolitej, Zofia raportowała mojej żonie:

„Pan Minister był zdaje się lekko zmęczony po przyjęciu w ambasadzie, gdzie przewaliły się tłumy, żeby się nim nacieszyć. Już dawno ludzie nie byli tak rozradowani. Wstąpił w nich nowy duch, bo stało się coś, co powinno stać się od początku. Znalazł się we władzach ktoś, kto nie tylko nie służył, ale przeciwstawiał się reżymowi. (…) Jak wszyscy tutaj jestem uradowana, że przyjął to stanowisko i mam takie uczucie, że może to być jakiś próg, jakiś przełom w polskiej sytuacji, odbicie się od dna – i szala zwycięstwa przechyli się na naszą stronę. Muszę Ci powiedzieć, że występ Władka w CSIC [Center for Strategic and International Studies – przyp. MK] był nadzwyczaj udany. (…) Mój Stefan z pewnością bił brawo z zaświata".

List Zosi z 20 czerwca 1997 roku:

Drogi Władku!

Przede wszystkim dziękuję – przepraszając za opóźnienie – za kartę i list. Bardzo się nimi ucieszyłam, jak zawsze wszystkim co od Was pochodzi. Nie wiem, czy uda mi się przyjechać pod koniec lata do Warszawy, gdyż zawiodły plany budżetowe. (…) Wobec niewypału z wyjazdem, prośbę, którą miałam Ci przedstawić osobiście, wyłuszczę w liście. Wyda Ci się może dziwaczna, ale postaraj się ją zrozumieć

Jedno z ostatnich wspólnych zdjęć Zofii i Stefana Korbońskich, willa „Zalesie" państwa Bergerów, Cooperstone, New York, 1986 rok

w kontekście dzisiejszych dziwacznych czasów i ludzi. Otóż robię przygotowania na tzw. „ostatnią drogę", włącznie z pogrzebem, tym razem własnym. „Nie śmiej się – chcesz to się śmiej" – jak śpiewał w zamierzchłych czasach niezapomniany Andrzej Bogucki. Do tej troski o życie pozagrobowe skłania mnie doświadczenie z różnymi pogrzebami, jakich tutaj ostatnio nie brakowało. Najnowszym był pogrzeb Zosinki Michałowskiej (idzie o Zofię Michałowską, w latach stalinowskich więźnia politycznego w Polsce, 1956–59 pracownicę sekretariatu „Tygodnika Powszechnego", z którą byłem zaprzyjaźniony) w dniu 5 czerwca, a właściwie msza żałobna, gdyż została spopielona, a prochy złożone w Amerykańskiej Częstochowie. (…) Żaden tutejszy pogrzeb nie obejdzie się bez przemówień i zawsze jest z tym dużo kłopotu, bo albo nie ma kto mówić, albo zgłasza się ktoś niepożądany, a pożądający rozgłosu. (…) Na mnie już się niektórzy szykują i z góry „obiecują" wygłosić „eulogy", co mnie dosyć przeraża. Stąd moja prośba do Ciebie. Czy mógłbyś z góry, już teraz, napisać coś na mój temat, co mogłoby być odczytane na moim pogrzebie? Po prostu, żebym miała spokój, że po zejściu z tego świata nie będzie się znęcał nade mną jakiś bliżej mi nieznany osobnik? (…) Mój złociutki, oddaj mi tę ostatnią przysługę jeszcze za życia, a przyrzeknę, że nie będę straszyć Cię po śmierci pokazując się w nocy bez makijażu. Ale nie bój się, nie wybieram się na tamten świat jutro ani pojutrze, tylko muszę myśleć na wyrost. Z pewnością jeszcze się przed tym zobaczymy. Wracając do Zosinki, to odwiedziłam ją 15-ego maja, na św. Zofię, już nie mogła mówić. (…) Kilka dni po tym odwiedził mnie Jaś Romanowski, rotmistrz, b. adiutant Okulickiego i Andersa, wypiliśmy butelkę wina, zjedliśmy obiad, gadaliśmy długo, po czym wyjechał do Montrealu. Miał wrócić za tydzień, a zamiast tego dostał ataku serca i zmarł 5 czerwca. Jak więc widzisz, lud się wali jako snopy. I jak tu nie myśleć o własnym pogrzebie? Przechodząc do spraw weselszych, widziałam tu Krzaklewskiego na zebraniu polonijnym. Nie zrobił na mnie wrażenia męża stanu, ani nawet trybuna ludu (…) na drugie zebranie już nie poszłam. Nowak i Brzeziński usilnie zapędzali do głosowania „tak" na konstytucję, której przecież nikt prawie z głosujących nie przeczytał, więc jedni się posłuchali ich, a inni „Radia Maryja".

Ostatni raz rozmawiałem z nią – bezpośrednio, a nie przez telefon – w sierpniu 2004 roku w czasie otwarcia Muzeum Powstania Warszawskiego. Byliśmy obok siebie: Zofia, Jan Nowak-Jeziorański i ja. Wygłosiła dobre przemówienie, ze wzruszenia trochę za cicho. Po niej mówił Nowak. To były ich ostatnie wystąpienia publiczne.

Washington, 14 X. 05

Drogi, kochany Władku!

Dziękuję Ci za książkę i autograf. Czytam ją na nowo ze wzruszeniem. Bardzo dobrze wydana, uzupełniona, przenosi mnie w dawne dni i nasz dawny, wojenny świat. Nie sypiam w nocy z powodu bólu w nogach i ta lektura pomaga mi oderwać się od bólu. Niestety, już kończę książkę, ale sięgam po jeszcze wcześniejsze Twoje dzieło o Warszawie wojennej. Dziękuję Ci za nie. (…) Wiem, że jesteś bardzo zajęty, jak zawsze, bo przecież emerytura to dla słabeuszy, a Ty do nich nie należysz, jesteś nałogowcem pracy. Mam jednak nadzieję, że Zosia jako Twój anioł opiekuńczy hamuje nieco Twoje tempo pracy (…) Bardzo mi brak wyjazdów do Polski, ale o tym nie ma mowy. Ostatnia, zeszłoroczna podróż, po której dostałam skrzepu w nodze, położyła mnie na obie łopatki. Nie żałuję tego, że podróż odbyłam – zmieniła bardzo wiele w moim życiu pod koniec i otworzyła mi szerzej oczy na dobre i na złe aspekty tego, co się dzieje w kraju: niezwykłe postępy i szokujące „zatwardzenia", ale to temat za obszerny na dzisiejszy list, który miał być jedynie podziękowaniem za „Warto być przyzwoitym". Podsumowuję go wierszykiem jednego z naszych genialnych wieszczów, Krasińskiego:

> *Jeszcze kielich mojej doli*
> *Wiele kropel ma.*
> *Muszę cierpieć, pić powoli*
> *Wypić aż do dna.*

A to wszystko przez złą metafizykę. Za wcześnie urodzona! Ściskam Cię mocno i serdecznie. Ucałowania dla Zosi – Zosia K.

Za wcześnie urodzona?

Zmarła 16 sierpnia 2010 w Waszyngtonie. Została pochowana tam gdzie Stefan, w amerykańskiej Częstochowie. Nie dane mi było przemawiać na jej pogrzebie, o co prosiła tak wymownie w swoim liście z czerwca 2007.

Władysław Bartoszewski, listopad 1944 r.

# W kręgu „Gazety Ludowej":

## Kazimierz Bagiński,
## Zygmunt Augustyński,
## Witold Giełżyński,
## Andrzej Leśniewski,
## Jan Zarański

W 1946 roku miałem dwadzieścia cztery lata,
w „Gazecie Ludowej" byłem najmłodszy...
Nie idealizuję tamtych czasów, po prostu tak mi się
przydarzyło w życiu, że trafiłem na godnych zaufania
nauczycieli i w szkole, i zawodzie dziennikarskim.

Redakcja „Gazety Ludowej" mieściła się w siedzibie władz naczelnych Polskiego Stronnictwa Ludowego, to znaczy w budynku przy Alejach Jerozolimskich 85, nieopodal placu Starynkiewicza, zaś redakcja nocna, w której przyszło mi spędzić sporo czasu, w drukarni Jana Wojtyńskiego przy ul. Hożej 48. Zgodnie z ustaleniami wewnątrzpartyjnymi, o strategii politycznej dziennika decydował prezes – Stanisław Mikołajczyk. Redaktor naczelny Zygmunt Augustyński zapisał w opublikowanych niedawno wspomnieniach (*Dziennikarstwo i polityka*, Kraków 2009): „Sekretariat Naczelny PSL wydał jesienią 1945 roku zarządzenie wewnętrzne, ażeby pracownicy centrali nie obciążali Mikołajczyka zbędnymi odwiedzinami. (…) Wyjątek stanowiła redakcja »Gazety Ludowej«. Było to konieczne, ażeby pismo codzienne miało szybki, bezpośredni i stały kontakt z prezesem. (…) Rozumiał on znaczenie prasy i wiedział, jak potężną bronią w rękach stronnictwa jest poczytny i odważny dziennik. Moje kontakty z Mikołajczykiem stały się niebawem codzienne, a raczej conocne, ponieważ dziennik składany był i drukowany w nocy i bodaj co noc trzeba mi było porozumiewać się z prezesem PSL w aktualnych sprawach politycznych".

„Gazeta Ludowa" była organem partyjnym, trudno więc się dziwić, że na jej działania chcieli mieć (i niekiedy mieli) wpływ inni wybitni działacze PSL, m.in. Stefan Korboński, który szefował warszawskiej organizacji PSL i Kazimierz Bagiński – kierownik Wydziału Prasy i Propagandy.

Kazimierz Bagiński rozpoczął działalność polityczną w Polskiej Partii Socjalistycznej pod koniec pierwszego dziesięciolecia XX wieku, w 1915 roku współtworzył Polskie Stronnictwo Ludowe „Wyzwolenie", służył w Legionach i brał udział w wojnie polsko-bolszewickiej. W 1929 roku był jednym z głównych organizatorów Centrolewu, za co zapłacił aresztowaniem, wyrokiem skazującym

**Kazimierz Bagiński,** pseud. **Biernacki, Dąbrowski,**

ur. 15 marca 1890, Warszawa, zm. 27 lipca 1966, Phoenix (USA), działacz ludowy, dziennikarz. Od 1913 w Związku Strzeleckim, od 1914 w POW. W 1915 współorganizator PSL „Wyzwolenie", a w latach 1919–30 poseł na Sejm z ramienia tego stronnictwa. Ochotnik podczas wojny polsko--bolszewickiej 1919–20, odznaczony Orderem Wojennym Virtuti Militari (1922). Jeden z przywódców Centrolewu, aresztowany w 1930 i skazany na dwa lata więzienia w tzw. procesie brzeskim 1932. Od marca 1931 sekretarz NKW SL. Przed uprawomocnieniem wyroku zbiegł do Czechosłowacji, gdzie przebywał do marca 1939. Od 1942 w konspiracji w CKRL „Roch", od marca 1944 członek Rady Jedności Narodowej, a od lipca do września Dyrektor Departamentu Spraw Wewnętrznych Delegatury Rządu RP na Kraj, następnie zastępca przewodniczącego RJN; od listopada 1944 członek Centralnego Kierownictwa Ruchu Ludowego i urzędujący wiceprzewodniczący SL „Roch". W marcu 1945 aresztowany przez sowieckie organa bezpieczeństwa i skazany w moskiewskim „procesie szesnastu" na rok więzienia. W kraju od listopada 1945, członek władz PSL. Od maja 1946 członek kolegium redakcyjnego „Gazety Ludowej". Ponownie aresztowany w październiku 1946, skazany na 8 lat, zwolniony z więzienia w lipcu 1947. Od października 1947 na emigracji w USA.

go na dwa lata więzienia i emigracją. Wyjechał do Czechosłowacji. Tam zacieśnił kontakty z przywódcami europejskich ugrupowań agrarystycznych. Ożenił się z Czeszką, panią Pawlą. W czasie okupacji działał w Stronnictwie Ludowym „Roch" , był twórcą i pierwszym redaktorem konspiracyjnej Agencji Informacyjnej „Wieś", która z czasem zaczęła dysponować sprawną siecią korespondentów związanych z Batalionami Chłopskimi, wchodził też w skład redakcji pism centralnych „Rocha". W czasie Powstania Warszawskiego był przez kilka tygodni dyrektorem Departamentu Spraw Wewnętrznych Delegatury Rządu, to znaczy ministrem spraw wewnętrznych na tym skrawku wolnej Polski. Jesienią 1944 roku został prezesem Centralnego Kierownictwa Ruchu Ludowego. Aresztowany przez NKWD 28 marca 1945 roku i uprowadzony do Moskwy był jednym z oskarżonych w „procesie szesnastu"*. 22 czerwca 1945 roku skazano go na rok więzienia. Wkrótce – dzięki porozumieniom moskiewskim dotyczącym utworzenia Tymczasowego Rządu Jedności Narodowej – wrócił do kraju i włączył się do działalności w PSL obejmując nadzór nad wydawnictwami partyjnymi.

Poznałem go chyba w marcu 1945 roku, a więc w momencie, gdy po moim wstąpieniu do PSL Stefan Korboński zaczął mnie wysyłać jako obserwatora-korespondenta na procesy polityczne czy też do zbadania spraw delikatnych, dokonujących się na styku Podziemia i legalnych struktur partyjnych. Wiedziałem, że moje sprawozdania czytane są przez ścisłe kierownictwo PSL, a więc i przez Bagińskiego. Jednak pierwsza nasza dłuższa rozmowa dotyczyła incydentu o charakterze półkomediowym.

W „Gazecie Ludowej" i w kierowanym przez Bagińskiego Wydziale Propagandy i Prasy dosyć często gościli dziennikarze zagraniczni. Któregoś dnia otrzymałem polecenie zajęcia się czeskim dziennikarzem związanym z partią agrariuszy.** W trakcie rozmowy mój podopieczny zapytał mnie, jak można odróżnić na podstawie cech zewnętrznych ludzi z PSL od ludzi z „lubelskiego" SL, bo że co innego mówią, to oczywiste, ale może jest jeszcze jakiś inny sposób. Oba stronnictwa miały ten sam znaczek organizacyjny, czterolistną koniczynkę,

---

\* Proces szesnastu – pokazowy proces polityczny przywódców Polskiego Państwa Podziemnego (porwanych w końcu marca 1945 r. w Pruszkowie), odbywający się w dn. 18–21 czerwca 1945 r. w Moskwie przed Kolegium Wojskowym Sądu Najwyższego ZSRR; gł. zarzuty – „robota wywrotowa na tyłach Armii Czerwonej", współpraca z Niemcami.

\*\* Partia agrariuszy – popularna nazwa Czechosłowackiej Partii Agrarnej, utworzonej w 1905 r., w 1922 r. przekształconej w Republikańską Partię Ludu Wiejskiego i Małorolnego. Była to w okresie międzywojennym jedna z najbardziej wpływowych partii w Czechosłowacji ; jej przedstawiciel Antonin Svehla trzykrotnie piastował urząd premiera. W 1945 r. zdelegalizowana.

ale trzeba trafu, że grawer, który obsługiwał PSL, skierował ogonek koniczynki w inną stronę niż jego kolega, który pracował dla SL. Wyjaśniłem dziennikarzowi, że nasz ogonek skierowany jest na zachód, ich zaś na wschód. On to napisał, opublikował w Czechosłowacji, a przedruki pojawiły się w prasie anglosaskiej. Woła mnie Bagiński i śmieje się:

– Panie kolego, co pan naopowiadał temu Czechowi?

– Miałem się nim opiekować.

– A ten ogonek od koniczynki?

– Tak mi nagle przyszło do głowy.

– Nie mógł mnie pan uprzedzić?

– Nie chciałem panu zaprzątać głowy głupstwami.

A Bagiński na to: – Ale zaprzątnął pan głowę komuś innemu…

Bo rzeczywiście żartobliwe słowa o ogonku koniczynki odbiły się głośnym echem politycznym.

Wydaje mi się, że to właśnie z inicjatywy Bagińskiego „Gazeta Ludowa" wydała 1 sierpnia 1946 roku rozszerzony numer specjalny na rocznicę Powstania Warszawskiego. Miałem w tym swój poważny udział jako autor dwukolumnowego artykułu „Bitwa o wolność Stolicy", który – po dyskusjach redakcyjnych – znalazł kontynuację w publikowanym co dzień, od 3 sierpnia do 4 października 1946 roku moim cyklu kronikarskim „Dzień walczącej stolicy 1944". Numer powstańczy otwierał tekst „Bohaterem jest lud Warszawy" pióra Bagińskiego, który składając hołd powstańcom i ludności cywilnej pytał: „Czy uczyniono wszystko, aby zapewnić powodzenie powstania? Tyczy się to głównie zachowania się AK, którego Komenda Główna prowadziła przez cały czas konspiracji własną politykę, często nie pokrywającą się z oficjalnym stanowiskiem Rady Jedności Narodowej, często wprost sprzeczną z podstawową jej siłą, ruchem ludowym. Powstaje więc pytanie, czy wyczerpano wszystkie możliwości nawiązania kontaktu z Armią Sowiecką…". No cóż, podobne wątpliwości, choć formułowane znacznie ostrzejszymi słowy, wyrażali i gen. Sosnkowski i gen. Anders, mnie jednak – uczestnika Powstania i szeregowego dziennikarza „Gazety Ludowej" – nie przekonywały. Z drugiej wszak strony „Gazeta Ludowa" – m.in. dzięki Bagińskiemu – była jedynym dziennikiem krajowym, który, mimo nękającej akcji ze strony cenzury, umiał uczcić epopeję 63 dni.

Minęło jedenaście miesięcy. 23 czerwca 1947 roku zostałem wywołany – „z rzeczami!" – z celi oddziału śledczego MBP w więzieniu na ul. Rakowieckiej i ustawiony przy kracie u wyjścia z pawilonu. Stał tam jakiś mężczyzna z wielkim tobołem i paczkami, był to – jak się potem okazało – mecenas Witold Bayer, po chwili strażnik przyprowadził Kazimierza Bagińskiego. Mrugnęliśmy do siebie porozumiewawczo, bo przy strażniku nie należało przyznawać się do znajomości. Zaprowadzono nas do celi na drugim piętrze budynku tzw. ogólnego, do pomieszczenia, w którym przed wojną przebywać mogło kilkunastu więźniów, teraz zgromadzono tam ponad osiemdziesiąt osób. Nieludzki ścisk, hałas. Więźniowie polityczni przemieszani z kryminalistami. Celowy z dużym wyrokiem, a zarazem cieszący się zaufaniem władz więziennych – Tadeusz Szeląg „Łeda", oficer Batalionów Chłopskich, zdaje się, że kuzyn Kazimierza Banacha[*] – powitał nas z rewerencją, co oznaczało, że choć nie ułatwi nam życia, ale na pewno nie będzie dokuczał.

Tu muszę się cofnąć do września 1946 roku, gdy nastąpiła fala aresztowań wśród działaczy PSL w Krakowie. Uwięzieni wówczas zostali m.in. Stanisław Mierzwa, zastępca sekretarza generalnego PSL, jeden z oskarżonych w moskiewskim „procesie szesnastu", Karol Buczek, redaktor naczelny tygodnika „Piast", Karol Starmacha, który reprezentował PSL w Wojewódzkiej Radzie Narodowej. Parę dni potem ludzie z Urzędu Bezpieczeństwa wkroczyli do siedziby PSL w Warszawie. Zatrzymano na przesłuchanie Kazimierza Bagińskiego, aresztowano Tadeusza Węgrzyniaka, redaktora biuletynu wewnętrznego. Zająłem jego miejsce świadom, że wchodzę w strefę szczególnego zainteresowania bezpieki. Bagiński wspominał po latach na łamach wydawanych przez Jerzego Giedroycia „Zeszytów Historycznych" („Cenzura w Polsce", „Zeszyty Historyczne", t.8, Paryż 1965) : „...w ciągu kilku tygodni ponad 40 osób wzywano do Ministerstwa Bezpieczeństwa na wielogodzinne przesłuchania, gdzie groźbą aresztowania lub też różnymi obietnicami starano się uczynić z nich stałych konfidentów. Wszelka praca została zdezorganizowana, albowiem codziennie kilku pracowników czy też redaktorów było na zeznaniach. Wreszcie w dniu 11 października zostałem aresztowany. W ślad za mną i moi współpracownicy: redaktorzy mgr Tadeusz Wyrzykowski, Wiktor Bazylewski, a potem mój następca w wydziale prasy, stary ludowy działacz Aleksander Bogusławski i redaktor Władysław Bartoszewski. Wobec tego wydział prasowy PSL został rozgromiony".

---

[*]    Kazimierz Banach, „Kamil" (1904–1985) – działacz ludowy, pedagog, publicysta. Szef sztabu Komendy Głównej Batalionów Chłopskich, szef wydziału propagandy i informacji BCh, poseł do KRN i Sejmu Ustawodawczego, członek władz partyjnych PSL, a następnie ZSL.

**Zygmunt Augustyński,**

ur. 4 października 1890, Odporyszów, zm. 26 sierpnia 1959, Warszawa, dziennikarz. Redaktor „Gazety Powszechnej", „Głosu Narodu", „Ilustrowanego Kuriera Codziennego", współzałożyciel i redaktor naczelny „Ekspresu Porannego" oraz współzałożyciel Związku Zawodowego Dziennikarzy RP, w czasie II wojny światowej pracownik Departamentu Informacji i Propagandy przy Delegaturze Rządu na Kraj. Jeden z twórców „Gazety Ludowej". Aresztowany w 1946, skazany w procesie pokazowym na 15 lat więzienia. Zwolniony w 1955, zrehabilitowany w 1991.

**M.K.** Jak długo był pan w celi z Bagińskim?

**W.B.** Około dwóch tygodni, może krócej… Sporo czasu na interesujące rozmowy. Ja wyszedłem z całkowitej izolacji, od 15 listopada 1946 roku byłem niemal całkowicie odcięty od świata zewnętrznego. Mówię „niemal całkowicie", bo w śledztwie poinformowano mnie o klęsce wyborczej PSL, nawet pokazano gazetę… Chcieli mnie zmiękczyć. Bagiński był już po wyroku. 17 kwietnia 1947 roku został skazany na osiem lat więzienia i trzy lata – on, więzień w „sprawie brzeskiej" – utraty praw obywatelskich i honorowych, na podstawie amnestii zmniejszono mu wyrok do czterech lat więzienia. Wiedział od swojego obrońcy, że Józef Putek – skazany w „sprawie brzeskiej", więzień Auschwitz i Mauthausen, obecnie zaś minister poczt i telegrafów – zabiega o ułaskawienie go na podstawie zasług w walce z faszyzmem… Powiedziano mu, że jeśli zwróci się do Bieruta z prośbą o ułaskawienie, natychmiast odzyska wolność… Odmówił.

**M.K.** O czym rozmawialiście?

**W.B.** Utkwiły mi w pamięci trzy sprawy. Po pierwsze – przekazał mi sensacyjną wiadomość o przejściu Zygmunta Żuławskiego z PPS do PSL. O tej sprawie mało kto dziś pamięta, więc może warto przypomnieć. Otóż Zygmunt Żuławski, który działał w ruchu socjalistycznym od początku XX wieku, wieloletni członek Rady Naczelnej i Centralnego Komitetu Wykonawczego Polskiej Partii Socjalistycznej, wybitny działacz związkowy, przez pewien czas przewodniczący Komisji Centralnej Związków Zawodowych, do 1935 roku poseł na Sejm, w 1945 roku przewodniczący Rady Naczelnej PPS – wystąpił z partii i przyłączył się do PSL. Stało się to 14 listopada 1946 roku, a więc trzy dni po aresztowaniu Bagińskiego. A zatem Bagiński otrzymał tę wiadomość prawdopodobnie od swojego obrońcy. Mówił mi – jeśli dobrze pamiętam – o przemówieniu sejmowym Żuławskiego z lutego 1947 roku, na posiedzeniu Sejmu Ustawodawczego. Po kilkudziesięciu latach przeczytałem to przemówienie. Nie utraciło nic na odwadze i prawości. I nadal jest sensacyjne – choć może słowo „sensacja" jest nie na miejscu.

**M.K.** Cytuję fragment tego wystąpienia: „Reakcja polska – to Mikołajczyk i ja! I można szargać sprawę prezesa Mikołajczyka, można rozbić nawet PSL, a jednak nazwisko

Mikołajczyka jest dziś w duszy chłopskiej – tej największej warstwy naszego narodu – symbolem, zupełnie tak, jak swego czasu było nim nazwisko Bojki czy Witosa. I może pan Mikołajczyk paść pod ciosami, ale przez swój protest przeciwko przemocy, podniesiony przez PSL i chłopów – uratował honor naszego narodu. Ja zaś chcę bronić socjalizmu i jego czystości, i być wyrzutem sumienia tych wszystkich, którzy wbrew przyrzeczeniom, obietnicom, słowom i nawet własnym przekonaniom – nie oparli się pokusie uczestniczenia we władzy. I może pan premier Osóbka przedstawiać mnie wobec zagranicznych dziennikarzy jako zgrzybiałego starca, na pół poczytalnego, może pan doktor Drobner, cierpiący na ciężką, nieuleczalną megalomanię, kłaść mnie już za życia w trumnie, w której bym bezsprzecznie wolał leżeć, niż żyć w niesławie, żem sprzeniewierzył się moim ideałom; ja się nie obrażam ani na nich, ani na historię... I dlatego, chcąc spełnić tę skromną rolę, którą mi ona wyznaczyła, powtórzę słowa Daszyńskiego, które rzucił swego czasu do sanacyjnych waletów: »Nie wiem, jak długo mi jeszcze żyć wypadnie, ale póki będę żył, będę siekł... oszustów i gwałcicieli wyborczych, karierowiczów, pasożytów, waletów, co się dorwali... do władzy... rozpaczą ogromnej większości pracującego ludu w Polsce«".

**W.B.** Hałas w celi ułatwiał rozmowę o sprawach delikatnych. Bagiński opowiadał mi o swym pobycie na Łubiance i „procesie szesnastu". Był pełen podziwu dla postawy gen. Leopolda Okulickiego i wicepremiera Jana Stanisława Jankowskiego, ze złością, bardzo krytycznie mówił o reprezentantach prawicy, szczególnie o Zbigniewie Stypułkowskim, działaczu Obozu Wielkiej Polski, współtwórcy Narodowych Sił Zbrojnych. Według jego relacji Stypułkowski stawił się na spotkanie z Sowietami z memoriałem, w którym poddając krytyce Radę Jedności Narodowej nawoływał do ścisłego sojuszu z ZSRR.

Wreszcie sprawa trzecia – dotycząca jego stosunku do Mikołajczyka. Twierdził, że zdając sobie sprawę, że wybory będą sfałszowane, namawiał Mikołajczyka do zdecydowanej akcji. Twierdził też, że Mikołajczyk popełnił błąd godząc się – po fałszerstwach wyborczych – na obecność PSL w Sejmie. Mówił, że należało ogłosić protest, może nawet rozwiązać partię – i wywołać stanowczą reakcję Anglii i USA, włącznie z cofnięciem uznania dla rządu w Warszawie.

Przewidywał, że wkrótce wyjdzie na wolność, choć – jak już wspomniałem – odmówił podpisania prośby o ułaskawienie. Poprosiłem go, żeby odwiedził moją matkę, wsparł ją psychicznie i pomógł materialnie. Tak też się stało. W październiku 1947 roku przedostał się na Zachód. Już więcej go nie widziałem. Zmarł w Stanach Zjednoczonych w odległej Arizonie, w mieście Phoenix w końcu lipca

Znaczki pocztowe – Proces szesnastu, Poczta Solidarność,
Region Śląsko-Dąbrowski, rok wydania nieznany (1985?)

1966 roku. Jedenaście lat później byłem tam kilka godzin przejazdem, ale nie zdołałem odszukać jego grobu.

Zygmunt Augustyński, redaktor naczelny „Gazety Ludowej" – chłopski syn z Małopolski, napisał o sobie: „Dziennikarstwo było moją pasją, a polityka żywiołem. Nie mogłem i nie chciałem stać na uboczu wtedy, gdy miała się toczyć walka o przyszły kształt Polski". Dla dziennikarza-ludowca było to zadanie na całe życie, bo ruch ludowy tę walkę prowadził od swego zarania. Słowo „walka" doskonale pasuje do postawy Augustyńskiego. Niezwykle odporny na ciosy, a życie mu ich nie szczędziło, ruchliwy, dynamiczny… Zaskoczył mnie skłonnością do nieustannego żartowania. W im trudniejszej sytuacji znajdowała się „Gazeta Ludowa", tym częściej Augustyński dowcipkował. Jak przystało na dwudziestopięcioletniego dziennikarza, etatowego pracownika ważnej gazety chciałem nosić się poważnie, taki jest przywilej wieku, a tymczasem starszy ode mnie o ponad trzydzieści lat Naczelny każde słowo przeobrażał w żart. Potem zrozumiałem, że taki sobie wytworzył sposób obłaskawiania losu, metodę na oddzielanie spraw naprawdę ważnych od przypadkowych.

Jak się odnosił do mnie? Wiedział, że jestem sprawdzony, wtedy mówiło się – „obstukany", bez wahania przyjmował moje teksty dotyczące Państwa Podziemnego i Armii Krajowej, ufał – gdy przynosiłem materiały napisane przez ludzi spoza redakcji – a trzeba pamiętać, że „Gazeta Ludowa" była narażona na prowokacje ze strony przeciwników, należało liczyć się z próbami podrzucania tekstów… Sprzyjał mi, gdy wystąpiłem z propozycją publikacji kroniki Powstania Warszawskiego. Traktował to jako sprawę obywatelską i zarazem osobistą: jego ukochany syn Jędrzej, absolwent liceum im. Stefana Batorego, harcerz słynnej 23 Warszawskiej Drużyny Harcerskiej „Pomarańczarni", w czasie okupacji instruktor katolicko-narodowych Hufców Polskich, kwatermistrz kompanii harcerskiej batalionu „Gustaw" – zginął wraz z żoną 13 sierpnia 1944 roku na ul. Kilińskiego wskutek wybuchu czołgu-pułapki.

Był pasjonatem dziennikarstwa w dwojaki, a niełatwy sposób. Jako redaktor naczelny starał się, by każde wydanie dziennika wyróżniało się właściwą kompozycją, układem tekstów, tym, co dziś nazywa się layoutem. Jako publicysta polityczny, świetny polemista – którego artykuły często były umieszczane na pierwszej kolumnie „Gazety Ludowej" – wywoływał interwencje cenzury, wskutek których pierwsza kolumna dziennika nie porażała harmonią. Ale coś za coś.

Zygmunt Augustyński w redakcji w Warszawie jako naczelny redaktor „Gazety Ludowej"

„Gazeta Ludowa" numer 213 – relacja z procesu Zygmunta Augustyńskiego

„Gazeta Ludowa" cieszyła się ogromną popularnością, w krótkim czasie zaczęła osiągać nakłady rzędu 70–80 tysięcy egzemplarzy – bez zwrotów. Władze ograniczały nakłady, a że popyt znacznie przekraczał podaż, więc dziennik, którego cena oficjalna wynosiła najpierw 2 złote, potem 3 złote, osiągał na rynku cenę trzykrotnie wyższą. Papier był reglamentowany. Mogliśmy drukować 8 stron, rzadko 12, za mało na dziennik z polityką krajową i zagraniczną, sprawami społecznymi i partyjnymi, kulturą, sportem i ogłoszeniami, które przecież zawsze są ważnym źródłem finansowania gazety. Brakowało przestrzeni. Zamówienia prenumeratorów nie mogły być realizowane z uwagi na ograniczenia nakładu, a że „Gazeta Ludowa" była ważnym źródłem dochodów dla PSL, więc Augustyński znalazł się w dosyć trudnej sytuacji, bo finansiści PSL – jak wspominał – „zaczęli skąpić pieniędzy na wydatki mające na celu urozmaicenie treści gazety".

Dbał o zespół redakcyjny, wraz z najbliższymi współpracownikami podtrzymywał dziennikarzy nękanych coraz częściej przez UB. Wspominał: „Na zbiorowych konferencjach, które co jakiś czas urządzałem z kolegami redakcyjnymi, wyrażałem przekonanie, że cała nasza gazeta musi być przepojona duchem walki. Żadna dziedzina życia zbiorowego nie może i nie powinna być nam obojętna. Jedno powinniśmy chwalić, drugie krytykować i zwalczać, a zawsze kierować się dojrzałością obywatelską ludzi wolnych i jawnym interesem społecznym (…) Ostrzegałem przy tym pracowników redakcji, że tak właśnie redagowane pismo może w komunistycznym systemie narazić ich na prześladowania: – Kto z was – mówiłem – nie czuje się na siłach, kto się lęka, niech odejdzie (…). Nikt nie odszedł. (…) Nic więc dziwnego, że „Gazeta Ludowa" bulwersowała środowisko naszych przeciwników politycznych, tym bardziej, że znajdowała poparcie i oddźwięk w społeczeństwie. Mobilizowało to jeszcze bardziej komunistów do walki, w której nie przebierali w środkach. (…) Podjąłem codzienną walkę z napaściami przeciwników. Na łamach naszej gazety pojawiły się liczne artykuły mojego pióra poświęcone polemice z komunistami".

W 1946 roku – gdy go poznałem – miał za sobą niemal czterdzieści lat pracy w zawodzie dziennikarskim. Urodzony w 1890 roku Augustyński był jednym z dziesięciorga dzieci wójta gminy Odporyszów w powiecie Dąbrowa Tarnowska. Zadebiutował jako siedemnastolatek w „Przyjacielu Ludu", sławnym tygodniku stworzonym w 1889 roku przez Bolesława Wysłoucha. Studiował prawo na Uniwersytecie Jagiellońskim – tak zresztą jak jego bracia Władysław i Jan. Ten ostatni w 1925 roku został dyrektorem Gimnazjum Polskiego w Wolnym

Rok 1957 w Tarczynie pod Warszawą, Zygmunt Augustyński z żoną i wszystkimi wnukami, od lewej: Joanna Latoszyńska (warkoczyki), Jurek Latoszyński (sama głowa), Bożena Latoszyńska, dalej od prawej Jędrzej Cisowski, Małgorzata Cisowska (kucyki, z męża Kondeja), Hanna Latoszyńska (z torebką, z męża Ziółkowska)

Mieście Gdańsku i wiceprezesem zarządu Gdańskiej Macierzy Szkolnej. Z tego powodu został umieszczony przez Gestapo na „czarnej liście". I trzeba powiedzieć, że dzieje tej rodziny są – *pars pro toto* – dziejami trudnego historycznego procesu uobywatelniania mas chłopskich po wiekach ucisku, tworzenia się dynamicznej grupy inteligencji chłopskiego pochodzenia, która zaczęła odgrywać niemałą rolę w życiu niepodległej Polski.... W latach 1908–10 był dziennikarzem krakowskiej „Gazety Powszechnej". Zaprzyjaźniony z Wojciechem Korfantym – w 1912 roku udał się z nim na studia do Berlina. Od 1915 roku łączył służbę w Legionach z pracą korespondenta „Ilustrowanego Kuriera Codziennego". W 1919 roku założył „Gazetę Poniedziałkową" – pierwszą w stolicy gazetę ukazującą się w poniedziałki. W latach 1925–31 był redaktorem naczelnym „Expressu Porannego". W 1932 roku współtworzył Agencję Informacyjną Press, która pięć lat potem została zlikwidowana przez władze państwowe. Od 1937 roku był kierownikiem działu polityki wewnętrznej „Kuriera Polskiego" – organu Lewiatana, czyli Centralnego Związku Polskiego Przemysłu, Górnictwa, Handlu i Finansów. W okresie okupacji niemieckiej pracował w Radzie Głównej Opiekuńczej i jednocześnie w Departamencie Informacji i Propagandy przy Delegaturze Rządu na Kraj. Był z ramienia SL członkiem Komisji Opiniodawczej Departamentu Informacji i Propagandy przy DR na Kraj.

Obowiązki dziennikarskie traktował z ogromną powagą. Był przeciw – czemu dawał wyraz w polemikach z prasą PPR i PPS, ale to „przeciw" nie było jałowym antykomunizmem, ale miało swoją istotną treść polityczną i społeczną – także w odniesieniu do prasy. Warto dziś wczytać się w tekst jego broszury *Lata chłopskiej walki*, w której m.in. sumował swe doświadczenia z okresu II Rzeczypospolitej – odnosząc je do rzeczywistości 1946 roku: „W sąsiedztwie Polski, w Niemczech i nieco dalej we Włoszech panoszyło się i rozpierało partyjne jedynowładztwo, faszyści, hitlerowcy, totaliści zagarnęli pełnię władzy dla siebie, trąby i puzony wrzaskliwej propagandy wychwalały raj czarny i brunatny (...) W powietrzu polskim unosił się niepokój, zawisła troska o najbliższe jutro Rzeczypospolitej. Prasa nasza, zdemoralizowana i ujarzmiona przez rządy policyjno-dyktatorskie zabawiała społeczeństwo figlami, mamiła głupstwami i drobiazgami, obkadzała wszystkich, którzy dorwali się do władzy, kłamała narodowi w sposób karygodny i lekkomyślny, jakby wszystko działo się u nas najlepiej (...) Niejeden, a było u nas takich bardzo wielu, nie zastanawiał się wcale nad tym, co oznaczają chmury gromadzące się na niebie, a w momencie ocknienia

Pierwszy z lewej Zygmunt Augustyński

Rok 1958 w redakcji „Omnipress" w Warszawie, od lewej Witold Giełżyński, Henryk Piekarniak, Zygmunt Augustyński

**Witold Giełżyński,**

ur. 9 czerwca 1886, Krasnystaw, zm. 31 grudnia 1966, Warszawa, ojciec Wojciecha, dziennikarz, publicysta, historyk prasy. W latach 1911–14 redaktor „Kuriera Lubelskiego", w latach 1916–17 kwartalnika „Myśl Polska", 1920–25 współpracownik i publicysta „Kuriera Polskiego", 1925–26 szef Biura Prasowego Rady Ministrów, po maju 1926 publicysta m.in. „Epoki", „Expressu Porannego", „Kuriera Czerwonego". W latach 1934–39 szef oddziału warszawskiego „Ilustrowanego Kuriera Codziennego". W latach 30. wykładowca w Wyższej Szkole Dziennikarskiej w Warszawie. W okresie 1925–26 prezes, a w latach 1933–39 wiceprezes Związku Dziennikarzy RP. Podczas II wojny światowej redaktor naczelny programowego dwutygodnika ZWZ-AK „Wiadomości Polskie", w 1945 publicysta „Kuriera Codziennego". W latach 1946–47 zastępca redaktora naczelnego, a następnie redaktor naczelny „Gazety Ludowej" (zlikwidowanej w listopadzie 1947). Autor monografii *Prasa warszawska 1661–1914* (1962).

i instynktowego niepokoju dawali sami sobie odpowiedź uspokajającą: »już tam ten i ów za nas myśli« (…) Prasa uczciwa i niezależna była prześladowana, niszczona konfiskatami (…) Po całym państwie rozpierały się chełpliwe i zuchwałe kliki (…) którym uderzyła do głowy bezkarność w dowolnym gospodarowaniu majątkiem państwowym i w nienawistnym trzymaniu ludności »za mordę«, więc też sądziły one, iż są jedynie powołane do dozgonnego, żadnym prawem nie krępowanego i przez społeczeństwo nie kontrolowanego sprawowania rządów w Polsce".

Wiedział, że grozi mu niebezpieczeństwo. Był uprzedzany, ostrzegany. Trwał w „Gazecie Ludowej" jak odważny kapitan statku, bez żadnych wahań. Został aresztowany 14 października 1946 roku. Grożono mu karą śmierci. Dzięki interwencji jego zastępcy, red. Witolda Giełżyńskiego, u Bolesława Bieruta groźba ta została odsunięta. Oskarżono go o utrzymywanie kontaktów z szefem wywiadu WiN Obszaru Centralnego – a więc z Haliną Sosnowską (przed wojną wicedyrektorką Polskiego Radia, której tak wiele zawdzięczał Czesław Miłosz) i zbieranie danych personalnych pracowników UB. Skazany w sierpniu 1947 roku na 15 lat więzienia, wyszedł na wolność w lutym 1955 roku. Pracował jako korektor w Wydawnictwie Oświatowym „Wspólna Sprawa", potem był redaktorem popularnych wydawnictw językowych „Mozaika".

W 2009 roku stryjeczny wnuk Zygmunta Augustyńskiego, ks. Andrzej Augustyński, znany w Małopolsce działacz społeczny, wydał – z moim skromnym współudziałem – jego wspomnienia *Dziennikarstwo i polityka* napisane w 1958 roku. Wybieram stamtąd słowa, które wiernie ukazują zasługi Zygmunta Augustyńskiego: „»Gazeta Ludowa« – pismo codzienne dla wszystkich – była czytana w miastach i wsiach przez mieszczan, chłopów, robotników i inteligentów. Przez wszystkich, którzy chcieli Polski naprawdę wolnej i niepodległej".

To prawda.

Zmarł w Warszawie 26 sierpnia 1959 roku. Pochowano go na cmentarzu Bródnowskim. Dane mi było uczestniczyć w ceremonii pogrzebowej w straszliwie nielicznym gronie dawnych przyjaciół, kolegów i podwładnych naszego redaktora. Godnie, mądrze i jasno przemawiał nad grobem ks. Jan Zieja, oddany przyjaciel ludzi Ruchu Ludowego.

Nie popełnię chyba większego błędu, jeśli powiem, że w pierwszych powojennych latach wciąż istniała – przynajmniej w redakcji „Gazety Ludowej" – pewna reguła porządkująca stosunki między ludźmi, reguła wyniesiona z przedwojnia, z domów rodzinnych i ze szkół, mianowicie: szacunek dla starszych. Nie mówię o bezkrytycznym posłuszeństwie – mówię o domniemaniu, że warto wsłuchiwać się w uwagi starszych – bo są udzielane z życzliwości, nie zaś z chęci dominacji. Innymi słowy ten szacunek wiązał się z zaufaniem... Nie idealizuję tamtych czasów, po prostu tak mi się przydarzyło w życiu, że trafiałem na godnych zaufania nauczycieli – w szkole i w zawodzie dziennikarskim. W 1946 roku miałem dwadzieścia cztery lata, w „Gazecie Ludowej" byłem najmłodszy, siłą rzeczy trzymałem się blisko kolegów, którzy nie ukończyli trzydziestki: Andrzeja Leśniewskiego i Jana Zarańskiego. Byliśmy w mniejszości. Otaczali nas dziennikarze, którzy debiutowali przed wojną, w latach 20. czy 30. Na szczycie zaś redakcji obok Zygmunta Augustyńskiego pracował jego zastępca – redaktor Witold Giełżyński, który liczył sobie wówczas sześćdziesiąt lat, z czego czterdzieści poświęcił dziennikarstwu.

Wiosną 1939 roku, po maturze myślałem o rozpoczęciu studiów w Wyższej Szkole Dziennikarstwa. Zasięgając języka dowiedziałem się, że w WSD ważną rolę odgrywa Witold Giełżyński, prezes Syndykatu Dziennikarzy Warszawskich i wiceprezes Związku Dziennikarzy Polskich. Moje plany pokrzyżował wybuch wojny... A teraz stanąłem przed Giełżyńskim jako jego podwładny. Od lutego do listopada 1946 roku widywałem go co dzień. Zdarzało się dosyć często, że towarzyszyłem mu w godzinach wieczornych, na dyżurach nocnych w drukarni przy ul. Hożej 30. Spokojny, rozważny, oszczędny w słowach, cierpliwy. Pamiętam, że parę razy wysyłał mnie na konferencje prasowe:

– Proszę napisać trzydzieści wierszy, ale nie więcej.

Biegłem na konferencję, robiłem notatki, potem cyzelowałem tekst mając pewność, że w trzydziestu wierszach nie da się przekazać wszystkiego. Giełżyński kiwał aprobująco głową:

– No, zupełnie nieźle. A teraz niech pan to skróci do piętnastu wierszy...

– Ale nie da się!

– Niech pan spróbuje – odpowiadał spokojnie. I miał rację!

W redakcji szeptano, że dobrze zna Bolesława Bieruta. Wydawało mi się to mało prawdopodobne. Szeptano też, że był albo wciąż jest wysoko usytuowany w hierarchii masońskiej. Nie chciało mi się wierzyć. Z czasem dowiedziałem się, że te plotki miały jednak pewien związek z prawdą. Urodzony w 1896 roku Witold Giełżyński od wczesnej młodości działał w lewicowej konspiracji

Witold Giełżyński (drugi z lewej) z przedstawicielami rządu francuskiego, Warszawa, 1934

niepodległościowej. W 1902 roku był organizatorem szkolnej demonstracji anty-carskiej w Lublinie. Usunięty ze szkoły przeniósł się do Pułtuska. Tam jako członek spiskowego Centralnego Koła Uczniowskiego kierował strajkiem szkolnym – tym słynnym strajkiem 3 lutego 1905 roku, którego celem było spolszczenie szkolnictwa. Zagrożony aresztowaniem wyjechał do Warszawy, potem do Paryża, gdzie ukończył studia w Szkole Nauk Politycznych. We Francji poznał Jana Hieronima Hempla, nietzscheanistę, który wrócił właśnie z Kurytyby, gdzie redagował pismo „Polak w Brazylii". Obaj znaleźli się w kręgu zwolenników Edwarda Abramowskiego, wybitnego etyka-socjalisty i teoretyka spółdzielczości – blisko Stefana Żeromskiego, który namówił ich do powrotu do kraju, a to w celu objęcia redakcji „Kuriera Lubelskiego" i propagowania ruchu spółdzielczego. I tak się stało. „Kurier Lubelski" stał się – nie bez konfliktów – pismem lewicy niepodległościowej, zaś w 1913 roku Witold Giełżyński, Jan Hempel, jego siostra Wanda Papiewska, Oktawian Zagrobski i Paweł Jankowski utworzyli Lubelskie Stowarzyszenie Spożywców – spółdzielnię, która pod zmienioną nazwą działa do dziś. Właśnie wtedy Giełżyński i Hempel zaopiekowali się młodym, skromnym zecerem Bolesławem Bierutem, który brał udział w dyskusjach organizowanych przez lubelskie koło PPS-Lewicy. Potem drogi Giełżyńskiego i Hempla rozeszły się. Ten ostatni zerwał w latach 20. z PPS, wstąpił do KPP, wyjechał do Rosji, gdzie został aresztowany w czasie Wielkiej Czystki 1937 roku i zgładzony. W 1914 roku Giełżyński został kierownikiem działu politycznego „Nowego Kuriera Łódzkiego", z chwilą zaś wkroczenia Niemców do Warszawy, zaczął wydawać dziennik „Głos Stolicy" i miesięcznik „Myśl Polska" – czasopismo niepodległościowe, związane z Ligą Państwowości Polskiej i masonerią. Za rządów Władysława Grabskiego i Aleksandra Skrzyńskiego był kierownikiem wydziału prasowego Rady Ministrów, zaś po przewrocie majowym pracował w „Expressie Porannym" – kierowanym przez Stanisława Thugutta, w latach 1915–18 skarbnika Polskiej Organizacji Wojskowej, wolnomularza wysokiego stopnia, działacza PSL „Wyzwolenie", którego jednym z przywódców był Kazimierz Bagiński.

W czasie okupacji Witold Giełżyński został drugim z kolei (po Antonim Wieczorkiewiczu) redaktorem naczelnym „Wiadomości Polskich" – centralnego organu politycznego Komendy Głównej AK. Warto dodać, że za sekretarzy redakcji miał najpierw Michała Walickiego, wybitnego historyka sztuki, potem zaś profesora Tadeusza Manteuffla. Artykuły jego pióra ukazywały się w „Biuletynie Informacyjnym" i w „Rzeczypospolitej Polskiej". Był prezesem

Zespół redakcyjny warszawskiego dziennika „Epoka" – siedzą od lewej: Witold Giełżyński, Stefan Grostern, Andrzej Hoffman. Stoją od lewej: Ludwik Czerwiński, Henryk Liński i Stanisław Cieszkowski.

Aktor Ludwik Solski (drugi z lewej) w towarzystwie red. Witolda Giełżyńskiego (drugi z prawej, siedzi), szefa Agencji Fotograficznej warszawskiego IKC Jerzego Boczkowskiego (pierwszy z lewej) i red. Władysława Marta (pierwszy z prawej)

Tajnego Zarządu Związku Dziennikarzy RP. Wykładał też na Tajnych Kursach Dziennikarskich.

Bodaj jesienią 1944 roku spotkał się z Bolesławem Bierutem. Nie pamiętam, czy opowiedział mi o tym sam pan Witold, czy raczej któryś z jego znajomych. Otóż redaktor Giełżyński został po prostu zaproszony na pogawędkę przy kawie do przewodniczącego tzw. Krajowej Rady Narodowej. Bierut był świadom, że jego gość stoi po przeciwnej stronie barykady. Chciał się odwdzięczyć za przyjazne gesty sprzed trzydziestu lat. Zapewniał, że gdyby zdarzył się jakiś kłopot, to prosi o informację – załatwi. Dwa lata później redaktor Giełżyński – pełniący obowiązki redaktora naczelnego „Gazety Ludowej" – interweniował u Bieruta w sprawie aresztowanego i zagrożonego karą śmierci Zygmunta Augustyńskiego. Sam, usunięty z „Gazety Ludowej" jesienią 1947 roku, zajął się dziejami prasy polskiej i tłumaczeniami. Napisał poważną monografię *Prasa Warszawska 1661–1914*, która została wydana w 1962 roku.

Odwiedzałem go po pierwszym zwolnieniu z więzienia w 1948 roku. Udzielił mi wtedy kilku mądrych, ojcowskich rad – ostrzegając przed ludźmi, którzy wtedy wydawali mi się godnymi zaufania. Jak się wkrótce okazało, miał rację. Potem – po 1955 roku – zapraszał mnie do siebie, do mieszkania. Opowiadał o swych planach pisarskich. Zamierzał doprowadzić książkę o prasie warszawskiej do 1939 roku. Szkoda, że tak się nie stało... Rozmawialiśmy zawsze w cztery oczy, ale pewnego dnia – zaproszony – wszedłem do jego pokoju, w którym było trzech mężczyzn. Na mój widok jakoś zaniepokoili się, speszyli, na to redaktor Giełżyński powiedział: – przy nim można! Te słowa w ustach mądrego, doświadczonego człowieka zabrzmiały jak najwyższa pochwała. A naukę, której mi udzielił w 1946 roku, że skrócenie tekstu z trzydziestu wierszy do piętnastu bez uszczerbku dla treści jest świadectwem profesjonalizmu, wciąż uważam za godną zadumy.

Jednak w redakcji najbliżej było mi do Andrzeja Leśniewskiego i Jana Zarańskiego. Nieznacznie ode mnie starsi, niemal rówieśnicy – znalezienie wspólnego języka nie nastręczało mi większych trudności. Obaj pracowali w dziale zagranicznym, a ja od dzieciństwa byłem ciekaw świata. Mój debiut prasowy – w czerwcu 1934 roku na łamach „Mojego Pisemka" – brzmiał następująco: „Kim chcę zostać i dlaczego? Chciałbym zostać geografem, bo interesuję się i lubię geografję – przez »j«, tak się wtedy pisało – z której dowiadujemy się o naszej

Nr 26     Warszawa, dnia 30 Czerwca 1934 roku.     Rok XXXII

# MOJE PISEMKO

## KIM CHCĘ ZOSTAĆ I DLACZEGO?

**Władysław Bartoszewski** (lat 12 i 3 miesiące) pisze: „Chciałbym zostać geografem, bo interesuję się i lubię geografję, z której dowiadujemy się o naszej Ojczyźnie, o jej dzielnicach, mieszkańcach, klimacie, o obcych krajach, miastach, górach, rzekach i t. d.

Prowadziłbym badania geograficzne i podróżowałbym, o ile pozwoliłyby mi na to warunki materjalne. Podczas tych podróży, oprócz geografji, zajmowałbym się przyrodą, jako nauką z geografją związaną i jej pokrewną.

O ile nie będę mógł zostać geografem, bo w życiu się różnie warunki układają, pragnąłbym zostać reporterem. W tym celu potrzebna jest znajomość języków obcych. Uczę się w szkole i w domu języka niemieckiego, czytam w tym języku różne książeczki i bardzo go lubię.

Reporterem chciałbym zostać dlatego, że lubię bardzo pisać różne sprawozdania, fotografować i dlatego, że mam niezłą wymowę".

**Janek Dittersdorf** donosi: „O ile będę mógł, to zostanę marynarzem. Chciałbym służyć na statku wojennym „Wichrze", gdyż kocham morze".

Debiut prasowy Władysława Bartoszewskiego

**Andrzej Leśniewski,** pseud. **Duchnowski,**

ur. 25 listopada 1916, Warszawa, publicysta, prawnik, od 1943 kierownik referatu czechosłowackiego w Departamencie Spraw Zagranicznych Delegatury Rządu na Kraj, więzień polityczny. Wychowanek Liceum im. Stefana Batorego w Warszawie, absolwent Wydziału Prawa Uniwersytetu Warszawskiego i współorganizator tajnego na nim nauczania. W konspiracji od grudnia 1939 w SZP ZWZ-AK, początkowo w redakcji „Wiadomości Polskich". Od 1940 w „Korwecie" (późniejszy referat „999" kontrwywiadu Komendy Głównej AK), jednocześnie od 1943 w Departamencie Spraw Zagranicznych Delegatury Rządu. Po wojnie kierownik działu polityki zagranicznej „Gazety Ludowej", a od marca 1947 członek redakcji „Biuletynu Zagranicznego" Zachodniej Agencji Prasowej. Asystent na Wydziale Prawa UW. Aresztowany w październiku 1947, skazany na 8 lat więzienia, zwolniony 1954, zrehabilitowany 1959.

Ojczyźnie, o jej dzielnicach, mieszkańcach, klimacie, o obcych krajach, miastach górach, rzekach i.t.d. Prowadziłbym badania geograficzne i podróżowałbym, o ile pozwoliłyby mi na to warunki materjalne – znów przez »j«. Podczas tych podróży, oprócz geografji, zajmowałbym się też przyrodą (…) O ile nie będę mógł zostać geografem, bo w życiu się różnie warunki układają, pragnąłbym zostać reporterem". Przed wojną podróżowałem na Hel przez Gdynię i Wolne Miasto Gdańsk, także i do Lwowa – ekskursje poważne, zapadające w pamięć. Przyszła okupacja, która ze swej istoty była ograniczeniem w przestrzeni i w czasie, choćby z powodu godziny policyjnej, konspiracja zaś te ograniczenie podwoiła, wykluczając swobodne podróżowanie. Z drugiej jednak strony właśnie te ograniczenia uruchamiały wyobraźnię pobudzaną przez wiadomości docierające z frontów: w wolnych chwilach ślęczałem nad mapami, Dunkierka, Narvik, Tobruk, Persja, Sycylia, Monte Cassino, Stalingrad, Kursk, wędrowałem dalej, na Pacyfik, wierząc, że po wojnie świat stanie przede mną otworem. „W życiu różnie się warunki układają"… Zostałem reporterem „Gazety Ludowej"… Czyli coś się z moich chłopięcych marzeń spełniło. A mówiąc serio: często przychodziłem do działu zagranicznego, by zapoznać się z najświeższymi wiadomościami agencyjnymi i posłuchać komentarzy kolegów, którzy mieli sporą wiedzę o sprawach międzynarodowych.

Obaj zostali wprowadzeni do redakcji „Gazety Ludowej" przez Kazimierza Banacha (w latach 1940–44 szefa sztabu i szefa wydziału informacji Komendy Głównej Batalionów Chłopskich, w 1946 roku – członka Naczelnego Komitetu Wykonawczego PSL, w latach 1957–72 – członka Rady Państwa PRL) na życzenie Stanisława Mikołajczyka. Ojciec Andrzeja Leśniewskiego – Wiktor, z wykształcenia prawnik (uczeń Leona Petrażyckiego) – był od początku Polski Niepodległej wysokim urzędnikiem Ministerstwa Rolnictwa, w V rządzie Kazimierza Bartla kierownikiem tego resortu, potem zaś naczelnym dyrektorem Związku Izb i Organizacji Rolniczych, potężnej organizacji reprezentującej interesy rolnictwa, a przypomnieć warto, że w tamtych latach do rolnictwa zaliczano w języku ustaw także rybactwo, leśnictwo, ogrodnictwo, hodowlę zwierząt oraz rozmaite gałęzie rzemiosła i przemysłu związane z gospodarką rolną. Mikołajczyk – poseł na Sejm II kadencji (1930–35) znał Leśniewskiego seniora i z tego powodu poparł starania Andrzeja Leśniewskiego o przyjęcie do redakcji. Ale poparł nie tylko „po znajomości", jak uważali niektórzy dziennikarze „Gazety

Ludowej". W konspiracji młody Leśniewski był podwładnym Romana Knolla, jednego z twórców akcji prometejskiej[*], dyplomaty, m.in. chargé d'affaires ambasady RP w Moskwie, posła RP w Rzymie i Berlinie, piłsudczyka, który zerwał z sanacją, wolnomularza, szefa sekcji, a potem Departamentu Spraw Zagranicznych w Delegaturze Rządu na Kraj. To właśnie Knoll zachęcił Banacha do zatrudnienia Andrzeja Leśniewskiego w „Gazecie Ludowej".

U Knolla w Departamencie Spraw Zagranicznych Delegatury Rządu pracował też Janek Zarański, którego starszy brat Józef, konsul generalny Poselstwa RP w Wiedniu w 1938 roku, Delegat Rządu do spraw uchodźców na Węgrzech w latach 1939–40, był od 1943 roku szefem Sekretariatu Prezesa Rady Ministrów w Londynie – czyli Stanisława Mikołajczyka, zaś w 1946 roku zajmował kierownicze stanowisko w polskiej sekcji BBC, stacji powszechnie wówczas słuchanej w Polsce, zarówno przez opozycję jak przez kręgi rządzące. Mówiono z przymrużeniem oka: „Słyszałem wczoraj w bum-bum" – bo takim sygnałem rozpoczynały się audycje BBC nadawane – jeśli mnie pamięć nie myli – cztery razy dziennie na dwóch pasmach fal krótkich. Decydując o przyjęciu Zarańskiego do redakcji Mikołajczyk chciał niewątpliwie uchronić młodszego brata swego zaufanego współpracownika od dyskomfortów związanych z działalnością UB.

Ale po kolei… Andrzej Leśniewski, elegancki, świetnie wykształcony, poliglota, pianista – podobno po maturze (w 1935 roku) wahał się, czy iść na prawo czy też zostać muzykiem – został zaprzysiężony w SZP w grudniu 1939 roku po nieudanej próbie przedarcia się do Francji. Pracował w „Wiadomościach Polskich", gdy ich redaktorem naczelnym był Antoni Wieczorkiewicz, sekretarzem zaś redakcji Michał Walicki. Wraz z Walickim przeszedł do referatu 999 „Korweta" w Wydziale Bezpieczeństwa i Kontrwywiadu Komendy Głównej AK. Działał jako „Duchnowski", w podreferacie D-Dywersja… Jednocześnie odgrywał ważną rolę w życiu tajnego Uniwersytetu Warszawskiego. Był jednym z bliskich współpracowników prof. Romana Rybarskiego, wybitnego działacza obozu narodowego (aresztowany w maju 1941 roku, zginął w Auschwitz rok potem), pomagał mu w tworzeniu

---

[*] Prometeizm – ruch polityczny i intelektualny w okresie międzywojennym, głoszący konieczność walki z imperializmem rosyjskim (radzieckim) w celu uzyskania niepodległości przez narody, którym w latach 1918–1922 narzucono system radziecki (Ukraina, Gruzja, Azerbejdżan, Tatarzy krymscy). Od 1926 r. w Paryżu działała międzynarodowa organizacja „Prometeusz", skupiająca emigracyjne rządy państw podbitych przez ZSRR. W Polsce koncepcję prometejską lansował m.in. Marszałek Piłsudski. Zwolennicy tej koncepcji podkreślali konieczność gruntownej znajomości Wschodu, stąd w 1926 r. powołano w Warszawie Instytut Wschodni, jeden z pierwszych na świecie ośrodków sowietologicznych.

Legitymacja prasowa Władysława Bartoszewskiego z podpisami Kazimierza Bagińskiego
i Stanisława Wójcika

Władysław Bartoszewski w stołówce PSL
w 1946 roku

konspiracyjnego Wydziału Prawa. Związał się z Narodową Organizacją Wojskową. Studia ukończył w 1942 roku – organizując z grupą kolegów, m.in. z Jankiem Zarańskim, rodzaj koła dyskusyjnego, które zajmowało się planowaniem polityki polskiej w okresie powojennym. Zatrzymam się przy tej sprawie z przyczyn aktualnych. Otóż popularny, upowszechniany współcześnie przez filmy, telewizję i prasę stereotyp życia w konspiracji został sprowadzony do obrazu młodzieńca z pistoletem maszynowym w dłoniach, odzianego w niemiecką „panterkę" itd. i zawadiacko strzelającego obcasami oficerek. Zapomniano o życiu umysłowym Polski Podziemnej, o planowaniu przyszłości, o poważnych studiach politycznych... A przecież ci młodzi ludzie wykonali ogromną pracę intelektualną, rozstając się ze złudzeniami, przecierając nowe szlaki – często wchodząc w konflikt ze swymi nauczycielami. „Poszukiwaliśmy nowych, lepszych rozwiązań ustrojowych, społecznych, gospodarczych – wspominał Leśniewski po latach [*Droga do służby zagranicznej* w *Przed Wrześniem i po Wrześniu. Ze wspomnień młodych polskich dyplomatów*, Wydawnictwo Naukowe PWN, Warszawa 1998]. Mając własne koncepcje (...) próbowaliśmy poznać programy i plany innych, zorganizowanych bądź w tradycyjnych partiach politycznych, bądź w nowych grupach, które powstawały jak grzyby po deszczu, zwłaszcza w centrum i na lewicy. Jako że ta ostatnia nas nie interesowała, zaczęliśmy od prawicy. Na pierwszy ogień poszło Stronnictwo Narodowe. Znany działacz starszego pokolenia i wytrawny dyplomata, pan Stanisław Kozicki, wygłosił referat o założeniach polityki zagranicznej, ale nie przemówił nam do przekonania. O koncepcjach przyszłego państwa (...) w rozumieniu tego Stronnictwa dowiedzieliśmy się na spotkaniu z młodym jego przedstawicielem, panem Janem Bajkowskim. Uderzył nas zupełny brak realizmu jego poglądów. Wysnuwał on swoistą koncepcję międzymorza: Polska od Bałtyku do Morza Czarnego! Jakkolwiek i my zdawaliśmy sobie sprawę z konieczności utworzenia w Europie Środkowej silnego ugrupowania państw, które zdolne byłoby egzystować bezpiecznie między Niemcami a Rosją, to jednak to założenie międzymorza budziło w nas wesołość. Zdawaliśmy bowiem sobie sprawę z zupełnego braku elementarnych przesłanek politycznych, demograficznych i gospodarczych do realizacji takiej koncepcji państwa polskiego, która korzeniami swymi tkwiła wciąż w XVIII w. A my staraliśmy się stać mocno na ziemi i to w wieku XX. Polska w granicach od Odry do Morza Czarnego była zupełną fikcją, nie liczącą się z aspiracjami innych narodów o odmiennej kulturze i wyznaniu. Rozmawialiśmy również z przedstawicielami skrajnej prawicy, Konfederacji Narodu, wojennym przedłużeniem ONR

Chyliczki, czerwiec 1945 r. Członkowie Zespołu Urzędu Spraw Zagranicznych przy Delegaturze Rządu Rzeczpospolitej w Kraju. Od lewej: Władyslaw Minkiewicz, Roman Knoll - szef Urzędu, Janusz Pajewski – kierownik działu Środkowoeuropejskiego, Andrzej Leśniewski – referent dzialu Środkowoeuropejskiego

Chyliczki, czerwiec 1945. Od lewej: Roman Knoll, Andrzej Leśniewski, Jadwiga Studzińska i Tadeusz Chromecki

**Jan Zarański,**

ur. 19 lipca 1918, Wiedeń, zm. 8 września 1985, Warszawa, prawnik, dziennikarz, tłumacz, żołnierz AK, pracownik Departamentu Spraw Zagranicznych Delegatury Rządu na Kraj. Absolwent Wydziału Prawa konspiracyjnego Uniwersytetu Warszawskiego (1942), żołnierz AK, jednocześnie urzędnik Wydziału Zachodniego Departamentu Spraw Zagranicznych Delegatury Rządu (1943), uczestnik Powstania Warszawskiego (Zgrupowanie „Kryska", ranny w początkach sierpnia). Po wojnie dziennikarz „Gazety Ludowej", jednocześnie asystent na Wydziale Prawa UW. Aresztowany jesienią 1946, zwolniony 1950, zrehabilitowany po Październiku. Od lat 60. działacz KIK; w 1976 jeden z pierwszych członków Polskiego Porozumienia Niepodległościowego. W 1980 doradca Regionu Mazowsze NSZZ „Solidarność".

– Falanga (…) Idea wodzowska i korporacyjny ustrój państwa budził w nas wewnętrzny sprzeciw. Kraj nasz prowadził przecież wojnę na śmierć i życie z wrogiem o podobnych tendencjach politycznych. Przy innej okazji mieliśmy możność słuchania ideowych poglądów tej grupy na spotkaniu z Alfredem Łaszowskim. Był to niezrozumiały bełkot filozoficzny, budzący grozę. O wiele spokojniejsze i bardziej tkwiące w realiach poglądy usłyszeliśmy od przedstawicieli centrum, nowo założonego ugrupowania »Unia«, które blisko było Stronnictwa Pracy (…) Filozof Jerzy Braun, prezes »Unii«, wyznawca filozofii Hoene-Wrońskiego, był głęboko przesiąknięty mistycyzmem z pozycji katolickich. Studentowicz, specjalista od spraw ekonomicznych, rozentuzjazmowany swoimi koncepcjami, nie przyjmował żadnej dyskusji i na nasze różne wątpliwości i zapytania z rozczarowaniem posądził nas o tendencje… masońskie (…) Doszliśmy zatem do wniosku, że żadne z tych ugrupowań nie może tworzyć ram dla naszych poglądów. Postanowiliśmy więc pracować samodzielnie (…) mając nadzieję, że nasze opracowania będą się mogły w przyszłości przydać”.

I tak w kręgu Andrzeja Leśniewskiego i Jana Zarańskiego powstała koncepcja utworzenia dwóch związków – federacji – państw równoważących potęgi Rosji i Niemiec. W skład federacji północnej weszłyby Polska, Czechosłowacja i Węgry – związane z tradycją łacińską, federację południową tworzyłyby Jugosławia, Rumunia i Bułgaria – wschodniobizantyjskie i prawosławne. Terytorium Polski miało być powiększone o Prusy Wschodnie i Wolne Miasto Gdańsk oraz o Pomorze Zachodnie, ze Szczecinem i Wolinem. Ten zamysł zaczął ulegać korektom w 1943 roku. Leśniewski wspominał: „Zaczęliśmy jednocześnie zdawać sobie sprawę, zwłaszcza po rozpoczęciu kontrofensywy ZSRR, że nasza wizja naprawy Rzeczypospolitej może stać się czczą iluzją wobec trudnych do przewidzenia wydarzeń na frontach II wojny światowej, a na froncie wschodnim w szczególności. Zaiste, gdy dziś spoglądam wstecz, to aż trudno uwierzyć jak my, dwudziestoparolatki, staliśmy nogami mocno na ziemi”.

Wiosną 1943 roku Leśniewski i Zarański rozpoczęli pracę w „Mocy” – Departamencie Spraw Zagranicznych przy Delegaturze Rządu. Pierwszemu powierzony został referat czechosłowacki, drugi działał w Wydziale Zachodnim. Trzeba wiedzieć, że „Moc” wyróżniała się pośród departamentów Delegatury Rządu: jej szef, Roman Knoll był bezpośrednio mianowany przez gen. Sikorskiego, podczas gdy o powoływaniu innych dyrektorów decydował klucz partyjny Krajowej Reprezentacji Politycznej. Nominację przywiezioną z Londynu wręczył Knollowi emisariusz „Jur" Jerzy Lerski wiosną 1943 roku. Nawiasem dodam, że Lerskiego poznałem parę miesięcy potem, gdy na polecenie przełożonych z Departamentu Spraw Wewnętrznych zapoznawałem go z działalnością „referatu żydowskiego" i „Żegoty"… Wracając do „Mocy": Knoll był jednym z nielicznych polityków krajowych, którzy zdawali sobie sprawę, że Polska stanie już w najbliższym czasie przed problemem utraty części terytoriów na wschodzie. Znawca Rosji – wiedział, że próby bezpośredniego porozumienia Polski z ZSRR zakończą się fiaskiem. Postulował więc uzyskanie gwarancji ze strony Zachodu – a to w celu minimalizacji przyszłych strat terytorialnych. Delegat Rządu uznał te propozycje za przejaw kapitulanctwa, zaś kierownictwo NSZ za powód do wydania na Knolla wyroku śmierci.[*]

Od sierpnia 1944 roku Andrzej Leśniewski był blisko Knolla, pełniąc rolę jego sekretarza i łącznika. Zgodnie też z jego sugestiami w sierpniu 1945 roku podjął pracę w Ministerstwie Spraw Zagranicznych Tymczasowego Rządu Jedności Narodowej, ale po paru tygodniach przeszedł do tworzącego się zespołu „Gazety Ludowej". Jednocześnie objął asystenturę w kierowanej przez prof. Cezarego Berezowskiego katedrze międzynarodowego prawa publicznego na UW, przygotowywał pracę doktorską. Z „Gazety Ludowej" odszedł wiosną 1947 roku. Znalazł pracę w biuletynie zagranicznym Zachodniej Agencji Prasowej. Jesienią tegoż roku został aresztowany wraz z ojcem pod zarzutem przynależności do tajnej organizacji pod nazwą „Ośrodek", organizacji faktycznie nieistniejącej, wymyślonej przez Urząd Bezpieczeństwa. Gdy zwolniono mnie po raz pierwszy z więzienia w kwietniu 1948 roku, kilka tygodni maja i czerwca spędziłem prywatnie w Zakopanem. Nie zetknąłem się w więzieniu z Andrzejem, bo byliśmy w innych pawilonach, ale doszły do mnie zimą 1947/48 wieści o jego aresztowaniu. W Zakopanem miałem okazję spotkania jego żony, dr Marii Grabau-Leśniewskiej, która przebywała tam wtedy czasowo z małym synkiem. Porozmawialiśmy z nią w cztery oczy o sytuacji na Mokotowie, ale nie miała wtedy jeszcze żadnych konkretnych wiadomości od męża. Trwało śledztwo. Ostatecznie Andrzej Leśniewski został skazany na osiem lat więzienia, jego ojciec na dożywocie, żona – pozbawiona pracy na Wydziale Lekarskim UW i zmuszona – wraz z dwójką dzieci – do opuszczenia Warszawy.

Andrzej Leśniewski odzyskał wolność w 1954 roku. Powrócił do Zachodniej Agencji Prasowej, gdzie zajmował się publicystyką związaną z prawnymi

---

[*] Wyrok nie został wykonany; Roman Knoll zmarł w 1946 roku.

Legitymacja prasowa redakcji dziennika „Gazeta Ludowa„ Jana Zarańskiego dziennikarza, tlumacza, działacza katolickiego 1945 Warszawa

Jan Zarański, Skolimów koło Warszawy, lata 60.

aspektami granicy na Odrze i Nysie i działalności Organizacji Narodów Zjednoczonych. W początku lat sześćdziesiątych, gdy pracowałem nad publikacją historyczną o Erichu von dem Bachu na zamówienie Zachodniej Agencji Prasowej, bywałem dość często w lokalu wydawnictwa przy ulicy Nowy Świat 27 i spotykaliśmy się tam również z Andrzejem Leśniewskim, ale tematu równoległych przeżyć więziennych w rozmowach nie poruszaliśmy. Po włączeniu ZAP do Agencji Interpress Leśniewski objął kierownictwo działu dokumentacji... Był autorem licznych publikacji książkowych, w tym m.in: *La V-e colonne allemande en Pologne, Irredentism and Provocation: a Contribution to the History of German Minority in Poland, Spokesmen of Tension: Territorial Claims of the German Federal Republic's Government* i *„Ostpolitik" a samostanowienie narodów*. Po przejściu na emeryturę zajął się dziejami organizacji studiów na wydziale prawa tajnego Uniwersytetu Warszawskiego, procesu „Ośrodka" i – rzecz jasna – Departamentu Spraw Zagranicznych Delegatury Rządu. Dzięki niemu ujrzał światło dzienne napisany w maju 1945 roku – a przechowywany w ukryciu do 1993 roku – list Romana Knolla informujący podwładnych o rozwiązaniu „Mocy", list gorzki i poruszający, wart przypomnienia: „Organizując nasz urząd na rozkaz ś.p. premiera Sikorskiego liczyłem, być może, na poważniejszy nasz udział w załatwianiu spraw publicznych, choć wszyscyśmy wiedzieli, że prawdziwej polityki zagranicznej nie można prowadzić w konspiracji i że centralą decyzji, rokowań i posunięć musi być jedynie Ministerstwo Spraw Zagranicznych działające na wolności. Niestety – a pamiętajmy, że bywa tak i w czasach normalnych – czynniki polityczne, związane bardziej niż my – zawodowo bezpartyjni – z życiem stronnictw, nie na każdym poziomie doceniają jednakowo wartość konsultacji odpowiedzialnych urzędników służby zagranicznej. Deklaracje o celach wojny były publikowane, decyzje o wybuchu powstania były pobierane, okoliczności i technika rokowań były ustalane bez korzystania z pracy naszej gromadki. Nie miejmy o to do nikogo żalu. Nie ulega wątpliwości, że służba nasza pewną, choć nieznaczną korzyść przyniosła, a naszą analizą nieraz zdołaliśmy przysłużyć się władzom wojskowym i cywilnym, a przez to i racji stanu, która jedynie nas obchodzi".

Jan Zarański studiował prawo na tajnym Uniwersytecie Warszawskim, jednocześnie pracował w „Mocy", poliglota (cztery języki) sporządzał na podstawie nasłuchów radiowych raporty i analizy aktualnych wydarzeń międzynarodowych dla Delegatury Rządu oraz większe opracowania dotyczące polityki okupanta, był autorem m.in. pracy „Prawo na usługach gwałtu" dotyczącej działań niemieckich na terenach Rzeczypospolitej wcielonych w 1939 roku do III Rzeszy. Zaprzysiężony w Armii Krajowej, ukończył podchorążówkę. W Powstaniu walczył w Zgrupowaniu „Kryska". Od wczesnej jesieni 1945 roku był asystentem w katedrze prawa międzynarodowego na Uniwersytecie Warszawskim, jednocześnie pracował w dziale zagranicznym „Gazety Ludowej". Aresztowano go w ostatnich dniach września 1946 roku. Na mnie przyszła kolej 15 listopada. W piwnicy-areszcie MBP siedziałem do 24 grudnia 1946 roku, kiedy to osadzono mnie w celi w X oddziale więzienia na Rakowieckiej. Przez dwa dni byłem sam. Bez rozmów, bez przesłuchań. Zupa i chleb, które przynosili więźniowie Niemcy. Drugiego dnia świąt wepchnięto do celi człowieka... Osłupiałem! To był Jan Zarański. Uważałem, że to nie jest przypadek. Chcą podsłuchać naszą rozmowę. Ale Janek mówi: – Słuchaj, to przez pomyłkę, bo jest remont, malują cele... No i następnego dnia zabrano go z krzykiem. Wyglądało więc na to, że nie jakaś tam perfidna akcja, tylko bałagan. W czasie świąt Bożego Narodzenia słabnie czujność strażników więziennych na całym świecie... Tak wyglądało, ale wcale nie byłem tego pewien...

Niemniej w ciągu tych dwudziestu czterech godzin zdążyliśmy porozmawiać. Ostrożnie, rzecz jasna, niewinnie. Moja opowieść była prosta, wpadłem w „kociołek" u znajomych, nie wiem, o co chodzi, nie mam nic do powiedzenia. Zarański uważał, że do wyborów mnie nie wypuszczą, a potem z opresji wyciągnie mnie Mikołajczyk, bo przecież PSL ma poparcie społeczne, po wyborach będzie odgrywać ważną rolę w polityce.

Ja z kolei dowiedziałem się, że przesłuchiwał go Różański w związku z pewną aferą z czasów okupacji. Mianowicie MBP prowadziło dochodzenie w sprawie agentki niemieckiej Wandy Kronenberg, spsiałej córki przyzwoitej, patriotycznej rodziny Kronenbergów. Jej ojciec Leopold Jan walczył w powstaniach śląskich i wielkopolskim. Jej starszy brat Wojciech Leopold, mój kolega szkolny, zginął w potyczce z Gestapo. Janek Zarański spotkał ją na jakichś zabawach tanecznych, relacje męsko-damskie... Rzecz w tym, że Wanda Kronenberg została ujęta przez AK w czasie Powstania Warszawskiego i rozstrzelana, o czym oficerowie UB z pewnością wiedzieli, teraz zaś chcieli przymusić Zarańskiego do złożenia zeznań, które powiązałyby go – i jego brata pracującego w BBC – z niemiecką agentką. Oskarżenie o kolaborację byłoby dla nich niezwykle wygodne: uderzałoby i w Józefa Zarańskiego z BBC, i w Mikołajczyka, i w „Gazetę Ludową". Janek wyznał mi, że pod wpływem brutalnego nacisku śledczych przyznał się do kontaktów z Kronenberżanką. Chwyciłem go za klapy marynarki i szarpiąc je krzyczałem: „Musisz odwołać! Musisz odwołać!". I – jak się potem okazało – odwołał, narażając się na kolejne naciski. Urządzono mu proces przy drzwiach zamkniętych – z obawy, że przed sądem po raz kolejny odwoła zeznania. Skazany na czternaście lat więzienia za współpracę z agentką niemiecką wyszedł jednak ostatecznie na wolność w 1950 roku. Pozbawiony praw obywatelskich nie mógł pracować ani w prasie, ani na uniwersytecie. Zahaczył się w spółdzielczości pracy. Po Październiku został całkowicie zrehabilitowany przez sąd i ponownie przyjęty do Stowarzyszenia Dziennikarzy Polskich. Pracował w Zachodniej Agencji Prasowej, w tygodniku „Za i Przeciw", w miesięczniku „Novum". Od 1973 roku redagował niemieckojęzyczną wersję „Życia Warszawy". Sporo i pięknie tłumaczył. Zawdzięczamy mu m.in. przekład *Dziejów papiestwa w XVI–XIX wieku* Leopolda von Ranke oraz *Sztuki i złudzenia* Ernsta Gombricha.

Mieszkał z żoną, Hanią Skarżyńską i trzema córkami na Mokotowie. Odwiedzał mnie – często przychodził z Kasią – najmłodszą, która zamierzała studiować socjologię. Pani Hania pracowała u Tadeusza Mazowieckiego w Klubie Inteligencji Katolickiej.

Wczesnym latem 1976 roku, w okresie gdy funkcjonowały już rozmaite ugrupowania opozycji demokratycznej, dotarła do mnie deklaracja programowa Polskiego Porozumienia Niepodległościowego, która różniła się od innych wystąpień opozycyjnych tym, że stawiając sobie za realny cel niepodległość Polski, podejmowała próbę myślenia programowego, wybiegającego poza doraźne spory, interwencje, protesty, skądinąd ważne... Jaka ma być Polska? Co z gospodarką? Jakie mają być stosunki z sąsiadami? Przeczytałem. Rzecz wyglądała poważnie. Zapytałem o PPN zaufanego przyjaciela, który od lat działał w opozycji, a mianowicie Jana Józefa Lipskiego, czy to aby nie prowokacja. Lipski odpowiedział, że domyśla się, kto to pisał – ludzie przyzwoici, więc nie ma mowy o prowokacji. I tyle. To pobudziło moją ciekawość dziennikarską. Kto to robi? Warto przecież wiedzieć. Ale też należało zachować ostrożność... I wtedy daje o sobie znać przypadek. Pewnego dnia do Pen Clubu przychodzi Zdzisław Najder, którego znałem dosyć powierzchownie jako krytyka literackiego, wybitnego conradystę, pracownika „Twórczości". Tym razem Najder bardzo konspiracyjnie wywołuje mnie z biura, wsadza do samochodu – co od razu upewniło mnie, że działa rozsądnie – i pyta, czy planuję jakąś podróż na Zachód.

– A o co chodzi?

Najder pyta, czy znam Karskiego.

– Znam.

– A Lerskiego?

– Znam.

– Czy mógłby pan ich poprosić, żeby potwierdzili, że PPN jest autentyczną grupą opozycyjną?

Najder nie powiedział mi wtedy, że jest twórcą PPN. Przedstawił się jako rzecznik i zapytał, czy interesuje mnie współpraca z tą grupą. Owszem, interesuje. No i po przyjeździe do Austrii napisałem do Jerzego Lerskiego o PPN w taki sposób, w jaki prosił mnie Najder. Wkrótce otrzymałem odpowiedź, w której Lerski – potwierdzając przyjęcie informacji – wyrażał radość z ponownego nawiązania kontaktu, bo przecież po raz ostatni widzieliśmy się w 1943 roku. Po powrocie do kraju powiadomiłem Najdera o korespondencji z Lerskim. W pierwszym kwartale 1978 roku Najder zapytał mnie, czy byłbym skłonny wziąć udział w spotkaniu grona, które dyskutuje o poważnych sprawach w mieszkaniu prywatnym, ale to nie jest żadna organizacja, nie składa się przyrzeczenia, choć dyskrecja jest pożądana... Zebranie odbywało się w mieszkaniu na Powiślu. Tam zastałem – ku memu zaskoczeniu – Jana Olszewskiego, którego znałem jako przyjaciela Jana Józefa Lipskiego z „Po prostu" i Klubu Krzywego Koła, niewątpliwie lewicowca, socjalistę, człowieka prawego, demokratę. No, na pewno w sensie światopoglądowym był ode mnie daleko na lewo. Drugim uczestnikiem spotkania był Andrzej Kijowski, który w 1972 roku wprowadzał mnie do Związku Literatów Polskich, trzecim zaś mój przyjaciel Jan Zarański, który, jak się okazało, był jednym z założycieli Polskiego Porozumienia Niepodległościowego.

Z chwilą powstania „Solidarności" Janek pomagał w tworzeniu organizacji związkowych w warszawskich zakładach pracy. Zmarł w 1985 roku.

Jego najmłodsza córka – Kasia – po ukończeniu studiów działała w Społecznym Towarzystwie Oświatowym. W 1989 roku została doradczynią ministra Edukacji Narodowej, a w latach 1992–96 była ambasadorem RP w Brazylii. W 2000 roku objęła stanowisko podsekretarza stanu w Urzędzie Komitetu Integracji Europejskiej. W 2007 r. została mianowana ambasadorem RP w Portugalii.

I jeszcze słowo o znanej wokalistce jazzowej, która nosi pseudonim Aga Zaryan – autorce płyty „Umiera piękno", której premiera odbyła się 1 sierpnia 2007 roku, z okazji 63. rocznicy wybuchu Powstania. Aga Zaryan – to wnuczka Janka, córka najstarszej córki Zarańskich, Joanny.

**Waldemar Baczak,** pseud. **Arne, Młody, Henryk,**

„Arne", „Młody", „Henryk", ur.15 listopada 1922, Warszawa, zm. 24 lutego 1947, Warszawa, prawnik. Matura 1940 na tajnych kompletach, studia prawnicze na podziemnym UW. W konspiracji od jesieni 1942. Kierownik referatu więziennego kontrwywiadu Wydziału II Komendy Okręgu Warszawa AK, od jesieni 1943 jednocześnie dowódca grupy rozpoznawczej Kedywu Okręgu Warszawa. W 1944 absolwent tajnej podchorążówki (z pierwszą lokatą). W Powstaniu Warszawskim dowódca drużyny w pułku „Baszta" na Mokotowie, pięciokrotnie ranny. Po kapitulacji w Krakowie. We wrześniu 1945 magisterium na Wydziale Prawa UJ. Po powrocie do Warszawy prace dokumentacyjne pułku AK „Baszta", studia doktoranckie, praca w MSZ. Od jesieni 1945 kierownik referatu w Wydziale Informacji Zarządu Obszaru Centralnego „WiN". Aresztowany w listopadzie 1946, skazany przez Rejonowy Sąd Wojskowy – wraz z Ksawerym Grocholskim i Witoldem Kalickim – na karę śmierci i stracony. W 1991 uniewinniony przez Izbę Wojskową Sądu Najwyższego.

Ledwie go znałem. Mignął obok mnie,
wypełniając jeden z tragicznych wariantów
losu mojego pokolenia, więc nie sposób go zapomnieć.

# Waldemar Baczak

Poznałem go w lecie 1946 roku w redakcji „Gazety Ludowej". Przyszedł do mnie w sprawie naszych publikacji dotyczących Powstania. Z krótkiej rozmowy wynikało, że dokumentuje działania pułku „Baszta", który złożył wielką daninę krwi na Mokotowie. Powiedział też, że pracuje w Ministerstwie Spraw Zagranicznych, co mnie trochę zdziwiło, bo ten resort był w zasadzie obsadzony przez członków PPR i PPS. Młody, dynamiczny – mój rówieśnik. Odwiedził mnie jeszcze raz z materiałem na temat „Baszty", który wykorzystałem na łamach gazety. Dwa spotkania, do których doszło latem 1946 roku – tak więc nasza znajomość była naprawdę powierzchowna i w zasadzie przypadkowa. Ale wraz z upływem czasu, z upływem dziesięcioleci, zacząłem zdawać sobie sprawę, jak blisko siebie usytuował nas los.

Tu muszę cofnąć się do wiosny 1946 roku, gdy przez Marysię Koziejównę, sekretarkę redaktora Augustyńskiego, poznałem siostry Bańkowskie, Danutę i Annę. Koziejówna, trochę ode mnie starsza, ranna w Powstaniu, pochodziła z Polesia. A dla mnie Polesie wiązało się z twórczością Rodziewiczówny. I co za zbieg okoliczności! Okazuje się, że Koziejówna znała autorkę *Dewajtis*, bywała u niej w dworku. Temat do rozmów. Z kolei serdeczną przyjaciółką Koziejówny była Danuta Bańkowska, która wraz z siostrą Anną mieszkała skromniutko przy Bałuckiego 34. Przychodziłem tam na herbatę. Miła atmosfera. One też były z Polesia, z rodziny ziemiańskiej. Z czasem Bańkowska zaczęła mi pomagać w przygotowywaniu przeglądów prasy. Dostarczałem je Kumanieckiemu, on zaś przekazywał je – moim zdaniem – emigracyjnym czynnikom chadeckim.

Mieszkanie wydawało się bezpieczne, przyjazne, sami swoi, z AK. 15 listopada 1946 roku stanąłem w progu mieszkania Bańkowskich. Przyszedłem ot tak sobie, w odwiedziny do miłych koleżanek. Drzwi otworzył mi funkcjonariusz UB o znanej mi twarzy: bywał w redakcji „Gazety Ludowej", zabierał ludzi na przesłuchania. – A, pan redaktor Bartoszewski, czekamy na pana redaktora, czekamy, bardzo nam pana brakowało. Odpowiedziałem uprzejmie: – i mnie pana też. W pokoju zastałem osiem, może dziesięć osób pilnowanych przez bezpieczniaka. Wpadłem w „kociołek", który trwał już od półtora dnia. Po dwóch godzinach zawieziono mnie do gmachu Ministerstwa Bezpieczeństwa Publicznego na ul. Koszykową. Już w pierwszej fazie śledztwa zaczęto wypytywać mnie o Waldemara Baczaka. Dla mnie sprawa była prosta: widziałem się z nim dwa razy, rozmawialiśmy na temat artykułów dotyczących Powstania, to wszystko. Co o nim wiem? Gdzie pracuje? Wiedziony konspiracyjną nauką, że mówić trzeba jak najmniej, oświadczyłem, że pracuje w jakimś urzędzie. Jakim? Nie wiem. W biurze, bo mówił, że w godzinach służbowych jest zajęty i do redakcji może przyjść dopiero późnym popołudniem. Wkrótce zaczęto mnie naciskać na temat jego znajomości. Ale my nie mieliśmy wspólnych znajomych – tak przynajmniej wówczas uważałem. Niesłusznie – o czym dowiedziałem się później, bo studiował na Wydziale Prawa tajnego Uniwersytetu Warszawskiego z Jankiem Zarańskim i Andrzejem Leśniewskim, ale te związki nie interesowały oficerów śledczych.

Waldemar Baczak, który w 1943 roku działał w Kedywie Okręgu Warszawa AK, od jesieni 1945 roku był kierownikiem referatu w Wydziale Informacji i Wywiadu Zarządu Obszaru Centralnego WiN, podwładnym Haliny Sosnowskiej. Z Sosnowską współpracowała też Danuta Bańkowska... Tak więc słowa, które usłyszałem od funkcjonariusza UB: „A, pan redaktor Bartoszewski, czekamy na pana redaktora, czekamy, bardzo nam pana brakowało" były naprawdę szczere. Oto do „kociołka" zastawionego na komórkę wywiadu WiN, która współpracuje z wywiadem brytyjskim, wpada redaktor biuletynu wewnętrznego PSL, systematycznie kontaktujący się z Korbońskim i Bagińskim, dziennikarz „Gazety Ludowej", były pracownik Komendy Głównej AK, na dodatek dopiero co mianowany szefem propagandy przedwyborczej – a oni już o tym wiedzieli. Smakowity kąsek zarówno z kontrwywiadowczego, jak i propagandowego punktu widzenia. Istny dar losu! Taki oskarżony w procesie pokazowym siedzący obok ludzi, którzy naprawdę zajmowali się wywiadem, może być bardzo użyteczny.

Opaska powstańcza Waldemara Baczaka

Proces członków Zrzeszenia Wolność i Niezawisłość. Na pierwszym planie Waldemar Baczak, obok Krystyna Kosiorek i Ksawery Grocholski (w okularach), za nim Witold Kalicki

Ale tego typu użyteczność w moim przypadku nie wchodziła w rachubę. Powiedziałem sobie tak: nic im nie powiem, do niczego się nie poczuwam, nie mam zamiaru tłumaczyć się z działalności w legalnej partii, koniec, kropka. I to mi pomogło. A teraz wiem, że Baczak w śledztwie uparcie powtarzał, że nic go ze mną nie łączyło prócz dwóch rozmów w „Gazecie Ludowej" i że Danuta Bańkowska mówiła – zgodnie z prawdą – iż nasze kontakty miały charakter czysto towarzyski. Ale Urząd Bezpieczeństwa działał „pod tezę", z której wynikało, że moja wizyta u Bańkowskich nie była przypadkowa. O Baczaka wypytywano mnie więc też po jego skazaniu i egzekucji.

Na ławie oskarżonych zasiadł w styczniu 1947 roku wraz z Ksawerym Grocholskim, Witoldem Kalickim i Krystyną Kosiorek. Mężczyźni otrzymali wyroki śmierci za „szpiegostwo na rzecz obcego mocarstwa". Po wyjściu z więzienia dowiedziałem się ze starych gazet, że w czasie procesu padało moje nazwisko… Wiem, że ojciec Baczaka, warszawski adwokat, zwrócił się z błaganiem o łaskę do swojego starego znajomego – Michała Roli-Żymierskiego, bez rezultatu.

Ledwie go znałem. Pamiętam, że inteligentny, zdecydowany, społecznik, chciał działać… Mignął obok mnie, wypełniając jeden z tragicznych wariantów losu mojego pokolenia, więc nie sposób go zapomnieć.

Dziesiąta rocznica ślubu rodziców Waldemara Baczaka

Proces członków Zrzeszenia Wolność i Niezawisłość. Oskarżonych o przekazywanie informacji ważnych dla bezpieczeństwa państwa ambasadorowi obcego mocarstwa skazano na kary śmierci (Grocholskiego, urzędnika MSZ Waldemara Baczaka, kapitana KBW Witolda Kalickiego) i więzienia (Krystynę Kosiorek)

**Ksawery Grocholski,** pseud. **Brodaty, Leonard,**

ur. 14 lutego 1903, Strzyżówka (pow. winnicki na Podolu), zm. 24 lutego 1947, Warszawa, handlowiec, żołnierz AK i WiN. Absolwent Akademii Handlowej w Antwerpii i Wydz. Prawa Uniwersytetu w Brukseli. Aresztowany przez Niemców w początkach okupacji, zwolniony dzięki staraniom żony, Polki ur. w Austrii. Od 1943 oficer wywiadu AK. Uczestnik Powstania Warszawskiego. Administrator dóbr Seweryna ks. Czetwertyńskiego i plenipotent M. Potockiego. W 1945 zwerbowany do komórki wywiadowczej WiN. Aresztowany w Warszawie 14 listopada 1946 wraz z W. Baczakiem, W. Kalickim i Krystyną Kosiorek, oskarżony o szpiegostwo (dostarczanie materiałów ambasadzie brytyjskiej) i przynależność do WiN. 14 stycznia 1947 skazany na karę śmierci, stracony w więzieniu mokotowskim 24 lutego 1947. Zrehabilitowany przez Sąd Najwyższy 1991.

Pewnego dnia Grocholski został wyprowadzony z celi.
Wrócił wieczorem pobladły, zszarzały, przerażony.
Położył się obok mnie i zaczął szeptać: – Źle ze mną...


# KSAWERY GROCHOLSKI

W pierwszych godzinach po przywiezieniu do gmachu MBP 15 listopada 1946 roku zostałem poddany przesłuchaniu, z którego wynikało niewiele: oto redaktor „Gazety Ludowej" i kierownik biuletynu wewnętrznego PSL znalazł się w kociołku u swych znajomych, sióstr Bańkowskich, znalazł się – jak twierdzi – przez przypadek. W czasie krótkiej rozmowy płk Brystygierowa zapytała: – Czy pańskie związki z WiN-em ciągną się od czasu ujawnienia? To mnie uspokoiło, bo żadnych związków z WiN-em nie miałem. Odpowiedziałem: – Jeśli pani sądzi, że mam coś wspólnego z WiN-em, to jestem zupełnie spokojny o swoją przyszłość. O co im idzie? Może o moją działalność w „Gazecie Ludowej" i w PSL, przecież legalną, albo o współpracę z Kumanieckim, dla którego przygotowywałem analizy dotyczące życia politycznego w Polsce (nie, do tego nie mogli dotrzeć), albo wreszcie: po prostu przyszedłem do sióstr Bańkowskich z koleżeńską wizytą i wpadłem w kociołek zastawiony na kogoś, o kim nie mam zielonego pojęcia.

Zwieziono mnie na dół, na parter, potem sprowadzono do piwnicy. W celi oświetlonej słabą żarówką było ciasno. Cztery prycze na ośmiu więźniów. Wolne miejsce znalazłem obok starszego, wysokiego pana o nobliwym wyglądzie. Był to Ksawery Grocholski. Wkrótce upewniłem się, że pan Ksawery jest rodzonym bratem płk. Remigiusza Grocholskiego, a to ułatwiło nam przełamanie czy też przynajmniej ograniczenie naturalnej nieufności. Miałem za sobą kilkuletnie doświadczenie konspiracyjne, wiedziałem, że muszę się pilnować... Siedzący z nami inżynier Witold Sosnowski, ichtiolog z SGGW, który – jak dowiedziałem się potem

– został aresztowany z powodu swej żony Haliny kierującej wywiadem WiN-u, wybrał metodę skrajną: milczał jak ryba. Ja z kolei stosowałem metodę pośrednią: mówiłem o sprawach znanych, nie stanowiących żadnej tajemnicy. O tym, że major Remigiusz Adam Grocholski* był jednym z adiutantów marszałka Piłsudskiego, wiedzieli czytelnicy przedwojennych gazet. Musiałem natomiast oczywiście ukrywać, że w czasie okupacji podpułkownik Grocholski działał w „Credo", niewielkiej grupie tworzącej program Frontu Odrodzenia Polski. Poznałem go na jednym z zebrań „Credo". Bardzo elegancki, uduchowiony, wyróżniał się zainteresowaniami teologicznymi. Po wielu latach słyszałem w kościele Świętego Krzyża, jak ks. Jan Zieja mówi nad jego trumną: „ŚP Remigiusz Grocholski usiłował w życiu swoim i w żołnierskiej swej służbie łączyć ideały chrześcijańskie z ideałami służby żołnierskiej. Od dzieciństwa marzył o szabelce, którą wywalczy wolność Polsce. W miarę jak poznawał los ludzki na ziemi i to, czym jest Krzyż Jezusa Chrystusa nad ludzkością całą wzniesiony, zdawało mu się, że te ideały chrześcijańskie i rycerskie należy jak najbardziej łączyć ze sobą. Wielu tak myślało, wielu tak i dotąd myśli, że miecz i krzyż mogą być w jakiejś zgodzie. Ale myśl ludzka sięga głębiej, i widzi głębiej, i dalej, i wyżej niż widzieliśmy w naszej młodości, gdyśmy po kryjomu modlili się o wojnę powszechną za wolność wszystkich ludów. Myśl ludzka jest teraz w głębokiej zadumie i coraz wyraźniej widać, jak Krzyż Jezusa Chrystusa, jak Jego Imię w światłości idzie w górę, w górę ponad narody, ponad wieki, a wszystko inne chowa się jakoś niżej i szuka dla siebie miejsca. Takie myśli nieraz przychodziły śp. Pułkownikowi Remigiuszowi". Otóż w czasach spotkań w „Credo" – uczestniczył w nich także ks. Jan Zieja – Remigiusz Grocholski był (o czym dowiedziałem się później i nie bez zdziwienia) – dowódcą „Wachlarza". W czasie Powstania dowodził V Rejonem Obwodu Mokotów, między ul. Puławską i ul. Belwederską. Nie miał szans na sukces. Pod koniec września został ciężko ranny. Wyprowadzono go z miasta wśród ludności cywilnej. O doświadczeniach powstańczych Grocholskiego mogłem rozmawiać bez obaw.

Z kolei pan Ksawery często dzielił się ze mną niepokojem o los żony i dwóch małych córek. Pewnego dnia wspomniał, że śledczy chcą go uwikłać w naganne stosunki z Niemcami. Okupację przeżył jako administrator dóbr Maurycego Potockiego, brał więc udział w przyjęciach, które właściciel Jabłonny wydawał

---

* Taka kolejność imion występuje w aktach osobowych nr 5154, CAW, jednak w wielu opracowaniach dotyczących powstań śląskich Grocholski figuruje jako „Adam Remigiusz".

Kpt. Adam Remigiusz Grocholski, szef adiutantury Józefa Piłsudskiego, Warszawa, 14 VIII 1926 roku

dla czołowych przedstawicieli władz okupacyjnych, szefów dystryktu, wyższych oficerów policji i Wehrmachtu. Tu dodam, że z późniejszych relacji dowiedziałem się, że Maurycy Potocki utrzymywał był przed wojną kontakty z Göringiem, dzięki czemu mógł w czasie okupacji interweniować w sprawach zwolnień z więzień i obozów, niekiedy skutecznie.

W czasie przesłuchań pytano mnie o związki z WiN-em, przede wszystkim o związki z Waldemarem Baczakiem. Ja wciąż – zgodnie z prawdą – powtarzałem, że nic o nim nie wiem.

Pewnego dnia Grocholski został wyprowadzony z celi. Wrócił wieczorem pobladły, zszarzały, przerażony. Położył się obok mnie i zaczął szeptać:

– Źle ze mną. Pan jest z „Gazety Ludowej" i zna mojego brata... Ktoś o tym musi wiedzieć... Byłem w domu, w Brwinowie. Zawieźli mnie tam na konfrontację.

– Z kim?

– Z Cavendish-Bentinckiem, ambasadorem Wielkiej Brytanii. Wpadł u mnie. Nie wiedział, że jestem aresztowany... Oni rozebrali piec i znaleźli materiały...

– Jakie materiały?

– No, te, które mu przekazywałem...

– I co mam zrobić?

– Kiedy pana wypuszczą, niech pan porozmawia z moją rodziną, ale nie z żoną, bo ona niewiele z tego rozumie...

– Sam pan porozmawia – starałem się go pocieszyć.

– Boję się, że nie przeżyję... I dodał, że w tej samej sprawie został aresztowany Waldemar Baczak z Ministerstwa Spraw Zagranicznych.

Zabrali go po kilku dniach. Stanął przed sądem – wraz z Waldemarem Baczakiem, kpt. Witoldem Kalickim, lekarzem z KBW i Krystyną Kosiorek – 7 lutego 1947 roku Naczelny Sąd Wojskowy utrzymał w mocy wyrok śmierci, wydany na rozpoczętym w styczniu procesie.

**M.K.** Cytuję za „Gazetą Ludową" z 11 stycznia: „Przed Wojskowym Sądem Rejonowym stanęli w dniu wczorajszym członkowie podziemnej organizacji WiN oskarżeni – poza przynależnością do WiN-u – o szpiegostwo na rzecz obcego mocarstwa, polegające na stałym kontakcie z przedstawicielem tego państwa, któremu dostarczali materiały dotyczące tajemnic państwowych i wojskowych (...) Na wstępie obrona zgłasza wniosek o powołanie świadków, którzy zaprzeczyć mogą niektórym zarzutom oskarżenia. Są to m.in. redaktor naczelny »Gazety Ludowej« Augustyński..."

Kpt. Adam Remigiusz Grocholski z żoną Barbarą z domu Czetwertyńską, w samolocie

**W.B.** Uwięziony 16 października 1946 roku.

**M.K.** „.....współpracownik »Gazety« Bartoszewski...".

**W.B.** O tym nie wiedziałem. W lutym 1947 roku żyłem w całkowitej izolacji od świata zewnętrznego, w jednej z cel X pawilonu więzienia przy ul. Rakowieckiej. A to, że obrona chciała powołać mnie na świadka było rozsądne. Udowodniłbym, że wizyty Baczaka w redakcji były związane tylko i wyłącznie z publikacją tekstów dotyczących Powstania.

**M.K.** ...Grocholskiemu zarzucono też współpracę z Gestapo, w związku z tym jego obrońca wniósł o „dopuszczenie świadków Adama Grocholskiego, Chmielewiczową, sekretarkę gestapowca Wernera, skazaną na śmierć przez Sąd Specjalny (...), którzy mają udowodnić, że nastawienie oskarżonego było polskie, że taki sam charakter posiadał jego dom (...) Osk. Grocholski aresztowany przez Gestapo w październiku 1939 roku i zwolniony później przez Meissingera, utrzymywał stały kontakt z Gestapo (...) ingerował u władz podziemnych polskich na rzecz anulowania wyroku śmierci na Wernera. Grocholski w 1944 dla odwrócenia podejrzeń wstąpił do AK i jako oficer wywiadu AK pracował na Mokotowie". Tyle dziennikarz „Gazety Ludowej". Ale z wyjaśnień Grocholskiego wynikało, że z aresztu Gestapo dwukrotnie wydobywała go zrozpaczona żona opiekująca się dwojgiem maleńkich dzieci; urodzona w Niemczech – mogła uzyskać łatwy kontakt w al. Szucha. Potem Werner (SS-Hauptsturmführer) na wieść o skazaniu go na śmierć przed sąd podziemny – zaczął szantażować Grocholskich, groził likwidacją całej rodziny. Z tego powodu Grocholski zwrócił się do władz AK o anulowanie wyroku... Jedna z tych strasznych sytuacji okupacyjnych, które rzadko się wspomina w dzisiejszej Polsce.

Warszawski Sąd Rejonowy, który 14 stycznia 1947 roku skazał Grocholskiego na śmierć za „działalność szpiegowską", nie rozpatrywał oskarżenia o współpracę z Gestapo, zwrócił sprawę do prokuratury.

**W.B.** Ksawery Grocholski został stracony 24 lutego 1947 roku.

Po wyjściu z aresztu starałem się przekazać różnym ludziom informacje o ich uwięzionych bliskich. Ostrzeżono mnie w kręgach katolickich, bym nie szukał kontaktu z żoną Grocholskiego, która nie umiejąc pogodzić się ze śmiercią męża, nie chcąc w to uwierzyć, uwikłać się miała w jakieś rozmowy z bezpieczniakami. Tragiczna sprawa.

Proces Ksawerego hr. Grocholskiego i innych członków Zrzeszenia Wolność i Niezawisłość.
W środkowym rzędzie, od prawej: Baczak, Kosiorek, Grocholski, Kalicki

Warszawa, 1947. Proces Ksawerego hr. Grocholskiego i innych członków Zrzeszenia Wolność
i Niezawisłość, oskarżonych o przekazywanie informacji ważnych dla bezpieczeństwa państwa
ambasadorowi obcego mocarstwa

**Władysław Dybowski**, pseud. **Korwin, Szatan, Przemyski,**
ur. 17 maja 1892, Bukowina, (Rumunia), zm. 31 lipca 1947, Warszawa, prawnik, rotmistrz kawalerii WP, adiutant gen. Józefa Hallera, major NSZ. Uczestnik kampanii wrześniowej, w 1942 twórca i dowódca Krakowskiej Brygady Obrony Narodowej (NSZ). Po wojnie w podziemiu antykomunistycznym; kierownik sekcji wywiadu Okręgu Krakowskiego OP, odpowiedzialny także za łączność z WiN-em. Jednocześnie członek PPR i w 1946 wiceprezydent Legnicy. Aresztowany 18 października 1946, skazany i stracony (wraz z synem Konradem i innym członkiem OP, Jerzym Zakulskim) 31 lipca 1947 w więzieniu mokotowskim w Warszawie. Zrehabilitowany w 1993.

**Konrad Dybowski**, pseud. **Zet, Sęp II, Zyberk,**
ur. 24 sierpnia 1919, Czyniszewice (Rumunia), zm. 31 lipca 1947, Warszawa; żołnierz ZWZ-AK, członek Organizacji Polskiej. Student prawa, ochotnik we wrześniu 1939. Podczas okupacji niemieckiej w ZWZ-AK we Lwowie, następnie w Krakowskiej Brygadzie Obrony Narodowej (NSZ). Po wojnie w podziemiu antykomunistycznym (OP); z polecenia władz Organizacji akces do PPR, praca w Wojewódzkim Urzędzie Bezpieczeństwa Publicznego w Krakowie i w charakterze oficera polityczno-wychowawczego w Szkole Podoficerów MO w Krakowie. Aresztowany 16 października 1946, oskarżony o „zbrodniczą działalność przeciwko Polsce Ludowej". W czerwcu 1947 skazany (wraz z ojcem Władysławem i innym członkiem OP, Jerzym Zakulskim) na karę śmierci, stracony 31 lipca 1947 w więzieniu mokotowskim w Warszawie. Zrehabilitowany w 1993.

Uderzał mnie wielki szacunek Konrada Dybowskiego do ojca, którego zresztą był podwładnym w siatce… Obaj – ojciec i syn – zostali skazani na śmierć.

# Władysław i Konrad Dybowscy

Noc z 15 na 16 listopada 1946 roku. Po kilkugodzinnym przesłuchaniu sprowadzono mnie do piwnicy budynku MBP. W chwili, gdy zamknęły się za mną drzwi wiodące do celi, usłyszałem głos: – Panie prezydencie, mamy nowego! Jaki prezydent? A jeśli jeszcze okaże się, że mam siedzieć z cesarzem Napoleonem? Ale po pewnym czasie dowiedziałem się, że idzie o prawdziwego prezydenta, ściślej zaś o wiceprezydenta – bo pan Władysław Dybowski był wiceprezydentem miasta Legnicy. Nie powiedział mi, jaka partia desygnowała go na to stanowisko, doszedłem więc do wniosku – słusznego – że z pewnością Polska Partia Robotnicza. Pan Dybowski twierdził, że oskarżono go o utrzymywanie kontaktów z siatką Brygady Świętokrzyskiej NSZ i szpiegostwo, a jest niewinny, padł ofiarą intryg, bo utrzymywał wyjątkowo przyjazne stosunki z oficerami radzieckimi, czego niektórzy mu zazdrościli. Pamiętajmy, że latem 1945 roku marszałek Konstanty Rokossowski wybrał Legnicę na siedzibę dowództwa Północnej Grupy Armii Czerwonej.

Władysław Dybowski pochodził z rodziny ziemiańskiej osiadłej na rumuńskiej Bukowinie. Świetnie znał język rosyjski. W Wojsku Polskim służył m.in. w 6 Pułku Strzelców Konnych, w 1926 roku został mianowany rotmistrzem. W czasie okupacji działał w Narodowych Siłach Zbrojnych. W 1945 roku na polecenie komisarza Okręgu Krakowskiego Organizacji Polskiej* wstąpił do PPR. W Legnicy zbierał informacje, na podstawie których powstawały – jak potem głosiła

---

* Organizacja Polska – działająca poza strukturami Polskiego Państwa Podziemnego organizacja skrajnej prawicy, sprawująca od 1944 r. faktyczne kierownictwo nad nie scaloną częścią NSZ. W początkach 1945 r. część działaczy OP przedostała się na Zachód z Brygadą Świętokrzyską, część pozostała w kraju, kontynuując walkę z komunizmem.

sentencja wyroku – „raporty pisemne zawierające wiadomości o organach i działalności organów władz bezpieczeństwa na terenie Legnicy, o Milicji Obywatelskiej, o stacjonującej w Legnicy Szkole KBW, jej składzie osobowym, uzbrojeniu,
umundurowaniu, dane personalne oficerów, o rozstawieniu w okolicy Legnicy
artylerii przeciwlotniczej i katiusz, o transportach wojskowych, o dyslokacji sztabu marszałka Rokossowskiego oraz inne z dziedziny politycznej, jak działalność
miejscowych partii politycznych, oraz z dziedziny gospodarczej, jak stan odbudowy miasta i przemysłu". Został aresztowany w czerwcu 1946 roku. Zabrano go
z naszej celi piwnicznej pod koniec listopada.

Kilkanaście dni później, chyba 21 lub 22 grudnia, wprowadzono młodego człowieka w mundurze oficerskim z odprutymi insygniami. Przywieziono go samolotem z Krakowa. Przedstawił się: Konrad Dybowski. Pytam: – Pan jest oficerem?
– Jestem kapitanem, oficerem politycznym... Potem uzupełnił tę informację. Był
oficerem do spraw polityczno-wychowawczych w szkole podoficerskiej, już nie
pamiętam czy wojskowej czy też milicyjnej, kontynuował rozpoczęte przed wojną
studia prawnicze na UJ (działał też w komunistycznym Związku Walki Młodych
na uczelni), był szefem grupy operacyjnej odpowiedzialnej za przeprowadzenie
– czytaj: sfałszowanie – w 1946 roku referendum na terenie województwa krakowskiego, a więc niewątpliwie – człowiekiem pełnego zaufania UB.

– Był tu Władysław Dybowski.

– To mój ojciec...

Rozmawialiśmy ostrożnie, a w końcu Dybowski powiedział, że jest oskarżony o szpiegostwo.

– Ale bezpodstawnie? – zapytałem.

– Wie pan, to ma związek z Narodowymi Siłami Zbrojnymi i Organizacją
Polską – odpowiedział.

Aresztowano go w Krakowie, a do Warszawy dostarczył samolotem sam Józef
Różański. Uderzał mnie wielki szacunek Konrada Dybowskiego do ojca, którego zresztą był podwładnym w siatce.

Obaj – ojciec i syn – zostali skazani na śmierć 16 czerwca 1947 roku. Przewodniczącym składu sędziowskiego był ppłk Jan Hryckowian, absolwent Wydziału Prawa UJ, przed wojną sędzia w Wojskowych Sądach Rejonowych w Tar-
nopolu i Grodnie, organizator oddziałów partyzanckich AK w miechowskim
i na Podhalu, od marca 1947 roku – szef Wojskowego Sądu Rejonowego nr 1
w Warszawie. Wyrok wykonano na Mokotowie.

Budynek dawnego Ministerstwa Bezpieczeństwa Publicznego. Dzisiaj – Ministerstwo Sprawiedliwości

**O. Stanisław Foryś,**

ur. 7 sierpnia 1914 Cannawurf (okręg lipski, Niemcy), zm. 5 listopada 1994, Bydgoszcz, duchacz (zakonnik Zgromadzenia Ducha Świętego pod Opieką Niepokalanego Serca Maryi). Od 1933 studia zakonne we Francji, nowicjat w Orly pod Paryżem. Studia filozoficzne w Mortain i teologiczne w Chevilly; tam w 1937 śluby wieczyste. W 1939 święcenia kapłańskie. Nauczyciel łaciny i greki w Niższym Seminarium Duchownym w Prizac, od sierpnia 1941 duszpasterz Polaków w Amiens. Od 1946 w kraju jako prowincjał wiceprowincji polskiej. Aresztowany w listopadzie 1949 w domu Zgromadzenia w Bydgoszczy pod zarzutem szpiegostwa. W marcu 1951 skazany na 15 lat więzienia. Karę zmniejszono w 1956 do 9 lat i zawieszono z powodu złego stanu zdrowia. W lipcu 1956 zwolniony z więzienia we Wronkach. Po wyjściu na wolność m.in. magister nowicjatu w Puszczykówku. Autor poezji łacińskich, tłumacz dokumentów i prac o historii zakonu.

...uwięziono go dlatego, że potencjalnie mógł być niebezpieczny, bo przez długie lata przebywał na Zachodzie, a w 1949 roku bezpieka przyśpieszyła proces odcinania Polski od świata.

# O. Stanisław Foryś

Cela nr 11 w piwnicy budynku Ministerstwa Bezpieczeństwa Publicznego, w której siedziałem od 14 grudnia 1949 roku do 12 maja 1951 roku była tak mała, że gdy ktoś chciał wyprostować nogi i zrobić parę kroków, pozostali czterej aresztanci musieli przysiąść na pryczach. Mały okratowany lufcik wychodził na Aleje Ujazdowskie, światło pojawiało się w nim na parę godzin. Pod sufitem żarzyła się w dzień i w nocy żarówka: za jasna, aby było ciemno, zbyt słaba, aby było jasno. Mycie raz dziennie w zimnej wodzie, potrzeby naturalne załatwialiśmy do kubła z pokrywą, do kibla. Żadnych spacerów. Żadnego kontaktu ze światem zewnętrznym.

W tej celi na przełomie 1949 i 1950 roku poznałem ojca Stanisława Forysia CSSp (Zgromadzenie Ducha Świętego pod Opieką Niepokalanego Serca Maryi). Został aresztowany 23 listopada 1949 roku w domu Zgromadzenia w Bydgoszczy, wraz ze wszystkimi przebywającymi tam ojcami, ale – z tego co wiem – tylko on został przewieziony do Warszawy. Szczupły, zgoła wątły, cichy, skupiony – wyraźnie ze skłonnościami mistycznymi, był gotów na męczeństwo. Cenił każde słowo: – Nasz Pan został ukrzyżowany w wieku trzydziestu trzech lat – powiedział opisując swoją sytuację i umilkł. My też milczeliśmy, bo co po takim zdaniu można powiedzieć? Ojciec Foryś był niewiele starszy, miał wtedy trzydzieści pięć lat. Oskarżono go o to, że jako agent wywiadu francuskiego utworzył siatkę wywiadowczą na terenie Bydgoszczy i – uwaga – współpracował z generałem kongregacji Św. Ducha w Paryżu. Innymi słowy uwięziono go dlatego, że potencjalnie mógł być niebezpieczny, bo przez długie lata przebywał na Zachodzie, a w 1949 roku bezpieka przyśpieszyła proces odcinania Polski od świata. Wyjechał do Francji w 1933 roku. Sześć lat potem – po ukończeniu studiów teologicznych w Chevilly-Larue – przyjął święcenia kapłańskie. Przez krótki okres pracował w Bretanii, zaś w latach 1941–46 był Aumonier Polonais (kapelanem polskim) w Amiens. Do Polski przyjechał jako prowincjał Polskiej Prowincji Zgromadzenia Ducha Świętego. Smakowity kąsek dla UB.

W korytarzach aresztu MBP dźwięczał język francuski: pilnowali nas młodzi ludzie z polskich komunistycznych oddziałów partyzanckich we Francji, słabo znające język polski dzieci emigrantów z Nordu. Poinformowano ich, że jesteśmy kolaborantami, współpracownikami hitlerowców, co oczywiście miało nieprzyjemne dla nas następstwa. Ojciec Foryś starał się im wytłumaczyć, że to kłamstwo. Czynił to spokojnie, łagodnie, piękną fracuszczyzną. Najpierw spotkał się z oporem: ksiądz-kolaborant, wstyd, jak to możliwe? Z czasem osiągnął sukces: im się po prostu w głowach nie mieściło, że można więzić ludzi, którzy walczyli z hitlerowskimi Niemcami... Niekiedy prosiłem go, by podsłuchał głośne rozmowy strażników. Trochę się zdziwił moją prośbą – bo choć odnosił się do współwięźniów z przyjaznym szacunkiem, to jednak starał się być osobny – ale w końcu zasady koleżeństwa obowiązują... Stał z uchem przyłożonym do drzwi i słuchał.

Zabrano go od nas po paru tygodniach. Dostał piętnaście lat więzienia, potem Rada Państwa złagodziła wyrok do dziewięciu lat. Siedział najpierw na Rakowieckiej, potem w Rawiczu i we Wronkach. Do Bydgoszczy wrócił w lutym 1956 roku. Od 1973 roku był sekretarzem prowincjalnym, socjuszem w nowicjacie oraz wykładowcą języka francuskiego, greckiego i łaciny. Sporo pisał dla „Przewodnika Katolickiego", „Gościa Niedzielnego" i „Meandra" (gdzie opublikował m.in. *Carmina in summum pontificem Joannem Paulem II*), tłumaczył dzieła teologiczne, mnie zaś porusza to, że pod koniec życia zajął się poezją... Był autorem wierszy *Gratiarum actio pro canonisatione Maximiliani Mariae Kolbe* i *Introductio „Summus pontifex de terris oriundus Slavicis"* opublikowanych w „Vox Patrum".

Od czasu wspólnego pobytu w piwnicznej celi na Koszykowej nigdy go nie spotkałem.

Msza święta jubileuszowa na pamiątkę 25-lecia kapłaństwa (26 VIII 1964)
o. Wacława Brzozowskiego – śp. o. Stanisław Foryś drugi od prawej.
Archiwum Zgromadzenia Ducha Świętego w Bydgoszczy.

Stanisław FORYŚ CSSp                          VOX PATRUM 9(1989) z. 17

CARMINA
IN SUMMUM PONTIFICEM JOANNEM PAULUM II

"Vox Patrum" od lat udostępnia swe karty także Sekcji Filologicznej, skupiającej nauczycieli języków klasycznych w Wyższych Seminariach Duchownych. Wielu z nich jest jego stałymi od-
biorcami lub autorami drukowanych w nim artykułów, na jego stronach publikuje się od dawna sprawozdania z dorocznych spotkań
Sekcji Filologicznej, a także materiały stanowiące pomoc w nau-
czaniu i kultywowaniu zapominanego coraz bardziej języka łacińskiego. W ramach tej działalności prezentujemy 5 łacińskich wierszy napisanych strofą saficką ku czci papieża Jana Pawła II przez
dra o. Stanisława Forysia, nauczyciela języka łacińskiego w Wyż-
szym Seminarium Misyjnym Misjonarzy Ducha Świętego w Bydgoszczy.
Jedną z analogicznych pieśni, napisaną z okazji pierwszej rocznicy pontyfikatu Jana Pawła II, tenże autor opublikował w "Vox La-
tina" wydawanym na Uniwersytecie w Saarbrücken, a za przesłanie
jej Ojcu Świętemu otrzymał z Sekretariatu Stanu 19 X 1983 r. specjalny list gratulacyjny. Wiersze te świadczą dobitnie, że jeszcze dziś są w naszym kraju, słynnym z dobrych latynistów, ludzie,
którzy potrafią nie tylko swobodnie po łacinie mówić, ale również
z wyczuciem starożytnego metrum tworzyć[x].

I n t r o d u c t i o
"SUMMUS PONTIFEX DE TERRIS ORIUNDUS SLAVICIS"
/Ad mentem carminis J. Słowacki A.D. 1848/

    Nonne Te vidit tuus in futuro
    Nobilis vates? Meritis decorus
    Slavicis terris venit hic Sacerdos
    Summus in Urbem.

Corde Pastoris bene diligendo
Creditum Christi pecus a Satore
Diriget recte, tela ceteri dum
Tradere tentant.

    Vulnerum mundi caries omni
    Tollet, insectum pariterque, multis
    Orbis aegrotis tribuet vigorem,
    Flamen amoris.

Intus in templis ea, quae videntur
Squalida prorsus, nimis alba reddet
Et Deum mundo liquide in creando
Saepe notabit.

- 931 -

IV

GRATIARUM ACTIO PRO CANONISATIONE
MAXIMILIANI MARIAE KOLBE
/Die decima mensis Octobris 1982/

Natio gaudet hodie Polona:
Pontifex Romae numerat libello
Civium caeli - "Militem Mariae",
Maximilianum.

Gratias multas agimus libenter
Lechiae cives voluisse sanctum
Martyrem nostrum populos per orbem
Dein venerari.

Ponitur mundo bonitatis altae
Splendidum exemplar, quod dedit Sacerdos
Temporis nostri moriens libenter
Pro morituro.

Visio matris puero relata
Denique expletur: rubra nam corona,
Martyris signum, caput eius ornat,
Albaque - amoris.

Obviam venit famulo fideli
Mater et Ductrix, sine labe virum,
In domum Coeli celebrans recepit
Maximilianum.

Wiersze publikowane w tomie 17 „Vox Patrum": o. S. Foryś CSSp, *Carmina in summum pontificem Joannem Paulum II*, „Vox Patrum" 9 (1989), t. 17, 925–932

**O. Karol Kajetan Raczyński,**

ur. 4 lutego 1893, Częstochowa, zm. 19 września 1961, Częstochowa, paulin, święcenia kapłańskie 1916, w zakonie paulinów od 1920. W latach 1928–33 mistrz nowicjatu w Leśnej Podlaskiej, następnie przeor w Budapeszcie 1934, przeor w Rzymie (1934–46), prokurator generalny przy Stolicy Apostolskiej (1937–46), rektor Polskiego Instytutu Papieskiego (1943–45). Powrót do Polski 1946; wikariusz generalny zakonu. Od maja 1949 przeor Jasnej Góry. Szykanowany przez aparat państwowy za „szkalowanie władzy socjalistycznej", aresztowany w maju 1950. Po dwóch latach śledztwa skazany w marcu 1952 na 3 lata więzienia (z zaliczeniem dotychczasowego pobytu w więzieniu). Uniewinniony po apelacji jesienią 1952. Po powrocie na Jasną Górę nadal wikariusz generalny zakonu; ponownie skazany w 1958 na dwa lata za krytykę władz (wyrok w zawieszeniu), od 1958 pełniący obowiązki przeora klasztoru.

...Jak mi pan sędzia zarzucił szpiegostwo na rzecz
Franco, to ja najpierw w ogóle nie rozumiałem,
o co chodzi, i powiedziałem, że my, paulini,
nie mamy żadnych domów zakonnych w Hiszpanii,
więc może to dotyczy ojców jezuitów
– i uśmiechnął się, ja zaś zacząłem podejrzewać,
że być może ojciec Raczyński nie jest tak naiwny,
jak dotychczas sądziłem.


# O. KAROL KAJETAN RACZYŃSKI

P oznałem go w 1950 roku, w areszcie wewnętrznym Ministerstwa Bezpieczeństwa Publicznego na ul. Koszykowej. Do celi wszedł korpulentny kapłan katolicki w podniszczonym i przybrudzonym białym stroju paulina. Spokojny, stateczny i – tak mi się wówczas wydawało – w szczególny sposób naiwny. Z okupacji wyniosłem znaczną wiedzę zarówno o dobru, jak i złu tkwiącym w człowieku, tymczasem ojciec Karol Kajetan Raczyński zdawał się zło lekceważyć. Po prostu nie chciał przyjąć do wiadomości, że ktoś może świadomie kierować się złymi intencjami. Był łagodny, dobrotliwy i bardzo uparty.

Od połowy lat 30. przebywał poza Polską, najpierw na Węgrzech, potem w Rzymie, gdzie był przez pewien czas rektorem Polskiego Instytutu Papieskiego. Po wyjściu na wolność dowiedziałem się, że w czasie pobytu w Rzymie badał pisma Marii od Pana Jezusa Dobrego Pasterza, Franciszki Siedliskiej, twórczyni zgromadzenia zakonnego Najświętszej Rodziny z Nazaretu (która została beatyfikowana przez Jana Pawła II w 1989 roku) – i że napisał zakwestionowaną przez cenzurę kościelną pracę o duszy Chrystusa...

Ale tymczasem jesteśmy w piwnicznej celi na ul. Koszykowej. Dowiaduję się od ojca Raczyńskiego, że wiosną 1949 roku został wybrany przeorem Jasnej Góry i niemal natychmiast stał się obiektem ataków władzy ludowej. Pierwszym pretekstem była próba konfiskaty ogrodowej cieplarni, na co ojciec Raczyński odpowiedział kazaniem, w którym znalazła się prośba do wiernych o przysyłanie kwiatów. Wierni ochoczo zareagowali – ku strapieniu władz miejskich i UB… Aresztowano go w związku z rewizją w skarbczyku zakrystii jasnogórskiej, za naruszenie drakońskich wówczas przepisów dewizowych. Jako przeor powinien był informować władze o darach, pieniądzach, które przysyłali w listach wierni z Ameryki. On wyjaśniał tak: – Pieniądze nie musiały być zgłaszane ani przeze mnie, ani przez brata ekonoma, bo nie były dla nas. – A dla kogo? – Dla Matki Najświętszej! Ta wykładnia nie za bardzo trafiała do oficerów śledczych, ale byli speszeni, bo ojciec Kajetan mówił powoli, spokojnie i dziwił się, że jego wyjaśnienia, tak przecież oczywiste, nie spotykają się ze zrozumieniem.

Często wzywano go na przesłuchania. Siedzący z nami w celi Jerzy Sienkiewicz, żołnierz Kedywu, któremu zarzucono szpiegostwo na rzecz USA, ponieważ był jakiś czas kierowcą amerykańskiego *attaché militaire*, poprosił: – A może ojciec przyniósłby fajki? Na to ojciec Kajetan: – Ale jakie to by rzuciło światło na paulinów? My nie palimy! – Dają ojcu? – Owszem, proponują. – To niech ojciec bierze i mówi, że na potem. W ten sposób ojciec nie skłamie. – Rzeczywiście, nie skłamię… I zaczął przynosić. Namawiali go do zeznań na temat stosunków w Watykanie. – Rozmawiał ojciec z papieżem? – Rozmawiałem. – O czym? – A to już jest sprawa Ojca Świętego i moja. Bardzo grzecznie odnosił się do śledczych, per „panie sędzio". Któregoś dnia mówi mi: – Panie Władysławie, jak mi pan sędzia zarzucił szpiegostwo na rzecz Franco, to ja najpierw w ogóle nie rozumiałem, o co chodzi, i powiedziałem, że my, paulini, nie mamy żadnych domów zakonnych w Hiszpanii, więc może to dotyczy ojców jezuitów – i uśmiechnął się, ja zaś zacząłem podejrzewać, że być może ojciec Raczyński nie jest tak naiwny, jak dotychczas sądziłem.

Rozstaliśmy się w maju 1951 roku. W więzieniu mokotowskim dotarła do mnie wiadomość, że został skazany na stosunkowo niewielki wyrok, od którego klasztor jasnogórski wniósł apelację. W końcu ojciec Raczyński został uniewinniony i wczesną jesienią wrócił na Jasną Górę.

Ojciec Kajetan Raczyński oczekujący przyjazdu ks. Kard. Griffina, Jasna Góra, 16 czerwca 1947 roku

Z więzienia wyszedł jednak schorowany. Przez pewien czas mieszkał na Bachledówce. Nabrawszy sił wrócił do Częstochowy. W 1957 roku miał wyjechać do Rzymu, w oczekiwaniu na paszport wygłosił (do ponad stu tysięcy ludzi!) kazanie, w którym zaatakował ideowe fundamenty systemu socjalistycznego. Służba Bezpieczeństwa zaczęła go nękać przesłuchaniami. W końcu został skazany na dwa lata więzienia z zawieszeniem i grzywnę. O tej sprawie opowiedział mi później mecenas Miron Kołakowski z Częstochowy, w 1957 roku poseł z Koła „Znak", który wystąpił z wnioskiem o rewizję wyroku. Latem 1958 roku dowiedziałem się, że po znanym najściu SB na Instytut Prymasowski w klasztorze na Jasnej Górze ojciec Raczyński objął tymczasowo funkcję przeora. Po dwóch latach zaniemógł. Podobno aż do śmierci dręczyły go wspomnienia doświadczeń więziennych.

Jasna Góra

**Witold Lis-Olszewski,** pseud. **Alicja, Dr Markiewicz, Wojciech Leopolita,**
ur. 8 października 1905, Lwów, zm. 21 kwietnia 1986, Warszawa, prawnik, oficer rez. artylerii WP, kapitan AK. Absolwent prawa na Uniwersytecie Jana Kazimierza we Lwowie, sędzia sądu grodzkiego w Skolem, podprokurator w Stryju, od 1937 wiceprokurator Sądu Okręgowego w Radomiu. W kampanii wrześniowej w obronie Lwowa. W konspiracji od listopada 1939; początkowo komendant miasta i powiatu Radom Narodowej Organizacji Wojskowej (NOW), następnie od wiosny 1941 komendant Okręgu Radom NOW, jednocześnie w Okręgowej Delegaturze Rządu na Kraj w Kielcach. Od wiosny 1943 w Warszawie w Wydziale Legalizacji KG AK, następnie w Wydziale Bezpieczeństwa i Kontrwywiadu KG AK. Czynny w akcji „N". Po wojnie obrońca w procesach żołnierzy NOW, AK i WiN. Aresztowany w październiku 1948, skazany w 1950 na 10 lat więzienia, zwolniony na mocy amnestii w 1953. Inspektor w Miejskim Przedsiębiorstwie Robót Wodociągowych i Kanalizacyjnych. Po rehabilitacji przez Sąd Wojewódzki ponownie wpisany na listę adwokatów – obrońca w procesach politycznych. Zawieszony w prawie wykonywania zawodu w 1968 (po sprawie Szymona Szechtera i Niny Karsov), czynny jako instruktor jazdy konnej. Obrońca m.in. robotników z Radomia i Ursusa 1976, w stanie wojennym robotników Huty „Warszawa". Od 1979 do końca życia konsultant i doradca Komisji do Badania Nadużywania Psychiatrii Światowego Zrzeszenia Psychiatrów w Wiedniu.

Stawał w obronie ludzi krzywdzonych. Szlachetny.
Dobrze mieć takich przyjaciół.

# Witold Lis-Olszewski

Z pochodzenia lwowiak, z zawodu prawnik, z temperamentu – zadzierzysty, pełen entuzjazmu kawalerzysta. Poznaliśmy się wczesnym latem 1952 roku, gdy – po wyroku – zostałem wezwany do naczelnika więzienia.

– Za co jesteście skazany?

– Z artykułu ósmego.

– Za co?

– Za rzekome szpiegostwo.

– Rzekome? Nie ma rzekome, sąd was skazał!

– Obywatelu naczelniku, czy obywatel naczelnik uważa, że gdybym był prawdziwym szpiegiem, to bym dostał osiem lat?

– Może byliście takim mniejszym szpiegiem... Jesteście dziennikarzem. Znacie się na drukarstwie? To stara, dobra zasada więzienna: jak cię pytają, czy znasz się na czymś, odpowiadaj, że tak. Na ogrodnictwie? Oczywiście! Na hydraulice? Oczywiście! Na drukarstwie? Akurat o drukarstwie naprawdę miałem pewne pojęcie.

Przeniesiono mnie do innej celi, gdzie poznałem dwóch doświadczonych drukarzy: Leona Słaninę, działacza Stronnictwa Narodowego, przedwojennego właściciela zakładu poligraficznego na Śląsku, i Michała Pasławskiego – sympatycznego fałszerza dolarów. Dostał za to dożywocie. Dolary! To jest arystokracja wśród fałszerzy... Wcześniej był instruktorem szkolącym więźniów w drukarni więziennej w Rawiczu. Mnie jakoś nie chciało się wierzyć jego opowieściom o tym, że wytwarzał fałszywe dolary dla Podziemia, ale później – po latach

– sprawdziłem i rzeczywiście, okazało się, że współpracował w tej dziedzinie ze znanym krakowskim księgarzem Stefanem Kamińskim. Czyli był raczej więźniem politycznym niż kryminalnym.

Najpierw zostałem przyuczonym zecerem ręcznym. Potem awansowałem na stanowisko szefa korekty. Kariera nieco ryzykowna, bo za puszczenie błędu można było zapłacić przeniesieniem do Wronek albo do Rawicza. Drukarnia nr 3 Ministerstwa Bezpieczeństwa Publicznego przy ulicy Rakowieckiej 37 wykonywała zamówienia specjalne: druki ścisłego zarachowania, karty i listy wyborcze, bilety dla WKS „Gwardia", cenniki, gdy przyszła zmiana cen, a także numerowane instrukcje dla aparatu bezpieczeństwa, tajne. Miałem zatem dostęp do interesujących informacji. Nie za darmo! Spostrzegłem bowiem – i to jest druga strona medalu – że zdecydowana większość zatrudnionych w drukarni ma wyroki od piętnastu lat do dożywocia. Niebezpiecznie to wyglądało. Bo jeśli jako korektor zaznajamiałem się z tekstem ściśle tajnego dokumentu, to w interesie władz musiało leżeć jak najdłuższe przetrzymanie mnie – w obawie przed ujawnieniem tajemnicy. Proste! No, ale miałem pracę w nie najgorszych warunkach, wśród interesujących ludzi z Delegatury Rządu, jak np. Władysław Minkiewicz z „Mocy"*, ze sprawy „Startu"**, z Brygady Świętokrzyskiej NSZ. Byli też Niemcy, byli polscy kryminaliści. U Niemców miałem ksywę „Maschinengewehr", karabin maszynowy, bo szybko mówiłem, kryminaliści nazywali mnie „Zatopkiem" – od mistrza biegów Emila Zatopka – bo wciąż biegałem. Szefem więźniów był znany wydawca i księgarz poznański Franciszek Żynda, jego prawą ręką Franciszek Stemler z Delegatury Rządu, mój przyjaciel, skromną zaś rolę introligatora spełniał – między innymi – doktor praw Witold Lis-Olszewski, skazany na pięć lat (skrócono mu ten okres z wyroku dziesięcioletniego) na podstawie artykułu 86 Kodeksu Karnego Wojska Polskiego.

**M.K.** „Art. 86 § 1.: Kto usiłuje przemocą usunąć ustanowione organa władzy zwierzchniej Narodu albo zagarnąć ich władzę, podlega karze więzienia na czas nie krótszy niż pięć lat albo karze śmierci. § 2. Kto usiłuje przemocą zmienić ustrój Państwa Polskiego, podlega karze więzienia na czas nie krótszy niż pięć lat albo karze śmierci".

---

\* „Moc" – kryptonim Departamentu Spraw Zagranicznych Delegatury Rządu na Kraj.
\*\* „Start" – kryptonim Ekspozytury Urzędu Śledczego Państwowego Korpusu Bezpieczeństwa Miasta Stołecznego Warszawy.

Porucznik Witold Lis-Olszewski, fotografia z okresu 1923–1939

**W.B.** No właśnie, ale z tego co wiem, Witold Lis-Olszewski został aresztowany i skazany nie dlatego, że zamierzał usuwać organa władzy zwierzchniej Narodu, ale z powodu kłamliwych zeznań pewnego człowieka bez zasad.

Był energiczny, rozmowny, dowcipny, więc szybko nawiązaliśmy kontakt. Chętnie opowiadał – w granicach wyznaczanych przez więzienny instynkt samozachowawczy – o swych doświadczeniach z przedwojnia, a gdy nabrał do mnie zaufania, także i o okresie konspiracji. Urodził się w 1905 roku w rodzinie adwokackiej, chyba we Lwowie albo w bliskich okolicach. O tym mieście mówił ze wzruszeniem, z czułością, i przez całe życie pielęgnował lwowskie znajomości i przyjaźnie. Studia na Wydziale Prawa Uniwersytetu Jana Kazimierza ukończył w 1927 roku, zaś cztery lata potem zdał egzamin sędziowski. Bodaj przez rok był sędzią grodzkim, następnie objął stanowisko w prokuraturze przy sądzie okręgowym w Stryju. Okazało się, że mamy wspólną znajomą, bo przecież w Stryju prowadziła kancelarię adwokacką Zofia Rudnicka, czyli Paulina Hausman (która od grudnia 1942 roku kierowała biurem Rady Pomocy Żydom). Lis-Olszewski pamiętał ją z czasów, gdy była aplikantką i życzliwie się o niej wyrażał, choć politycznie było im od siebie daleko. On, stanowczy narodowy demokrata, ona – związana zrazu z ZNMS, potem zaś z Klubami Demokratycznymi.

W 1937 roku został podprokuratorem w Radomiu. Oskarżał – między innymi – w procesie niemieckiej grupy szpiegowskiej, która działała w fabryce prochu w Pionkach. W czasie kampanii wrześniowej walczył we Lwowie jako oficer 62. dywizjonu artylerii lekkiej. Brał udział w pertraktacjach z Niemcami, którym zależało, ze względów ambicjonalnych (bo, jak wiemy, ustalenia polityczne między Hitlerem a Stalinem były inne), by wejść do miasta przed Sowietami. Z tych rozmów zachowała się fotografia, na której porucznik Lis-Olszewski z białą flagą pod pachą wyjaśnia coś oficerom Wehrmachtu, oni zaś – jak mi opowiadał – zapewniali, że jeśli Lwów podda się Niemcom, to pozostanie w Europie, a jeśli Rosjanom – to będzie wchłonięty przez Azję.

Jesienią 1939 roku wrócił do Radomia. Przez krótki okres pełnił funkcję prokuratora, następnie zajął się praktyką adwokacką. Jednocześnie odgrywał istotną rolę w tworzeniu radomskiego okręgu Narodowej Organizacji Wojskowej[*], w 1941 roku został komendantem Okręgu Radom NOW. W 1942 roku

---

[*] NOW – Narodowa Organizacja Wojskowa – formacja zbrojna Stronnictwa Narodowego, utworzona w październiku 1939 roku. Część NOW w latach 1942–43 roku. Scaliła się z AK (do AK wcielono ok. 60 tys. żołnierzy), reszta wraz ze Związkiem Jaszczurczym utworzyła Narodowe Siły Zbrojne.

Lwów, 7 października 1939. Porucznik Witold Lis-Olszewski z białą flagą

wpisano go na listę adwokatów Izby Warszawskiej. Do Warszawy przeniósł się w momencie scalenia części NOW z Armią Krajową. Działał m.in. w Wydziale Bezpieczeństwa i Kontrwywiadu Oddziału II Komendy Głównej AK, którym dowodził „Oskar" Bernard Zakrzewski (brał udział w próbach ustalenia miejsca, w którym Niemcy uwięzili „Grota" Roweckiego), współpracował z Kazimierzem Kumanieckim w akcji „N".

W 1945 roku został radcą prawnym Państwowych Zakładów Wydawnictw Szkolnych. Wpisany na listę adwokatów w Warszawie występował jako obrońca w procesach żołnierzy NOW i WiN. Aresztowano go w październiku 1948 roku, kiedy bezpieka zaczęła w sposób pogłębiony interesować się strukturami Podziemia, co zresztą dotyczyło zarówno środowisk prawicowych, jak i lewicowych. W śledztwie do niczego się nie przyznawał, a to, co o nim wiedzieli, poddawał mądrej interpretacji.

Był człowiekiem o wielkim wdzięku – powiedziałbym, że lwowskim. Taki szczególny rodzaj przewrotnej, żartobliwej dobroduszności. Ja jestem rdzennym warszawiakiem, ale zawsze miałem sympatię do lwowian i jakoś tak się składało, że właśnie wśród nich miałem bliskich przyjaciół, najpierw był Lis-Olszewski, potem Stanisław Lem, ludzie bardzo różni. Lwów łączył. Tworzył płaszczyznę porozumienia: lwowiak Lis-Olszewski, endek, konserwatywny katolik, patriota typu „Bóg i Ojczyzna" przyjaźnił się na przykład w latach 60. z lwowiakiem, Żydem, byłym komunistą i byłym łagiernikiem, niewidomym Szymonem Szechterem, współdziałał z nim w rozmaitych knowaniach.

Z więzienia Lis-Olszewski został zwolniony w październiku 1953 roku. Spotkaliśmy się po dwóch latach. Śmiejąc się poinformował mnie, że jest starszym inspektorem planowania w warszawskim Przedsiębiorstwie Robót Wodociągowych i Kanalizacyjnych. Rok potem ponownie wpisano go na listę adwokatów. Dziarsko zabrał się do procesów rehabilitacyjnych. Przeprowadził ich ponad siedemdziesiąt. A tu trzeba dodać, że korzystając z luk w prawie, stworzył prywatną kancelarię adwokacką, w której zatrudnił Władysława Siłę-Nowickiego, absolwenta Wydziału Prawa UW z 1935 roku, oficera 6. Pułku Strzelców Konnych, oficera Kedywu, potem WiN-u, skazanego na śmierć w 1948 roku. Pracowali w małym mieszkaniu na ul. Marszałkowskiej w pobliżu pl. Zbawiciela. Pamiętam ten dom, wpół zburzony, bywałem u nich, podziwiając fantazję Lisa-Olszewskiego: dwaj byli skazańcy, dopiero co wypuszczeni z więzień, prowadzą sprawy rehabilitacyjne przed sądami PRL..., pomysł z szalonej baśni,

Widok gmachu Uniwersytetu Jana Kazimierza we Lwowie, 1925

Widok gmachu Uniwersytetu Jana Kazimierza we Lwowie, 1931

to nie powinno się w głowie mieścić – ale się mieściło. Ale że popaździerni-
kowy liberalizm trwał niezbyt długo, więc i niezbyt długo mogła działać pry-
watna kancelaria Lisa-Olszewskiego. Ulokował się w zespole adwokackim na
ul. Wspólnej. Występował w sprawach przeciwko nadużyciom funkcjonariuszy
Milicji Obywatelskiej, bronił nękanych przez władze świadków Jehowy. Był też
przez kilkanaście lat radcą prawnym ambasady Austrii.

Jego aktywność sprawiła, że znalazł się pod obserwacją SB, a że – choć endek
– nie dał się uwieść moczarowskim obietnicom, więc ta obserwacja przekształ-
ciła się w dokuczanie. Bronił Niny Karsov i Szymona Szechtera oskarżonych
przez SB o posiadanie notatek z procesów politycznych. Nina Karsov, którą dobrze znałem, była jako dziecko uratowana przez ludzi związanych z „Żegotą".
Lis-Olszewski doszedł do wniosku, że jej sprawę trzeba nagłośnić na Zachodzie, najlepiej zaś będzie, jeśli ja się tym zajmę, co też zrobiłem z przyjemno-
ścią, alarmując gdzie się dało. W 1968 roku Nina Karsov została uznana przez
Amnesty International za więźnia sumienia, w jej obronie wystąpił publicznie
Bertrand Russell, co wywołało wściekłość SB. W efekcie mój przyjaciel został
zawieszony w prawach adwokata i przez półtora roku pracował jako instruktor
jazdy konnej w klubie „Ostroga" w Pyrach.

Mimo dramatycznych, bolesnych doświadczeń więziennych był człowiekiem ufnym i głośno chwalił tych, którzy jego zdaniem na zaufanie zasługują.
Z moich akt w IPN, wynika, że o mnie mówił – niestety – wyłącznie w superla-
tywach, „niezłomny", „wspaniały"... a to zwróciło uwagę działającego w jego
bliskim otoczeniu tajnego współpracownika i wywołało zainteresowanie SB,
która rozpoczęła postępowanie operacyjne wobec mnie. Po paroletniej drobia-
zgowej analizie, prowadzonej w roku 1967 i później, wykryto zbieżności między moimi kontaktami z Lisem-Olszewskim a audycjami „Wolnej Europy" na
temat sytuacji w sądownictwie i adwokaturze. Sprawa wybuchła 1 października
1970 roku, gdy po trwającej ponad dobę rewizji w moim domu postawiono mi
zarzut „kierowania siatką wywiadowczą Wolnej Europy".

Wiek emerytalny osiągnął Lis-Olszewski w 1975 roku i wtedy Prezydium
Naczelnej Rady Adwokackiej pozbawiło go prawa do praktyki. To wywołało
protesty znanych działaczy samorządu adwokackiego w Warszawie, Macieja
Dubois i Andrzeja Rościszewskiego. Wiosną 1976 roku Naczelna Rada Adwokacka cofnęła decyzję swego prezydium. Lis-Olszewski przystąpił do obrony robotników z Ursusa i Radomia. Zmuszono go do przejścia na emeryturę

jesienią 1978 roku. Wtedy został konsultantem Komisji do Badania Nadużywania Psychiatrii Światowego Zrzeszenia Psychiatrów w Wiedniu. Po prostu nie dawał się! Niezłomnie trwał przy swoim. Przy naszym.

W styczniu 1981 roku pojechał do Poznania jako delegat środowiska warszawskiego wybrany – wraz z Siłą-Nowickim – największą liczbą głosów – na Nadzwyczajny Ogólnopolski Zjazd Adwokatów. Był zaskoczony i wzruszony, gdy Zjazd podjął jednogłośnie uchwałę, w której delegaci żądali przywrócenia mu prawa wykonywania zawodu. Przydało się: w styczniu i lutym 1982 roku bronił robotników huty „Warszawa" w procesach związanych ze stanem wojennym.

A ponadto zajmował się poezją. Napisał dwa tomy wierszy – jako Wojciech Leopolita, czyli Lwowczyk (trzeci Leopolita w dziejach kultury polskiej, po Marcinie – kompozytorze i Janie – wydawcy Biblii).

Powtarzam: z pochodzenia lwowiak, z zawodu prawnik, z temperamentu – zadzierzysty, pełen entuzjazmu kawalerzysta. Stawał w obronie ludzi krzywdzonych. Szlachetny. Dobrze mieć takich przyjaciół.

Zmarł w Warszawie 21 kwietnia 1986 roku. Dowiedziałem się o tym z opóźnieniem, bo byłem wtedy profesorem gościnnym na Katolickim Uniwersytecie w Eichstätt w Bawarii, z dala od Warszawy.

**Feliks Świątek,** pseud. **Bonawentura, Jerzy Mierosławieński,**
ur.1 października 1906, Warszawa, zm. 31 stycznia 1966, Warszawa, urzędnik MSW, członek Delegatury Rządu na Kraj. Absolwent Wydziału Prawa Uniwersytetu Warszawskiego i Studium Politycznego Wolnej Wszechnicy Polskiej. Od 1932 radca ds. mniejszości narodowych w Departamencie Politycznym MSW. Uczestnik śledztwa po zabójstwie min. Pierackiego. W latach 1935–39 wykładowca zagadnień narodowościowych w Wolnej Wszechnicy Polskiej. Dwukrotnie (1937 i 1938) delegat rządu RP na sesje Ligi Narodów w Genewie. Od 1938 do wybuchu wojny kierownik referatu ukraińskiego ruchu nielegalnego w Wydziale Bezpieczeństwa MSW. Od połowy 1942 do Powstania Warszawskiego w Delegaturze Rządu na Kraj – kierownik referatu narodowościowego wchodzącego w skład „Tęczówki" (jednej z komórek kontrwywiadu Delegatury). Po powrocie do Warszawy nadal w konspiracyjnej Delegaturze Rządu (Departament Spraw Wewnętrznych); do jej samorozwiązania w lipcu 1945. Aresztowany w listopadzie 1948, skazany na 15 lat więzienia (Warszawa, Wronki, Rawicz). W styczniu 1955 roczna przerwa w odbywaniu kary dla poratowania zdrowia; w tym czasie wyrok uchylono. Odznaczony m.in. Srebrnym Krzyżem Zasługi (1936), Krzyżem Walecznych; doktor honoris causa Uniwersytetu Jana Kazimierza we Lwowie.

Pan Feliks Świątek, starszy od nas, skazany
na piętnaście lat, spokojny, taktowny, rozpraszał
dręczącą nas codzienną nudę opowieściami z czasów
przedwojennych. W więzieniu taki opowiadacz
to wielki skarb…

# FELIKS ŚWIĄTEK

Miejsce akcji: więzienie na ul. Rakowieckiej, najwyższe piętro pawilonu śledczego, tzw. jedenastki, cela nr 21. Czas akcji: druga połowa 1951 roku. Oprócz mnie w celi znajdują się: Sławek (Wiesław Jan) Cergowski i pan Feliks Świątek. Sławek, mój rówieśnik, w Powstaniu był dowódcą plutonu w kompanii B-1 Pułku „Baszta", został odznaczony Virtuti Militari. Jego brat Lech, celowniczy ckm w tej samej kompanii, też kawaler Virtuti Militari, znajdował się w innej części więzienia. Siedział także ich ojciec, płk Jan Szczurek-Cergowski, szef wydziału Artylerii Oddziału III KG AK, w Powstaniu dowódca zgrupowania w południowym Śródmieściu, po wojnie prezes Obszaru Zachodniego WiN, aresztowany jesienią 1945 roku, zwolniony w 1947, przez krótki czas służył potem w Ludowym Wojsku Polskim w Centrum Wyszkolenia Artylerii w Toruniu, ponownie aresztowany w 1950 roku, skazany na 15 lat.

Pan Feliks Świątek, niemal o generację starszy od nas, skazany na piętnaście lat, spokojny, taktowny, rozpraszał dręczącą nas codzienną nudę opowieściami z czasów przedwojennych. W więzieniu taki opowiadacz to wielki skarb… Mówił więc o swych podróżach do Szwajcarii, Francji i Włoch (był dwukrotnie delegatem Polski do Ligi Narodów – ale o tym nie wspomniał). Ani Sławek, ani ja nigdy nie byliśmy za granicą, więc słuchaliśmy go z otwartymi ustami. Znał ministrów spraw zagranicznych: Augusta Zaleskiego i Józef Becka! Znał pułkowników-legionistów! Znał Bronisława Pierackiego, ministra spraw wewnętrznych zastrzelonego przez terrorystę z OUN w 1934 roku. Jako pracownik MSW zajmował się aspektami politycznymi śledztwa w sprawie tego zamachu. Znawca problematyki ukraińskiej – wędrował z plecakiem, ot, taki sobie turysta, po Stanisławowskiem, Lwowskiem, Tarnopolskiem, gwarzył z chłopami (świetnie mówił po ukraińsku), wypytywał, notował... I Sławek i ja zrozumieliśmy, że pan Świątek nie opowie nam, co potem robił z notatkami. Podobno – tak przynajmniej twierdził – właśnie z powodu tych zainteresowań zawodowych został aresztowany przez UB. Dopiero po latach dowiedziałem się od prof. Czesława Madajczyka, że Świątek znał kulisy przechwycenia w latach 30. przez polskie organa bezpieczeństwa archiwum jednej z nielegalnych organizacji ukraińskich; być może brał udział w tej operacji.

O okupacji mówił niewiele: współpracował z RGO, miał znajomości w zarządzie miejskim, jednym słowem nic ciekawego. Z wyraźną obojętnością traktował moje – skądinąd ostrożne – opowieści o współpracy z Moczarskim zimą 1944/45 i o pracy w „Gazecie Ludowej". Odniosłem wrażenie, że takie osoby jak Korboński czy Bagiński z niczym istotnym mu się nie kojarzą. Coś w rodzaju:
– Aaa, Korboński, no był taki i uciekł. Za to często wspominał ze wzruszeniem żonę i dwoje małych dzieci. Jego syn urodził się w czasie Powstania w bombardowanym przez Niemców szpitalu Elżbietanek, a więc niemal na terenie działań kompanii, w której walczył Sławek, obaj więc byli podekscytowani.

Przeniesiono go do innej celi po paru miesiącach, ale często wracaliśmy ze Sławkiem do jego zajmujących opisów podróży po dalekich krajach. Szwajcaria, Francja... – z perspektywy celi nr 21 były równie daleko jak Australia czy Haiti, czyli tak jakby wcale ich nie było. Piękne bajki!

Miał czas. Z rozmów więziennych i późniejszych, na wolności, a także z lektury zachowanych dokumentów, zacząłem sobie układać historię pana Świątka. Przed wojną był kierownikiem referatu w Wydziale Bezpieczeństwa (policja polityczna) Ministerstwa Spraw Wewnętrznych. W konspiracji nosił pseudonim „Bonawentura". Kierował referatem narodowościowym Oddziału Polityczno-Społecznego „Tęczówka" Wydziału Bezpieczeństwa „Oko" Departamentu Spraw Wewnętrznych Delegatury Rządu. Wywiad polityczny – a więc zbieranie i analizowanie informacji dotyczących Ukraińców, Białorusinów, Litwinów, Rosjan, prowadzenie ewidencji organizacji polityczno-społecznych tych mniejszości, organizowanie samoobrony przed ich wrogimi w stosunku do Polaków

Feliks Świątek podczas pobytu w sanatorium w Świeradowie Zdroju, 1958 rok

akcjami. Podlegał także Korbońskiemu! Kontaktował się z nim w sprawach łączności radiowej. W jego konspiracyjnym mieszkaniu na ul. Bukowińskiej działała radiostacja. Spotykał się też z Moczarskim... W 1945 roku został szefem Wydziału Bezpieczeństwa Departamentu Spraw Wewnętrznych – i pełnił te funkcje aż do rozwiązania Delegatury Rządu RP na Kraj i aresztowania Korbońskiego. Uwięziono go pod koniec 1948 roku. Przeszedł ciężkie śledztwo. Chorował. Na wolności znalazł się jesienią 1955 roku. Mimo kuracji sanatoryjnej już nigdy nie powrócił do zdrowia.

W 2007 roku zobaczyłem w zaprzyjaźnionej księgarni książkę *Rody starej Warszawy* napisaną przez Tadeusza Władysława Świątka. Zacząłem ją przeglądać. Okazało się, że autor to właśnie syn pana Feliksa, urodzony w sierpniu 1944 roku w szpitalu Elżbietanek. Spotkaliśmy się w tej księgarni przelotnie pewnego dnia... Tadeusz Władysław jest świetnym varsavianistą, jego książki cieszą się zasłużonym powodzeniem, w telewizji obejrzałem klika odcinków cyklu „Saga rodów", w których opowiadał o dziejach warszawskich rodzin, w tym także Świątków. Opowiadał barwnie, z polotem – tak jak jego ojciec.

Wycieczka na Szczeliniec (Góry Stołowe ), 1955. Feliks Świątek (w okularach)
z żoną Eugenią Świątek, córką Ewą i synem Tadeuszem

**Bernard Zakrzewski** pseud. **Oskar, Hipolit,**

ur. 14 października 1907, wieś Grandorf (Granowiec, pow. Ostrów Wielkopolski), zm. 4 maja 1983, Warszawa; prawnik, oficer czasu wojny ( porucznik 1942, kapitan 1944, podpułkownik 1945), szef kontrwywiadu KG AK. Absolwent prawa na Uniwersytecie Poznańskim 1931, podprokurator Sądu Okręgowego w Pińsku. Podczas wojny w Warszawie zatrudniony jako administrator w miejskim Zarządzie Nieruchomości. W konspiracji od listopada 1939. Od kwietnia 1941 (do rozwiązania AK w styczniu 1945) szef Wydziału Bezpieczeństwa i Kontrwywiadu Komendy Głównej ZWZ-AK. Uczestnik Powstania Warszawskiego. Od sierpnia 1945 w Łodzi, pracownik Głównego Działu Transportu „Społem". Aresztowany w styczniu 1946, zwolniony z więzienia w lutym 1947. W grudniu 1947 wpisany na listę adwokatów. Pracownik warszawskiego przedsiębiorstwa „Spedytor". Ponownie aresztowany w styczniu 1949, skazany w 1954 na 15 lat więzienia ( w 1952 skreślony z listy adwokatów). Zwolniony z więzienia w maju 1956, zrehabilitowany w grudniu 1956. Od stycznia 1957 rzecznik, a następnie arbiter Głównej Komisji Arbitrażowej. Odznaczony trzykrotnie Krzyżem Walecznych i Virtuti Militari V klasy.

Rozmawialiśmy o historii. Starałem się dowiedzieć
od „Oskara", co wie o zamordowaniu „Tomasza"
– inż. arch. Jerzego Makowieckiego,
szefa Wydziału Informacji BIP.

# BERNARD ZAKRZEWSKI „OSKAR"

W czerwcu 1952 roku – skazany na osiem lat – znalazłem się w dużej zatłoczonej celi, czyli w tzw. ogólniaku w głównym budynku więzienia na Mokotowie. Tę przeprowadzkę przyjąłem z pewnym zadowoleniem: będzie z kim porozmawiać. Ktoś szepnął do mnie: – To „Oskar"! – i wskazał wzrokiem niepozornego mężczyznę w okularach, z gładko zaczesanymi włosami. „Oskar" – Bernard Zakrzewski, od wiosny 1941 roku do lata 1945 roku szef Wydziału Bezpieczeństwa i Kontrwywiadu Oddziału II Komendy Głównej AK, następnie zaś Delegatury Sił Zbrojnych, człowiek o wielkiej wiedzy, z której – pomyślałem – warto skorzystać. Co mną kierowało? Ciekawość dziennikarza, początkującego historyka. I sprawa dotykająca mnie osobiście, o której opowiem.

Moja działalność w Wydziale Informacji BIP KG AK i w komórce więziennej Departamentu Spraw Wewnętrznych Delegatury Rządu lokowała mnie na styku z kontrwywiadem, toteż siłą rzeczy – mimo rygorów konspiracji – słyszałem to i owo o „Oskarze". Mówiono, że jak na szefa Wydziału Bezpieczeństwa i Kontrwywiadu jest „nietypowy", bo nie wywodzi się ani z wojska, ani z przedwojennej policji czy wywiadu, ale z aparatu sprawiedliwości. Po prostu prawnik. Dopiero potem, po latach, dowiedziałem się, że po ukończeniu studiów na Uniwersytecie Poznańskim pełnił obowiązki podprokuratora Sądu Okręgowego w Gdyni, a następnie Sądu Okręgowego w Pińsku, a więc miejscach wrażliwych z punktu widzenia bezpieczeństwa Rzeczypospolitej. Z wojskiem nie miał związków: porucznikiem został mianowany w 1942 roku, inna rzecz, że w tym czasie w Armii Krajowej nie szafowano awansami. A kierował strukturą usytuowaną na pierwszej linii frontu, bo wchodzącą w bezpośrednie zwarcie z Gestapo, Abwehrą i ich konfidentami.

W sposobnej chwili przedstawiłem się: – Jestem „Teofil" z BIP-u, pracowałem pod kierownictwem „Tomasza", którego pan znał. Równolegle działałem w sprawach związanych z Pawiakiem, a także w Radzie Pomocy Żydom. W Delegaturze Sił Zbrojnych byłem podwładnym Moczarskiego. – Tak, słyszałem – kiwnął głową i tyle, wstrzemięźliwość charakterystyczna dla pracownika służb tajnych, usprawiedliwiona zresztą miejscem, w którym prowadziliśmy rozmowy. Z czasem okazało się, że wie o mnie sporo...

Był przygnębiony. Martwił się o los żony, Haliny Zakrzewskiej „Bedy", uwięzionej na oddziale śledczym MBP, o dwoje małych dzieci. Czekał na proces. Spodziewał się wysokiego wyroku, włącznie z karą śmierci, choć po ujawnieniu się w 1945 roku nie działał w konspiracji, był wpisany na listę łódzkich adwokatów, pracował jako radca prawny w łódzkim „Społem", potem w „Spedytorze". Domyślał się, że spotka go kara nie za to, co robił, ale za wyobrażenia rozszalałych oficerów śledczych o tym, co mógłby zrobić on – szef kontrwywiadu AK.

Rozmawialiśmy o historii. O historii sprzed paru lat, ciągle żywej, ale – zdawało się – bardzo odległej. O aresztowaniu „Grota" Roweckiego i pościgu za Kalksteinem, Świerczewskim i Kaczorowską[*]. „Oskar" nadzorował śledztwo w tej sprawie, prowadzone przez „Józefa" Stefana Rysia, który przesłuchał Świerczewskiego i dopilnował wykonania wyroku na zdrajcy. O ponurej aferze „Nadwywiadu" – stworzonej przez Gestapo przy pomocy polskich konfidentów sieci wywiadowczej, która przeniknęła do struktur AK i NOW. Jej organizator Józef Hammer-Baczewski odgrywał rolę inspektora przysłanego z Londynu do prowadzenia kontroli struktur podziemnych. Dla „płk. Baczewskiego" pracowało około dwustu osób, w większości nieświadomych jego związków z Gestapo. Hammer został zdemaskowany przez „Oskara" i zastrzelony. Ale „Nadwywiad" – przejęty przez Abwehrę – wciąż działał, teraz pod kierownictwem człowieka, który służył przed wojną w polskim kontrwywiadzie. „Oskar" prowadził z nim specyficzną grę, korzystał z dostarczanych przezeń informacji, w końcu zdecydował o wyeliminowaniu agenta. Ten spóźnił się o parę minut na spotkanie w lokalu, w którym czekali na niego egzekutorzy. Kule dosięgły osoby przypadkowej.

Starałem się dowiedzieć od „Oskara", co wie o zamordowaniu „Tomasza" – inż. arch. Jerzego Makowieckiego, szefa Wydziału Informacji BIP. Było tak:

---

[*] Ludwik Kalkstein, Eugeniusz Świerczewski, Blanka Kaczorowska – agenci Gestapo; zdaniem historyków winni wydania Dowódcy AK Stefana Roweckiego „Grota" w ręce Niemców.

„OSKAR"

# LUDWIK KALKSTEIN PRZED SĄDEM

## PRAWDA O ZBRODNI EUGENIUSZA ŚWIERCZEWSKIEGO

W trzech poprzednich numerach „Stolicy" zaznajomiliśmy naszych czytelników z relacją „OSKARA", BYŁEGO SZEFA WYDZIAŁU BEZPIECZEŃSTWA I KONTRWYWIADU W II ODDZIALE KOMENDY GŁÓWNEJ AK o tym, jak się odbyło aresztowanie gen. dyw. Stefana Roweckiego — „Grota" w dniu 30 czerwca 1943 r., o tym jak przebiegało śledztwo prowadzone przez kontrwywiad AK w tej sprawie, o zdradzieckiej działalności trójki niebezpiecznych konfidentów Gestapo — LUDWIKA KALKSTEINA, EUGENIUSZA ŚWIERCZEWSKIEGO i BLANKI KACZOROWSKIEJ, a wreszcie o wykryciu przez kontrwywiad prawdziwej roli tych osób, WYDANIU NA WSZYSTKICH TROJE WYROKU ŚMIERCI W 1944 R., ujęciu EUGENIUSZA ŚWIERCZEWSKIEGO przez REFERAT 993W, przesłuchaniu go i straceniu w suterenie przy ul. Krochmalnej.

W ostatnich tygodniach okupacji, już po upadku Powstania Warszawskiego, widziano Ludwika Kalksteina kilkakrotnie w mundurze gestapowskim w Sochaczewie i w innych miejscowościach podwarszawskich. Zniszczenie wielkiego ośrodka ruchu oporu, jakim była Warszawa, śmierć wielu ludzi i przepadek licznych archiwów, zagrzebanych pod gruzami miasta, a wreszcie pewna dezorganizacja i ograniczenie możliwości działania akowskiego podziemia w tym okresie — wszystko to zdawało się dodawać zdrajcy pewności siebie.

W burzliwych dniach ofensywy radzieckiej i panicznego odwrotu armii hitlerowskiej w styczniu 1945 r. Kalkstein zniknął gdzieś bez wieści. Blankę Kaczorowską widywano zaś to w Łowiczu, to w Łodzi, to gdzie indziej. Cała sprawa jednak przycichła. Nieufność okazywana po wojnie generalnie byłym żołnierzom Armii Krajowej dotyczyła w szczególnej mierze tych akowców, którzy pełnili swą służbę w latach okupacji w różnych komórkach wywiadu. Wielu z nich znalazło się niesłusznie w więzieniach, wielu spotykało się z różnymi szykanami. Utrudniało to, oczywiście, pełne wykorzystanie przez państwo materiałów, zbieranych przez te komórki w czasie wojny na temat działalności konfidentów Gestapo i zdrajców Narodu Polskiego.

Zarówno Kalksteinowi jak i Kaczorowskiej udało się po wojnie przez kilka lat uchować na wolności. Kalkstein ukrywał się na Ziemiach Zachodnich, używając fałszywych nazwisk i posługując się sfałszowanymi dowodami, jako „Święcki", „Święk", „Świerk" i „Świerkiewicz".

Kaczorowska aresztowana pierwszą — 23 grudnia 1952 roku w Warszawie. Kalksteina ujęto w Szczecinie 20 sierpnia 1953 r. Sprawa Kaczorowskiej odbyła się już po kilku miesiącach — w czerwcu 1953 r. — przed Sądem Wojewódzkim dla m. st. Warszawy. Oskarżoną przyznała się do zarzucanych jej zbrodni wydania szeregu osób w ręce Gestapo oraz do pełnienia funkcji agentki Gestapo i wtyczki w Biurze Studiów II Oddziału Komendy Głównej AK, za co wymierzono jej 12 czerwca 1953 r. karę łączną dożywotniego więzienia. Sąd Najwyższy wyrokiem z 15 września 1953 r. obniżył jej karę do 15 lat więzienia, a w maju 1956 r. złagodzono z kolei ten wyrok, na podstawie ustawy amnestyjnej, do dziesięciu lat więzienia.

Ludwik Kalkstein stanął przed Sądem Wojewódzkim dla m. st. Warszawy w listopadzie 1954 r., oskarżony o to, że w czasie od jesieni 1942 r. do maja 1945 r. brał udział w organizacji przestępczej, jaką była „Gestapo", że wydał w tym czasie w ręce Gestapo kilkunastu członków organizacji AK, a ponadto, że dopuścił się odstępstwa od narodowości polskiej (poza tym zaś o ukrywanie się pod fałszywym nazwiskiem po wojnie).

Kalkstein wykazywał niemały tupet, a nawet bezczelność w swoich zeznaniach, składanych przed Sądem. Przyznając się zasadniczo do większości zarzucanych mu czynów, próbował usprawiedliwiać swoją zbrodniczą działalność dość oryginalnie pojmowaną ideologią „wallenrodyzmu". Twierdził, że odstępstwa od narodowości polskiej i zbrodni wydawania działaczy niepodległościowych, a w szczególności kie-

równiczych osobistości centralnego wywiadu Armii Krajowej, w ręce Gestapo, dopuścił się tylko... aby wprowadzić hitlerowców w błąd, zamaskować przed nimi swoje istotne zamiary i zdobyć tak wielkie ich zaufanie, żeby móc przy okazji dotrzeć do Kwatery Głównej i tam... zabić Hitlera lub Himmlera.

Co więcej, jak wynika z zeznań Kalksteina, pewne tajemnicze i krwawe wsypy okupacyjne, których przyczyn nie udało się nam wyjaśnić do końca wojny — były również spowodowane przez niego lub jego członków rodziny, a zarazem współpracowników: Świerczewskiego i Kaczorowską. Dotyczy to w szczególności wydania w ręce Gestapo czterech kobiet z komórki łączności z zagranicą „Iko", spośród których Iwona Krugłowska (z domu Rozen) została rozstrzelana. Również w wyniku działalności grupy Kalksteina zlikwidowana została przez Gestapo komórka wywiadowcza centralnego wywiadu ofensywnego AK w Wiedniu, a wszystkie osoby aresztowane tam przewieziono do Berlina i skazano na karę śmierci, po czym wyroki na nich wykonano. Z całej wsypy uratowała się przypadkowo tylko jedna z pracownic komórki wiedeńskiej, Zofia Kubułko, dzięki chwilowej nieobecności na miejscu. Winę Kalksteina w spowodowaniu tych aresztowań i w następstwie śmierci osób aresztowanych, potwierdziła w swoich zeznaniach Irena Chmielewiczowa, była sekretarka i tłumaczka warszawskiego Gestapo, odbywająca wówczas karę więzienia za przestępstwa, jakich dopuściła się w okresie okupacji.

Sąd Wojewódzki nie dał wiary wykrętnym i bezczelnym wywodom renegata. Kalksteina skazano, na podstawie osk w ręce Gestapo, na karę dożywotniego więzienia (z art. 1 p. 2 dekretu z dn. 31. VIII. 1944 r.) oraz za przynależność do organizacji przestępczej, jaką było Gestapo, na dwanaście lat więzienia (z art. 4 tegoż dekretu) orzekając łączną karę dożywotniego więzienia. Kalkstein uznał, że został skrzywdzony i odwołał się od tego wyroku do Sądu Najwyższego. Sąd Najwyższy orzeczeniem z dn. 2 marca 1955 r., na posiedzeniu jawnym, utrzymał w mocy karę dożywotniego więzienia dla Kalksteina, uznając ją za niewygórowaną i dopatrując się „bezwzględnego zuchwalstwa" w powoływaniu się oskarżonego na jego rzekomy „wallenrodyzm". W maju 1956 r. Sąd Wojewódzki dla m. st. Warszawy obniżył Kalksteinowi wyrok na podstawie amnestii do dwunastu lat więzienia.

Wiadomość o sprawie Kalksteina podała w formie krótkiego komunikatu „Trybuna Ludu" z dnia 12 lutego 1955 r. Notatka ogłoszona w „Trybunie" zelektryzowała tysiące uważnych czytelników dziennika, pisząc bowiem o Kalksteinie, Świerczewskim i Kaczorowskiej podano tam do wiadomości pu-

blicznej, że „rodzina zdrajców zdekonspirowała m. in. Komendanta Głównego ZWZ „Grota" - Roweckiego".

Rzeczywiście, zeznania Ludwika Kalksteina, jak również zeznania Ireny Chmielewiczowej oraz przebywającego w polskim więzieniu gestapowca Alfreda Milkego, stanowią brakujące ogniwo w obrazie zdradzieckiej działalności Eugeniusza Świerczewskiego, straconego z wyroku Wojskowego Sądu Specjalnego przy Komendzie Głównej AK w czerwcu 1944 roku.

Zeznania te pokrywają się również logicznie z relacją, złożoną władzom alianckim w Zachodnich Niemczech przez Thomasa, b. funkcjonariusza Reichssicherheitshauptamtu (Głównego Urzędu Bezpieczeństwa Rzeszy) w Berlinie, referenta do spraw AK w tym urzędzie.

Kalkstein postawił sobie za cel zbrodniczej współpracy z Untersturmführerem Erichem Mertenem z alei Szucha, obok rozpracowania i likwidacji kierowniczych agend Oddziału Informacyjno - Wywiadowczego Komendy Głównej AK, zazede wszystkim rozpracowanie i doprowadzenie do ujęcia przez Gestapo Komendanta Głównego AK gen. „Grota" - Roweckiego. Opracowując plan działania, Kalkstein uważał swe zamiary za realne o tyle, że wiedział o szczególnych możliwościach w tym zakresie swojego współpracownika Eugeniusza Świerczewskiego. Świerczewski znał bowiem osobiście „Grota", jeszcze z wojny 1920 r., a w okresie międzywojennym zetknął się z czesnym pułkownikiem Roweckim na terenie wojskowych instytucji naukowo - wydawniczych.

Kalkstein, reprezentujący całą grupę prowokatorów na terenie Gestapo i przekazujący polecenia z Szucha Świerczewskiemu i swojej żonie, początkowo (według zeznań Chmielewiczowej) — nie chciał się podjąć wydania Komendanta Głównego AK, zasłaniając się brakiem odpowiednich kontaktów. Po pewnym czasie jednak sam zgłosił, że istnieje możliwość ujęcia „Grota". Przyznają, dla której Kalkstein wyraził nagle gotowość wskazania „Grota", był niewątpliwie fakt spotkania aktualnie gen. Roweckiego na ulicy przez Świerczewskiego. Świerczewski miał nie tylko widzieć kilkakrotnie „Grota", ale nawet rzekomo z nim rozmawiać. Po zgłoszeniu tej wiadomości do Szucha postawiono tam do dyspozycji specjalną, bardzo liczną grupę wypadową, która mogła wyruszyć natychmiast na miasto, na każdy alarm telefoniczny, co potwierdzają zgodnie zeznania Chmielewiczowej i Milkego.

30 czerwca 1943 r. o godzinie 9 rano telefon zadźwięczał w alei Szucha. Agent Eugeniusz Świerczewski podał oczekiwaną wiadomość. Grupa wypadowa wyruszyła natychmiast na ul. Spiską.

„Stolica" nr 32 z 11 sierpnia 1957, s. 22 i 23

13 czerwca 1944 roku Makowiecki i jego żona Zofia zostali porwani i zabici pod Warszawą, w okolicach wsi Górce. Tego samego dnia uzbrojeni mężczyźni, Polacy, wdarli się do mieszkania pracownika Wydziału Informacji BIP, history-ka Ludwika Widerszala. Zastrzelili go na oczach ciężarnej żony. Potem dwoje pracowników BIP – profesor Marceli Handelsman i Halina Krahelska – zostało wydanych w ręce Gestapo. O porwaniu Makowieckich dowiedziałem się 14 lub 15 czerwca. Byłem wówczas kierownikiem referatu prasowego w Wydziale In-formacji BIP i jednocześnie pracowałem w komórce więziennej kierowanej przez Witolda Bieńkowskiego. I właśnie do komórki więziennej dotarła informacja, że Makowiecki i jego żona zostali porwani z mieszkania na Kolonii Staszica. Mieliśmy sprawdzić w trybie alarmowym, czy porwani nie znajdują się na Pa-wiaku oraz czy nie ma ich ciał w Zakładzie Medycyny Sądowej. Kilkadziesiąt godzin później dowiedziałem się, że porwaniu towarzyszył mord na naszym ko-ledze z BIP-u Ludwiku Widerszalu. To wyglądało na zaplanowaną akcję przeciw środowisku BIP. Potem doszły wiadomości o wydaniu w ręce Gestapo Krahel-skiej i Handelsmana. Nietrudno było skojarzyć te wydarzenia z krążącymi od pewnego czasu listami proskrypcyjnymi. Ich poetyka wyraźnie wskazywała na autorów związanych z ugrupowaniami skrajnej prawicy... Na takich listach figu-rował na przykład mój szef „Piotr", „Lidzki", Eugeniusz Czarnowski, zasłużony organizator konspiracji niepodległościowej w 1939 roku, twórca Zjednoczenia Demokratycznego, potem jeden z Szesnastu, wywieziony do Moskwy i sądzony. Na liście przekręcono mu nazwisko na Czarnocki. W efekcie został zastrzelo-ny młody intelektualista Czarnocki... Pojawiło się podejrzenie, że morderstwa są dziełem grupy ludzi z NSZ, którzy w wyniku scalenia części NSZ z Armią Krajową trafili do komórek kontrwywiadu Okręgu Warszawskiego i zaczęli re-alizować politykę swej macierzystej organizacji. To byłoby niemożliwe na szcze-blu Komendy Głównej, gdzie kontrwywiadem kierował Bernard Zakrzewski, „Oskar", piłsudczyk. Latem 1944 roku śledztwo z ramienia Kierownictwa Walki Podziemnej i BIP prowadził Kazimierz Moczarski. Zostało ustalone, że porwania i zabójstw dokonała grupa „Andrzeja Sudeczki", czyli Andrzeja Popławskiego. „Sudeczko", przedwojenny podoficer WP, stworzył grupę złożoną z odważnych, dobrze uzbrojonych młodych ludzi. Miał jakieś związki z AK. Wykonywał tzw. akcje ekspropriacyjne i zabójstwa na zlecenia rozmaitych organizacji, trudno po-wiedzieć, czy z myślą o korzyściach materialnych, czy może z fałszywych pobu-dek ideowych? No więc ustalono, kto był mieczem, mniej lub bardziej ślepym.

„Sudeczko” został zastrzelony na Powązkach. Wiem o tym, bo w czasie Powstania Warszawskiego była rozważana sprawa ogłoszenia w prasie akowskiej komunikatu o tych wydarzeniach. Przeważył jednak pogląd, że może warto poczekać z jego publikacją na bardziej sprzyjające okoliczności.

To wszystko wydawało mi się jakieś dziwne i w sumie straszne. Bo przecież bratobójcza zbrodnia w Podziemiu, w sercu konspiracji! Któregoś dnia – jeszcze w czerwcu 1944 roku – powiedziałem Bieńkowskiemu, że konieczne jest jak najszybsze wykrycie sprawców. A proszę pamiętać, że byłem z nim zaprzyjaźniony, ufałem mu. I nagle Bieńkowski mówi do mnie tonem, jakiego wcześniej nie słyszałem: – Kategorycznie żądam, żebyś nie mieszał się do tych spraw! Nie zajmuj się nimi! To jest polecenie służbowe! Był moim szefem w komórce więziennej, miał prawo to powiedzieć, ale nie spodobał mi się ton. Jakaś intuicja... Oczywiście przyjąłem zakaz do wiadomości, ale postanowiłem zrezygnować z pracy w Delegaturze. Drogą służbową, a więc przez Bieńkowskiego, złożyłem dymisję u dyrektora Departamentu Spraw Wewnętrznych Delegatury, tłumacząc, że w obliczu spodziewanych czekających nas działań zbrojnych, moim pierwszym obowiązkiem jest służba w Armii Krajowej. Bo przecież najpierw byłem zaprzysiężony w Armii Krajowej, pracę w Delegaturze podjąłem za zgodą przełożonych z wojska. Bieńkowski nie przekazał mojej dymisji...

Tuż po wojnie poznałem szczegóły aresztowania przez Gestapo Krahelskiej i Handelsmana. Oboje zginęli w obozach. Nie ulegało wątpliwości, że zostali zadenuncjowani. Rozmawiałem o tym z Kazimierzem Moczarskim, który w 1945 roku stał na czele BIP-u. Teraz mogłem spytać „Oskara”.

Mówił wstrzemięźliwie, że morderstwa i denuncjacje były dziełem „wtyczek mafijnych” w warszawskim kontrwywiadzie AK. O osobach tworzących tę mafię milczał, choć wiedział – co sobie uświadomiłem po paru latach – że w jednej z sąsiednich cel siedzi Władysław Jamontt, prawnik, przed wojną znany działacz ONR, w 1934 roku aresztowany w związku z pobiciem prof. Marcelego Handelsmana, w 1937 roku szef terrorystycznej Narodowej Organizacji Bojowej „Życie i Śmierć dla Narodu”, a potem oficer kontrwywiadu AK, który wydał „Sudeczce” polecenie zabicia Makowieckich... Bodaj po trzech tygodniach Zakrzewski został przeniesiony do innej celi. Skazano go na piętnaście lat więzienia.

Tu muszę przeskoczyć do roku 1957. Moja koleżanka z „Gazety Ludowej”, mecenas Halina Piekarska i jej mąż, też prawnik, prowadzący jakieś małe przedsiębiorstwo, zaprosili mnie na kolację. Gospodyni lokuje mnie przy stole obok

Władysława Jamontta. Mówi: – Sadzam was obok siebie, bo przecież siedzieliście w tym samym więzieniu, więc pewnie macie sobie sporo do opowiedzenia. Rzeczywiście, gdy byłem w więzieniu na Rakowieckiej, mówiono mi, że Jamontt znajduje się w tym samym pawilonie. Nie znałem go. Nie miałem pojęcia o jego usytuowaniach w AK. Znałem natomiast jego siostrę Helenę, która przed wojną była związana z ONR, zaś w czasie okupacji działała w pionie kobiecym Konfederacji Narodu. Spotykałem się z nią dosyć często, w sprawach związanych z Pawiakiem, ona miała tam swoje kontakty, brała udział w wysyłce paczek dla więźniów. Wiedziałem, jaki jest jej rodowód polityczny, ale to dla mnie nie miało znaczenia, bo znałem jej lojalność wobec Państwa Podziemnego. Lubiliśmy się. Wiedziała, jak mam na imię, i pewnego dnia powiedziała mi, że ma ukochanego brata o tym samym imieniu, zaproponowała nawet, żebym go poznał. Do tego wówczas nie doszło. Doszło natomiast do spotkania Jamontta z Bieńkowskim, który mi o tym mówił jakoś tak: – Wiesz, poznałem brata Hali... albo: – Rozmawiałem z bratem Hali... I widać było, że jest pod coraz większym jego urokiem, pod coraz silniejszym wpływem...

Siedzimy przy stole, jemy, pijemy, zwracam się do Jamontta, mówię, że znałem jego siostrę i że wielka szkoda, że tak młodo poległa. Bo ona zginęła w Powstaniu na Starówce. Jamontt opowiada, że po wojnie ukrył się w Urzędzie Bezpieczeństwa w Nowym Targu, chyba jako radca prawny, tam go nakryli i aresztowali. Ja z kolei przypominam sobie, że w 1944 roku był w bliskim kontakcie z Bieńkowskim. A on nagle oświadcza: – Z Bieńkowskim jest związana ważna sprawa w moim życiu. On mnie wrobił. Kazał mi zabijać ludzi! – Jakich ludzi? W tym momencie Jamontt zaczyna mówić o porwaniu Makowieckich i zabójstwie Ludwika Widerszala. Przy stole. Pijemy wino, coś jemy, no, szokujące! Mówi, że był wtedy oficerem kontrwywiadu AK. Czy w tej sprawie działał z ramienia kontrwywiadu? Nie, z polecenia Bieńkowskiego. Niemożliwe! Przecież to byli bliscy sobie ludzie! Makowiecki został ojcem chrzestnym dziecka żydowskiego, które Bieńkowscy przechowywali aż do końca wojny! Jamontt zapewnia, że mówi prawdę. Opowiada, że spotykał się z Bieńkowskim w mieszkaniu nr 14 przy ulicy Mickiewicza 37. A to było moje mieszkanie, do którego Bieńkowski miał klucze! Nie mogąc uwierzyć, zażądałem, żeby opisał ten lokal. Opisał szczegółowo, nawet kolor i kształt stołu, przy którym się naradzali. A czy komuś o tym opowiadał? Jamontt zapewnia, że o wszystkim opowiedział w czasie śledztwa w UB. A więc bezpieka o tym wiedziała, a mimo to włos mu nie spadł z głowy!

# NA MARGINESIE ARTYKUŁÓW „OSKARA"
## WYJAŚNIENIA ROMANA NIEWIAROWICZA

Stolica nr 52 z 29 grudnia 1957

To było tak zaskakujące, tak niewiarygodne, ale pozwalało na zsumowanie pewnych podejrzeń, które teraz trzeba było zweryfikować. Zaprosiłem Jamontta na herbatę do mojego mieszkania. W sąsiednim pokoju przy uchylonych drzwiach siedział Kazimierz Moczarski, o czym Jamontt nie wiedział. No i zaczęliśmy długą rozmowę, w czasie której mój rozmówca jeszcze raz potwierdził, że Bieńkowski odegrał główną rolę w podjęciu decyzji zabicia Widerszala i Makowieckich. Wedle wersji Jamontta – Bieńkowski powoływał się na jakieś mgliste, specjalne pełnomocnictwa i wydał rozkaz Jamonttowi, a ten z kolei przekazał sprawę „Sudeczce" do wykonania. Zabrzmiało to księżycowo, bo sytuacja, w której pan A powołuje się na jakieś nieokreślone pełnomocnictwa, wydaje wyroki śmierci, a pan B po prostu kiwa głową i bez wahania te wyroki wykonuje, była w AK mało prawdopodobna, tym bardziej, że Jamontt był prawnikiem i doświadczonym konspiratorem, jeszcze sprzed wojny, gdy kierował Wydziałem Bojowym w organizacji Piaseckiego. A jednak uparł się przy tej wersji. Nie mówił, że jest niewinny. Potwierdzał swój udział. Ale odpowiedzialność za podjęcie decyzji przerzucał na Bieńkowskiego i swego kolegę z kontrwywiadu Władysława Niedenthala, syndykalistę (a więc odległego od ONR), który nie mógł ani potwierdzić, ani zaprzeczyć, bo zginął w Powstaniu. Oni zadecydowali, on tylko wykonał. Ale czy mu wierzyć, że był taki naiwny? Bo naiwny nie był.

Kilka lat po przemianach Polskiego Października z inicjatywy profesora Tadeusza Manteuffla utworzono nieformalną grupę dla zbadania sprawy. Aleksander Gieysztor, Stanisław Płoski, Zygmunt Kapitaniak, Kazimierz Moczarski i ja, czyli ludzie z BIP-u. Spotykaliśmy się w Instytucie Historii Polskiej Akademii Nauk na Rynku Starego Miasta. Protokoły z sesji prowadziła dr Wanda Kiedrzyńska z przedwojennego Wojskowego Biura Historycznego, związana z lewicą piłsudczykowską, w czasie okupacji więźniarka Ravensbrück. Po latach na protokoły natrafił Robert Jarocki, wykorzystał je w swej książce o Aleksandrze Gieysztorze. Otóż, gdy mówimy o wnioskach, ustalono, że zabójcami byli ludzie „Sudeczki", decyzję wydał Bieńkowski, prawdopodobnie pod wpływem Jamontta, ale w nieformalnym porozumieniu z osobami znajdującymi się na szczytach ugrupowań skrajnej prawicy, być może gdzieś w pobliżu dawnego ONR.

Bernard Zakrzewski opuścił więzienie w grudniu 1956 roku, jakiś czas potem został oczyszczony z wszelkich zarzutów, czyli zrehabilitowany. Był rzecznikiem Głównej Komisji Arbitrażowej w Warszawie. Pracowałem wtedy w tygodniku „Stolica". Zacząłem go namawiać do napisania wspomnień. Początkowo opierał się – to typowe dla ludzi ze służb tajnych: uważają, że milczenie jest cnotą nadrzędną, ale w końcu ustąpił. I tak latem 1957 roku w trzech kolejnych numerach „Stolicy" ukazały się jego teksty: „Kto wydał Niemcom generała »Grota«?", „Kontrwywiad na tropie zdrajców. Przesłuchanie i likwidacja Świerczewskiego w czerwcu 1944" i „Ludwik Kalkstein przed sądem. Prawda o zbrodni Eugeniusza Świerczewskiego".

Korzystałem z jego szczegółowych uwag – a pamięć miał świetną – pisząc *Warszawski pierścień śmierci 1939–1944*, a gdy w 1966 roku pojechałem do Londynu, „Oskar" dał mi adres Józefa Garlińskiego, który przed aresztowaniem przez Gestapo w 1943 roku był szefem Wydziału Więziennego, a następnie Wydziału Bezpieczeństwa Komendy Głównej Armii Krajowej.

W 1957 roku poznałem żonę „Oskara" – Halinę „Bedę", która podczas okupacji pełniła funkcję kierowniczki łączności wewnętrznej Szefa Sztabu KG ZWZ płk. Janusza Albrechta, a po jego samobójczej śmierci w 1941 roku objęła poważne stanowisko w Wywiadzie Wschodnim w Oddziale II KG AK. Była szefem Wojskowej Służby Kobiet – od 1944 roku w stopniu kapitana. Po wojnie pracowała w łódzkiej Państwowej Wyższej Szkole Teatralnej, w wydawnictwie „Książka" i w dziale słuchowisk Polskiego Radia. Aresztowana wraz z mężem w styczniu 1946 roku – po miesiącu została zwolniona. W jej obronie występował m.in. dr Stefan Żółkiewski, członek KC PPR, redaktor naczelny marksistowskiej „Kuźnicy". Ponownie uwięziono ją pod koniec stycznia 1949 roku, przed sądem stanęła w czerwcu 1954 roku. Skazano ją na pięć lat więzienia – i wyszła na wolność, bo sąd zaliczył jej okres aresztowania. Zaczęła pracować w Zarządzie Teatrów Ministerstwa Kultury i Sztuki, potem przeniosła się do Teatru Narodowego, gdzie była sekretarzem literackim – z korzyścią dla mnie i mojej żony, bo mieliśmy zawsze dobre miejsca na premierach. Z Teatru Narodowego odeszła wraz z Kazimierzem Dejmkiem, po słynnych *Dziadach*. Przetłumaczyła z rosyjskiego m.in. *Dni Turbinów* Michaiła Bułhakowa, zaś w 1994 roku nakładem Wydawnictwa Naukowego PWN ukazały się jej dwutomowe wspomnienia z lat 1939–1954 *Niepodległość będzie twoją nagrodą*.

Bernard Zakrzewski zmarł w 1983 roku (w tym czasie przebywałem w Niemczech), a Halina – w 2005 roku. Parę miesięcy temu, latem 2010 roku, ich zbiór dokumentów liczący sto czterdzieści teczek trafił do Archiwum Akt Nowych. Wielkie to wyzwanie dla historyka, który będzie chciał opisać skomplikowane dzieje wywiadu i kontrwywiadu Armii Krajowej.

**Jerzy Mering,**
ur. 5 maja 1909, Bolechów k. Stryja, zm. w Izraelu w połowie lat 90., prawnik. Absolwent Wydziału Prawa Uniwersytetu Warszawskiego (1930-1934), początkowo aplikant we Lwowie, następnie adwokat w Warszawie. Podczas okupacji we Lwowie. Po wojnie przejściowo w Krakowie, potem w Poznaniu jako dyrektor Zjednoczenia Przemysłu Winiarskiego. Od 1947 własna kancelaria adwokacka w Warszawie. Obrońca z urzędu w licznych procesach politycznych (m.in. generałów: Fieldorfa, Mossora, Tatara, Spychalskiego). W maju 1957 emigracja do Izraela. Autor zbioru wierszy *Alarm trwa* (wyd. po polsku w Izraelu w 1989)

Przypomina się o nim w kontekście procesu
gen. Fieldorfa, zapominając o sprawach, w których
mógł zrobić coś dobrego i rzeczywiście zrobił.

# JERZY MERING

Jerzego Meringa poznałem w okolicznościach... Mam pewien kłopot, jak je
określić. Niezwykłe? Poznałem go na przełomie lutego i marca 1954 roku
w więzieniu na Mokotowie – więc w okolicznościach dla mnie zwykłych, co-
dziennych. A jednak jego zachowanie – jak na tamte czasy – było niezwyczajne.
Mówił do strażnika ostrym, podniesionym tonem, ten zaś słuchał go potulnie,
przestępując z nogi na nogę, jak zbesztany uczniak.

Wracam do źródeł naszej znajomości. Otóż od lata 1952 roku pracowałem
w więziennej drukarni, w której obsługą i konserwacją maszyn zajmował się
inżynier Skalski, Żyd, członek PZPR, aresztowany bodaj za sabotaż czy mal-
wersacje, człowiek inteligentny i dobrotliwy. Niektórzy pracownicy drukarni –
więźniowie dogadywali mu złośliwie, że Żyd, dokuczali mu, a on denerwował
się, widziałem, że mu się ręce trzęsą. Porozmawiałem z kilkoma więźniami, poprosiłem, żeby przestali się wygłupiać. I przestali. Po jakimś czasie podchodzi
do mnie Skalski. Mówi:

– Wiem, co pan dla mnie zrobił.

– Nic nie zrobiłem...

– Czy mogę panu pomóc?

– Zdziwiłem się: Pan? Mnie?

– Mam znajomości...

– Co, zwolni mnie pan z więzienia?

– Ja pana nie zwolnię, ale może znajdzie się taki adwokat...

– Nie wierzę w cuda... Mnie bronił Gross.

– Gross nie ma siły. Nie jest pewny politycznie.

– No to jak mi pan pomoże?

– Zgłosi się do pana adwokat Jerzy Mering.

– Ale ja nie mam pieniędzy!

– On to zrobi bez pieniędzy.

I rzeczywiście. Pewnego dnia zaprowadzono mnie na widzenie z mecenasem Meringiem, który widząc, że strażnik ma zamiar przysłuchiwać się naszej rozmowie, po prostu wyrzucił go za drzwi: – Co, nie wiecie, że adwokat ma prawo rozmawiać z więźniem na osobności? Wynoście się! Mering, był jednym z radców prawnych Komitetu Centralnego PZPR i kierownictwa ZMP. Potem, po latach, dowiedziałem się, że bronił (z urzędu) gen. Fieldorfa wiedząc, jak niewiele może, zdając sobie sprawę, że wyrok zapadł przed rozpoczęciem rozprawy. Ostatnio przeczytałem, że powiedział żonie „Nila": „Pani mąż to człowiek ze stali, nie okazuje ani skruchy, ani żalu. Szkoda, że nie jest po naszej stronie". Tak czy inaczej przypomina się o nim w kontekście procesu gen. Fieldorfa, zapominając o sprawach, w których mógł zrobić coś dobrego i rzeczywiście zrobił. Ale wróćmy do naszego pierwszego spotkania. – Panie Bartoszewski – mówił – znam pańską sprawę, ale żebym uzyskał dostęp do pewnych akt, musi pan podpisać pełnomocnictwo. Podpisałem. A on na to: – Wznowię pańską sprawę. Może mi pan teraz nie wierzyć, ale przed końcem roku napijemy się u mnie w domu. Nie uwierzyłem.

Nie uwierzyłem, bo nie widziałem przyczyn, dla których sąd, który skazał mnie bezzasadnie na osiem lat więzienia za szpiegostwo, miałby teraz uznać, że jestem niewinny. Pół roku wcześniej doszły mnie wiadomości o rozstrzelaniu Berii i jego współpracowników – ale jako „agentów amerykańskiego imperializmu", czyli że „walka klasowa" miała trwać dalej, o „odwilży" w pierwszych miesiącach 1954 roku jeszcze nie mówiono.

Dziś domyślam się, że Mering mógł wiedzieć więcej. Mógł na przykład słyszeć o usunięciu pod koniec grudnia 1953 roku sowieckich szefów z Informacji Wojskowej Wojska Polskiego czy też o ucieczce płk. Światły i dokonujących się w związku z tym zmianach w strukturach Bezpieki. A ponadto miał za sobą spore doświadczenie wyniesione z ZSRR, o którym po latach pisał we wstępie do książki *Wielkie Mocarstwo Macedońskie czyli nadużywanie wymiaru sprawiedliwości w PRL*: „Kiedy Czerwona Armia oswobodziła Lwów od hitlerowskiej zarazy, przebywałem wtedy w tym mieście, gdzie przeżyłem wojnę i okupację. Pozostałem tam jeszcze

przez pełny rok i napatrzyłem na rzeczy, »o których filozofom się nie śniło«. (…)
Gdy w Polsce opowiadałem swoim bliskim znajomym, którzy wojnę przeżyli
w Związku Radzieckim, o moich nie budujących spostrzeżeniach z okresu lwow-
skiego, zapewniali mnie, że »u nas« tego nie będzie. Chciałem wierzyć i zabrałem
się do roboty – budować socjalizm. W 1946 roku spotkałem mego przyjaciela
z czasów studenckich Henryka Jungerwirta. Przed wojną studiował w Wiedniu
germanistykę (…) po ukończeniu studiów wrócił do Warszawy, gdzie w szkołach
średnich nauczał języka niemieckiego. Gdy wybuchła wojna w 1939 roku (…)
wraz z całą masą uchodźców przedostał się do Lwowa. W 1941 roku został nagle
aresztowany przez NKWD pod zarzutem szpiegostwa na rzecz Niemiec. Jego
znajomość języka niemieckiego oraz to, że studiował w Wiedniu, przemawiały
przeciw niemu. Wszelkie próby wyjaśnienia, że zaszło nieporozumienie, natra-
fiały na mur oporu. Był przesłuchiwany przez 48 godzin non stop. Gdy już był
całkiem rozbity i zrozpaczony, zjawił się »zbawca«, nowy oficer śledczy, »bardziej
ludzki«, który – jak się wyraził – »niestety, wiele pomóc nie może, gdyż kto się tu
dostał, wyjść stąd nie może«. Zaznaczył jednak, że udzieli mu dobrej rady, jeżeli
go posłucha, to może po pewnym czasie i ten koszmar się skończy. Poradził mu,
by się przyznał, że uprawiał szpiegostwo na rzecz Wielkiego Mocarstwa Macedońskiego. Gdy mój przyjaciel żachnął się, że przecież takiego mocarstwa nie
ma, ten zaznaczył – »właśnie o to chodzi, nikt nie będzie badał, czy takie mocarstwo istnieje, czy nie. Gdy się przyzna, zostanie skazany i zesłany na ileś tam lat.
W naszym kraju – dodał – od czasu do czasu zmienia się atmosfera polityczna
i gdy nastąpi odwilż, podniesiesz krzyk, że zostałeś skazany za szpiegostwo na
rzecz nieistniejącego mocarstwa«. I tak się rzeczywiście stało. W 1945 roku zaczął
pisać do wszystkich możliwych instancji o krzywdzie, jaka go spotkała. I rzeczywiście, w końcu po pół roku trwającym wyjaśnieniu, ustalili, że takiego mocarstwa nie ma i go zwolnili. Niestety, niewiele czasu minęło, gdy napotkałem odci-
ski palców twórców »Wielkiego Mocarstwa Macedońskiego« w Polsce Ludowej”.

Wyposażony w pełnomocnictwo Mering ruszył do dzieła, ale parę tygodni po
naszym spotkaniu zostałem przewieziony do więzienia w Rawiczu.

**M.K.** Przypadek?

**W.B.** Efekt donosów. Są tego ślady w zasobach IPN. Mering znalazł mnie w Rawiczu. Powiedział, że przeniesienie trochę komplikuje sytuację, ale on postara się,

żebym stanął przed komisją lekarską. A to był właśnie czas pojawienia się pierwszych oznak „odwilży". W więzieniach zaczęły działać komisje lekarskie, które zwalniały ludzi na przerwy w odbywaniu kary z przyczyn zdrowotnych... A więc niby wszystko zostało po staremu, ale w systemie pojawiły się szczeliny. Wkrótce komisja otrzymała moje dokumenty ze szpitala więziennego opanowanego przez więźniów politycznych. Naczelny lekarz, doktor Mróz, był skazany na 15 lat za pomoc medyczną udzielaną „leśnym". Pracami kancelaryjnymi w szpitalu kierował mój dobry znajomy Andrzej Ciechanowiecki,[*] który brał też udział w pracach komisji. Zdjęcia rentgenowskie wskazywały, że zapadłem na obustronną gruźlicę naciekową. Lekarz dodał, że mam też poważne kłopoty z sercem. Komisja uznała – o czym nieoficjalnie dowiedziałem się od Ciechanowieckiego – że należy mnie skierować na urlop zdrowotny. Wniosek w tej sprawie został skierowany do władz zwierzchnich, ja zaś zostałem zaczepiony w szpitalu jako pomocnik kierownika apteki – majora dr. Szczepana Wacka, ze „sprawy Tatara".

Działania Meringa komuś się nie spodobały. Komu? Komuś wpływowemu w UB. I w pierwszych dniach czerwca 1954 roku przeniesiono mnie nagle do więzienia w Raciborzu. A tam panowały stosunki infernalne. SS-mani i upowcy z dożywociem – żyli w swoistej symbiozie ze strażnikami, z których znaczna część służyła uprzednio w więzieniach hitlerowskich. Dla nich Polak-więzień polityczny był śmiertelnym wrogiem, takim, którego trzeba zgładzić. Poczułem, że już nigdy nie wyjdę na wolność. Straciłem nadzieję. Po paru dniach skierowano mnie do szycia mundurów. Okropne warunki. W powietrzu unosił się pył. Nie wyrabiałem normy, więc zaczęły się wrzaski, straszenie karami. Udało mi się dostać do lekarza więziennego. Nazywano go doktorem, choć był studentem medycyny z Krakowa. Nazywał się chyba Wójcikiewicz. Powołałem się na dokumentację komisji zdrowotnej z Rawicza.

– Panie doktorze, z obustronną gruźlicą nie mogę pracować w pyle.

– Jedyne co dla was mogę zrobić, to dać was na obserwację do szpitala – odpowiedział.

I ocalił mnie.

**M.K.** Czy Mering wiedział, że pan jest w Raciborzu?

---

[*] Andrzej Ciechanowiecki (ur. 1924) – historyk sztuki, kolekcjoner, filantrop, żołnierz AK, uczestnik Powstania Warszawskiego, aresztowany w 1950 r., skazany w 1952 r. na 10 lat więzienia, zwolniony w marcu 1956 r. i zrehabilitowany. Mieszka w Londynie.

Więzienie w *Raciborzu* dnia *16* / *8* 195*4* r.

Nr akt sprawy *St. 384/52*

Nr księgi więźniów *166/54*

**Świadectwo zwolnienia**
więźnia karnego

Więzień *Bartoszewski Władysław s. Władysław*

z *Warszawy* pow.

skazany wyrokiem *Wojsk. Sądu Rej.* w *Warszawie*

z dnia *29 maja* 195*2* r. na *8 lat.*

*więzienia* za *Art. 8 Dekret z 16.11.45 r*

zwolniony został dziś po odbyciu kary. Podczas pobytu w więzieniu

sprawował się *przeciwtyg. 1 roku* był zatrudniony

w .................................... jako .....................

w czasie od .................... do ...................

Obowiązany jest zameldować się w biurze Milicji w *Radomiu*

nie później, jak do dnia *12 sierpnia* 195... r.

NACZELNIK WIĘZIENIA

Świadectwo zwolnienia Wadysława Bartoszewskiego z więzienia na roczną przerwę

Warszawa, dnia 2 marca 1955 r.

Sr.384/52/Arch.

Ob.Władysław Bartoszewski
Warszawa,Lwowska 10.m.25
-----------------------------------------

Zawiadamiam Obywatela,że Zgromadzenie Sędziów
Najwyższego Sądu Wojskowego w dniu 2 marca 195?r. postanowiło:
uchylić w całości postanowienie Najwyższego Sądu
Wojskowego z dnia 17 lipca 1952r.i wyrok Wojskowego Sądu Rejonowego
w Warszawie z dnia 29.V.1952r.w Obywatela sprawie i umorzyć postępowanie karne o przest.z art.8 Dekr.z 16.11.45r.,pozostawiając bez
uwzględnienia wniosek rewizyjny Naczelnego Prokuratora Wojskowego .
Jednocześnie zawiadamiam,że naczelnik więzienia w
Raciborzu o powyższym został powiadomiony.-

wyk.SK.ppor.

Postanowienie o umorzeniu postępowania karnego wobec W. Bartoszewskiego

**W.B.** Wiedział, że wywieziono mnie z Rawicza. Wszczął poszukiwania. 16 sierpnia 1954 roku wręczono mi orzeczenie o półrocznym urlopie zdrowotnym. Pojechałem do Krakowa, potem zaś do Zakopanego, aby się podleczyć. Przed Wigilią wpadłem na parę dni do Warszawy. Odwiedziłem Meringa w jego mieszkaniu. Zapytałem, jak się mam mu odwdzięczyć. Odpowiedział, że o honorarium będziemy mówili po ostatecznym załatwieniu sprawy. Był bezinteresowny, serdeczny. Pokazał mi kopię dotyczącego mnie podania, które złożył w Naczelnej Prokuraturze Wojskowej.

**M.K.** „Podanie o rewizję w trybie nadzoru sądowego (art. 281 KWPK): Wyrokiem Wojskowego Sądu Rejonowego w Warszawie z dnia 29 maja 1952 r. (...) został oskarżony Władysław Bartoszewski skazany na karę 8 lat więzienia z mocy art. 8 dekretu z dn. 16 XI 1945 r. o przestępstwach szczególnie niebezpiecznych w okresie odbudowy Państwa. Wyrok powyższy uważam za niesłuszny z powodu obrazy istotnych przepisów prawa materialnego i procesowego (...) Dnia 15 listopada 1946 r. organy MBP aresztują skazanego Bartoszewskiego i przeprowadzają szczegółowe śledztwo. Bartoszewski przebywa w związku z tym w areszcie śledczym ponad półtora roku, do 10 kwietnia 1948 r., kiedy po ustaleniu, że poza działalnością poprzednią z roku 1945, skazany żadnego przestępstwa nie dokonał – umarza się postępowanie w roku 1948 i zwalnia Bartoszewskiego z aresztu śledczego. Dochodzenia obracały się stale wokół działalności Bartoszewskiego z roku 1945 i one, zdaniem Naczelnej Prokuratury Wojskowej, która miała nadzór nad śledztwem, nie dawały podstawy do wytoczenia aktu oskarżenia (...) 14 grudnia 1949 r. został ponownie aresztowany. Pomimo poprzedniego umorzenia sprawy i jeszcze wcześniejszego ujawnienia się, zgodnie z amnestią, pod tym samym zarzutem, który był: a) przedmiotem ujawnienia w październiku 1945 r., b) przedmiotem umorzenia po półtorarocznym areszcie śledczym w kwietniu 1948 r., c) który obejmował działalność od kwietnia do października 1945 r. – wytoczono mu sprawę (...) Bartoszewski został skazany na 8 lat więzienia. Przebywał od grudnia 1949 r. do sierpnia 1954 r., tj. około 5 lat w więzieniu, po czym uzyskał przerwę w wykonaniu kary z powodu obustronnej gruźlicy płuc oraz poważnego uszkodzenia serca (...) Skazanemu nie zaliczono aresztu śledczego za około półtora roku – od 15 XI 1946 r. do 10 IV 1948. Sąd Najwyższy uzasadnił niezaliczenie krótko: »skazany był zatrzymany w innej sprawie« (k. 115). Ustalenie powyższe, które nie jest poparte żadnym powołaniem się na jakiekolwiek dowody, sprzeczne jest z rzeczywistym stanem rzeczy. W aktach sprawy, mimo że się oskarżony wielokrotnie na to powoływał, nie ma jakiegokolwiek śladu przeprowadzonych badań bądź dowodów

Uroczystość zasadzenia drzewka „Żegoty". Laudację dla „Żegoty" wygłasza Gideon Hausner, przewodniczący Rady Yad Vashem, październik 1963. Władysław Bartoszewski pierwszy z lewej

Drzewo „Żegota" po 15 latach

na tę okoliczność (...) Zaliczenie aresztu śledczego jest w postępowaniu socjalistycznym obowiązkowe i stanowi zdobycz i chlubę prawa socjalistycznego (...) Jest rzeczą ustaloną wieloletnią judykaturą, że tajemnice państwowe przekazywane z pobudek wrogich Polsce Ludowej wyczerpują znamiona szpiegostwa. Przesłanką jednak jest to, aby przekazane wiadomości stanowiły tajemnicę państwową. Wiadomości przekazywanych przez Bartoszewskiego w aktach nie ma. Ich opis opiera się wyłącznie na zeznaniach świadka koronnego (...) Świadek stwierdza, że »oskarżony mówił jej bodajże o danych personalnych osób należących do stronnictw politycznych z wyjątkiem PPR (k. 107) oraz przekazywał informacje dotyczące ideologii stronnictw PPS, SP i SD« (k. 104). Na ogół takie informacje, dotyczące stosunków osobistych lub ideologii, nie stanowią tajemnicy państwowej. Jakież byłoby działanie ideologii, gdyby miało stanowić tajemnicę państwową? (...) Jakże Sąd mógł nie konkretyzując treści wiadomości, które *prima facie* są dopuszczalne (opinie polityczne, osobiste oceny, dane biograficzne) ocenić je jako tajemnice państwowe? Ten brak przewodu sądowego pozbawił skazanego niesłusznie dobrodziejstwa amnestii udzielonej przez ustawodawcę i naruszył praworządność. Z tych względów mam zaszczyt prosić o wystąpienie z wnioskiem w trybie nadzoru (z art. 281 KWPK) o uchylenie wyroku w niniejszej sprawie..."

**W.B.** 2 marca 1955 roku Zgromadzenie Sędziów Najwyższego Sądu Wojskowego uznało, że zostałem skazany bezprawnie. Spotkałem się z Meringiem. Promieniał ze szczęścia. Przekazałem mu honorarium, choć wzbraniał się. Przy okazji poleciłem mu paru moich kolegów z więzienia. Pomógł w wyciągnięciu na wolność Andrzeja Ciechanowieckiego i Franciszka Stemlera[*]. W trakcie jednego ze spotkań Mering powiedział mi, że nosi się z zamiarem wyjazdu z Polski. Ostatecznie wyemigrował do Izraela wraz z żoną, pianistką, i dwojgiem małych dzieci w 1957 roku. Zamieszkał w Hajfie. Klepał biedę. Nie znał hebrajskiego, nie znał prawa brytyjskiego, na którym opierało się prawo izraelskie. Pracował jako robotnik. Minęło parę lat. Pewnego dnia spotkałem w kawiarni „Europejskiej" Mariana Melmana, męża Idy Kamińskiej. Rozmawialiśmy o wspólnych znajomych. Wtedy dowiedziałem się, że Mering siedzi w Izraelu w więzieniu. Został skazany na dożywocie za zabicie, jak by to powiedzieć, no, podobno zastał swoją żonę z jakimś mężczyzną, poszedł do sklepu, kupił łom, no i go zatłukł... Czyli nie w afekcie,

---

[*] Franciszek Stemler (1905–2003) – prawnik, żołnierz AK, działacz Delegatury Rządu na Kraj, aresztowany w 1948 r., skazany na 12 lat za działalność antykomunistyczną, wyszedł na wolność w 1954 r.; zrehabilitowany w 1957 roku.

bo rzecz zaplanował, zastanowił się, poszedł do sklepu. A obowiązujące w Izraelu prawo brytyjskie było w takich przypadkach bezwzględne. Jak mu pomóc?

W 1963 roku po długotrwałych staraniach otrzymałem paszport. Pojechałem do Izraela, by zasadzić w Yad Vashem drzewko „Żegoty". W Jerozolimie nawiązałem kontakt z biurem adwokackim, które prowadziło sprawę Meringa. Spotkałem się z mecenasem Szczupakiem, pochodzącym z Krakowa czarującym starszym panem, żołnierzem Legionów. Rozłożył ręce: „Gdyby sprawa toczyła się przed sądem przysięgłych w Paryżu, to ludzie by płakali, kobiety by przynosiły kwiaty, a on zostałby uniewinniony – ale tu działa straszne prawo brytyjskie. Nic się nie da zrobić". Trafiłem do odpowiednich ludzi w izraelskim Ministerstwie Spraw Zagranicznych. To było akurat tuż po mojej wizycie u prezydenta Izraela Zalmana Szazara, którą telawiwska gazeta „Nowiny i Kurier" skwitowała artykułem zatytułowanym „Prezydent dziękuje szlachetnym Polakom za pomaganie Żydom podczas okupacji hitlerowskiej". Poprosiłem o umożliwienie mi wizyty w więzieniu w Ramle.

– U nas nie ma Żydów-więźniów politycznych – powiedział mi nieco zdziwiony urzędnik.

– Mering jest dla mnie polityczny o tyle, że jest wzorem Żyda, który ratował Polaków. Czy mam mówić tylko o Polakach, którzy ratują Żydów? Za to dziękował mi parę dni temu wasz prezydent. Teraz chcę mówić o Żydach, którzy ratowali Polaków.

Ostatecznie pojechałem do więzienia. Strażnik pyta, skąd jestem.

– Z Warszawy!

– Ja też z Warszawy! A z jakiej ulicy?

– Z Bielańskiej – powiedziałem.

– Ja też z Bielańskiej! – ucieszył się.

A potem, po dłuższym wypytywaniu o Warszawę, dodał:

– Panie, ja, Żyd, pilnuję więźniów Żydów, w żydowskim państwie. Przed wojną nie do pomyślenia!

Mering wiedział z gazet, że jestem w Izraelu, ale nie śniło mu się, że go odwiedzę... Był wzruszony. Ja też. Dali nam dzbanek kawy, zamknęli w celi, strażnik powiedział, że jak skończymy rozmowę, to mam uderzyć w kratę. Zapytałem Meringa, czy zgadza się, bym wystąpił do prezydenta Izraela Zalmana Szazara o zmniejszenie wyroku. Kiwnął głową. Napisałem podanie po polsku, przetłumaczono je na hebrajski. Prezydent zmniejszył mu wyrok do dziesięciu lat, a w 1967 roku Mering wyszedł na wolność.

Ponownie spotkaliśmy się piętnaście lat po widzeniu w więzieniu. Ożenił się ponownie, z kobietą z Polski. Był w dobrej formie. Wręczył mi tomik swoich wierszy z prośbą o recenzję. Wiersze były – prawdę mówiąc – okropne, więc starałem się o nich nie mówić. O zasługach Meringa tak, o wierszach nie. I jeszcze jedno spotkanie – w Nowym Jorku w 1984 roku. Potem zaś dowiedziałem się, że Mering wystąpił o przyznanie mi honorowego obywatelstwa państwa Izrael na podstawie nowych regulacji prawnych przyjętych przez Kneset w 1988 roku. Ten tytuł otrzymałem stosunkowo wcześnie, bo już w 1991 roku.

Jerzego Meringa zachowuję we wdzięcznej pamięci.

לאות הוקרה על הצלת יהודים בתקופת השואה תוך הסתכנות והקרבה: בהתאם לחוק זכרון השואה והגבורה - יד ושם (תיקון) התשמ"ה - 1985

מוענקת בזה אזרחות כבוד של מדינת ישראל

ל וואדיסלב ברטושבסקי

כביטוי לרגשי כבוד ותודה שרוחש עם ישראל לחסידי אומות העולם אצילי הנפש אשר בפעלם את האיר את חשכת תקופת הנאצים באירופה.

In recognition of the rescue of Jews during the Holocaust, fully aware of the dangers and severe risks to

And in accordance with the resolution of the Knesset of March Twenty Fifth, Nineteen Hundred and Eighty Five,

Honorary Citizenship
of the State of Israel is hereby awarded

To Władysław Bartoszewski

This recognition is an expression of the esteem and thanks harboured by the People of Israel for those Righteous Among the Nations who, through their noble deeds, rekindled the light of humanity during the darkness of the Nazi era in Europe.

Jerusalem, Israel
July 15, 1991

נתן היום בירושלים, ישראל
ד' אב תשנ"א

Dr. Yitzhak Arad
הנהלת יד ושם
Yad Vashem Directorate

R. Dafni
מועדה לציון חסידי אומות העולם
The Commission for the Righteous

Dokument przyznania honorowego obywatelstwa Państwa Izrael Władysławowi Bartoszewskiemu
w lipcu 1991 roku

**Matylda Ciechanowiecka,** (z hr. Osiecimskich-Hutten-Czapskich),
ur. 22 lipca 1900 Worniany (ziemia wileńska), zm. 6 września 1991, Londyn, żona polskiego dyplomaty Jerzego Ciechanowieckiego, matka Andrzeja Ciechanowieckiego znanego historyka sztuki, filantropa i kolekcjonera. Wykształcona w Convent of the Holy Child w St Leonards-on--Sea (1914–1918); po powrocie do Polski działa w misji charytatywnej brytyjskiej oraz jako tłumaczka Międzynarodowej Komisji Plebiscytowej na Górnym Śląsku. Po ślubie (1923) wraz z mężem na placówce dyplomatycznej w Budapeszcie. Po śmierci męża (1930) w Warszawie. Założycielka pierwszego publicznego pola golfowego w Powsinie pod Warszawą. Wojnę spędza w Warszawie (praca charytatywna), w środowiskach AK. Podczas Powstania prowadzi kantynę. Po upadku Powstania Warszawskiego pomaga w zwolnieniu z obozu w Pruszkowie m.in. Ludwiki Czartoryskiej, Marii z Karskich Kwileckiej i Madeleine Grodzkiej. Po wojnie w Krakowie, od 1961 do końca życia w Wielkiej Brytanii.

Matka młodego człowieka oskarżonego
o szpiegostwo – widziała, że nawet bliscy znajomi
przechodzą na drugą stronę ulicy,
by się z nią nie spotkać.


# Matylda Ciechanowiecka

Wyszedłem na wolność 16 sierpnia 1954 roku. Na wolność warunkową – bo z więzienia w Raciborzu zostałem zwolniony na rok z powodu złego stanu zdrowia, z powodu gruźlicy. Nadciągała „odwilż": władze PRL rozpoczęły cichą akcję zwalniania z więzień, posługując się diagnozami komisji lekarskich. Chorych w więzieniach było mnóstwo – część z nich znalazła się w takiej jak ja sytuacji. Ale wyroki wciąż pozostawały nienaruszone, wiszące nad naszymi głowami jak miecz Damoklesa. Rewizje procesów rozpoczęły się w 1953 roku, po likwidacji Ministerstwa Bezpieczeństwa Publicznego. Z Raciborza pojechałem do Krakowa, by po kilku dniach znaleźć się w Zakopanem i rozpocząć kurację.

W Krakowie czekali na mnie przyjaciele z Armii Krajowej: Kazimierz Ostrowski, Jadwiga Beaupré, Adam Dobrowolski. Bardzo mi wtedy pomagali. Materialnie, choć to słowo nie wyczerpuje istoty sprawy. Ostrowski był moim przyjacielem. Lubił mnie. W życiu jest tak, że albo się kogoś lubi, albo nie lubi, niekiedy bez uświadomionych przyczyn. Był moim przyjacielem, ale oprócz tego był mi wdzięczny za milczenie. O jego działalności w „Nie" wiedziały tylko dwie osoby... Roman Goldman[*] i ja. I nikt inny o tym się nie dowiedział. Jadwiga Beaupré, kapitan AK, doktor medycyny, córka wybitnego działacza Polskiej

---

[*] Roman Goldman (1901–1958), pseud. R. Ardens – przed wojną nauczyciel i dziennikarz, oficer rezerwy. Podczas wojny redaktor „Agencji Prasowej", organu Biura Informacji i Propagandy Komendy Głównej ZWZ--AK, od wiosny 1944 w organizacji „Nie", w której tworzył służbę informacyjno-propagandową; od jesieni 1945 w WiN. W latach 1946–51 więziony w Warszawie.

Partii Socjalistycznej, mąż zginął w obozie, wciąż była żołnierzem AK. Kiedyś mi powiedziała, że gdyby jej ojciec żył i widział to wszystko, co stało się z ideą socjalizmu, to by sobie życie odebrał. A jednocześnie jako polska inteligentka, jako lekarz-społecznik, tworzyła pierwsze placówki ginekologiczno-położnicze w Nowej Hucie, wzorcowym mieście PRL. Moje kontakty z Jadwigą Beaupré były bacznie obserwowane przez Służbę Bezpieczeństwa, o czym mówią akta w IPN. Adam Dobrowolski znalazł sobie miejsce w Zrzeszeniu Prywatnego Handlu i Usług, był radcą prawnym. Zrzeszenie miało dom wypoczynkowy w Zakopanem. I właśnie tam jesienią 1954 roku usłyszałem pierwszy raz w życiu audycję Radia Wolna Europa, była to akurat relacja z konferencji płk. Józefa Światło.

Zanim jednak wyjechałem do Zakopanego, złożyłem wizytę pani Matyldzie Ciechanowieckiej, matce mego przyjaciela – Andrzeja, którego poznałem w 1943 roku. Młodszy ode mnie o dwa lata, wówczas student tajnej Szkoły Głównej Handlowej i historii sztuki na tajnym Uniwersytecie Ziem Zachodnich, słuchacz podchorążówki AK, był jednocześnie współpracownikiem (wolontariuszem) Międzyorganizacyjnego Porozumienia Pomocy Więźniom. Była to organizacja charytatywna – oparta na środowiskach prawicowych – zajmująca się opieką nad więźniami politycznymi Pawiaka, Majdanka, w ograniczonym stopniu także Oświęcimia. Komórka więzienna Delegatury, w której działałem, przekazywała MPPW niektóre dokumenty dotyczące ludzi siedzących w więzieniach Gestapo, transportów do obozów koncentracyjnych. Ponownie zobaczyliśmy się w styczniu 1945 roku, gdy zostałem wygarnięty z mieszkania i osadzony – wraz z setkami warszawiaków – w obozie przejściowym na Prądniku. Rozmawialiśmy przez chwilę. Uczestniczył w Powstaniu, udało mu się uciec do Krakowa. Poprosiłem go na wszelki wypadek, by przekazał komu trzeba, że tu jestem. Spotkałem go po roku. Zamierzał wznowić studia – pasjonowała go historia sztuki. Przez pewien czas pracował w Ministerstwie Spraw Zagranicznych, zajmował się sprawami United Nations Relief and Rehabilitation Administration, został oddelegowany jako p.o. szefa protokołu do Ministerstwa Żeglugi i Handlu Zagranicznego, gdzie pracował do końca 1945 roku. Był pomysłodawcą i założycielem Klubu Logofagów*.

---

\* Klub Logofagów (dosł. „pożeraczy słów") – istniejący w Krakowie w latach 1947–50 jedyny niezależny dyskusyjny klub studencki, odbywający cotygodniowe zamknięte zebrania z udziałem zaproszonych referentów, przedstawicieli elity intelektualnej Polski: R. Ingardena, Wł. Tatarkiewicza, P. Jasienicy, J. Parandowskiego i innych.

Matylda z Osiecimskich Hutten-Czapskich Ciechanowiecka, jej syn, Andrzej Ciechanowiecki
(po prawej) i książę Antoni de Bourbon-Siciles, 1988 rok

Minęło osiem lat. Kwiecień 1954 roku. Przewieziony z więzienia na ul. Rakowieckiej w Warszawie do więzienia w Rawiczu, zostaję wezwany do lekarza. A tam przy biurku, zanurzony w papierach urzęduje Andrzej Ciechanowiecki. Unosi głowę, patrzy na mnie, przez chwilę zastanawia się, wstaje zza biurka, podchodzi do lekarza-więźnia i zaczyna mu coś szeptać do ucha. Był sekretarzem więziennej komisji lekarskiej – a więc dobrze usytuowanym funkcyjnym z dziesięcioletnim wyrokiem. Nie wiem, co wyszeptał, ale po chwili lekarz, więzień, o ile pamiętam – doktor Mróz z Białegostoku, wykrył u mnie gruźlicę. Wkrótce zostałem przeniesiony do bloku „czerwonego", gdzie była drewniana podłoga, sporo światła, mogłem wypożyczyć dwie książki tygodniowo i zaprenumerować „Trybunę Ludu", że nie wspomnę o zakupach cebuli, czosnku, sera i jajek w kantynie wewnętrznej. Po kilku dniach znów stanąłem przed lekarzem. Ciechanowiecki sprawił, że trafiłem do szpitala. Tam zostałem pomocnikiem majora dr. Szczepana Wacka (ze sprawy Tatara)*, który był kierownikiem apteki więziennej.

Bodaj w maju 1954 roku odwiedził mnie mec. Jerzy Mering. Powiedział, żebym był dobrej myśli: nie jest wykluczone, że gruźlica ułatwi wyciągnięcie mnie z więzienia. Po tygodniu stanąłem przed komisją lekarską, w której Andrzej reprezentował więzienną służbę zdrowia, inni zaś członkowie działali w imieniu Wojewódzkiego Urzędu Bezpieczeństwa w Poznaniu. Byłem naprawdę chory, ale opisując mój stan zdrowia, Ciechanowiecki podjął ryzyko stanowczego udramatyzowania sprawy. Diagnoza – gruźlica naciekowa obu płuc – umożliwiła komisji napisanie wniosku o rychłe przyznanie mi urlopu zdrowotnego. Niespodziewanie jednak wywieziono mnie 2 czerwca 1954 roku do więzienia w Raciborzu. Tymczasem działalność Ciechanowieckiego w komisji wzbudziła zainteresowanie UB. Swoimi chwalebnymi fałszerstwami tego typu skutecznie objął kilkudziesięciu więźniów politycznych. Aby uniknąć kompromitacji lekarzy-bezpieczniaków, którzy podpisywali pod jego wpływem rozmaite dokumenty, sprawę ostatecznie zamazano – wysyłając Andrzeja do Wronek.

Udałem się więc z wizytą do pani Matyldy Ciechanowieckiej. Mieszkała w dwóch pokojach wydzielonych z większego mieszkania. Skromnie tam było,

---

* Sprawa Tatara – najgłośniejszy proces pokazowy stalinowskiej Polski, zwany procesem generałów. Pod zarzutem szpiegostwa na rzecz Zachodu po brutalnym śledztwie skazano w 1951 r. na wysokie kary grupę wyższych oficerów II Rzeczypospolitej i PSZ na Zachodzie, m.in. gen. Stanisława Tatara, gen. Józefa Kuropieskę, gen. Stefana Mossora, gen. Franciszka Hermana (zmarł w 1952 r. w więzieniu mokotowskim), płk. Mariana Utnika; wszystkich zrehabilitowano w 1956 roku. Po tzw. procesach odpryskowych „sprawy Tatara" w latach 1952–53 rozstrzelano ok. 20 przedwojennych oficerów.

Na wernisażu Andrzeja Dzierżyńskiego, Upper Grosvenor Galleries, Londyn, 1964. Od lewej: Stefan Zamoyski, Edward Raczyński, Aniela Mieczysławska, Lord St Oswald (przemawia, otwierając wystawę), Andrzej Dzierżyński, Elżbieta (Iza) Zamoyska, Matylda (Tilly) Ciechanowiecka, Wirydianna Raczyńska, Róża Czartoryska

Prof. Andrzej Ciechanowiecki przy odsłonięciu tablicy ku czci gen. Weyganda w Warszawie, 14 lipca 2010 roku

ubogo, choć znawca z pewnością rozpoznałby parę świetnych płócien wiszących na ścianach. Pani Matylda (z hrabiów Osiecimskich-Hutten-Czapskich) była piękną, smukłą, liczącą nieco ponad pięćdziesiąt lat damą o ujmującym sposobie bycia. W czasie I wojny światowej uczyła się w Convent of the Holy Child w St Leonards-on-Sea, teraz dzięki perfekcyjnej znajomości angielskiego mogła utrzymywać się z lekcji i jeździć do uwięzionego syna. Dowiedziałem się, że po upadku Powstania zorganizowała wywiezienie z Warszawy (z pomocą Marii Tarnowskiej, która jako major AK brała udział w rozmowach kapitulacyjnych) licznego grona starszych pań arystokratek. Umiała odważnie działać w sytuacjach kryzysowych: po zakończeniu I wojny światowej pracowała w Polsce dla brytyjskich instytucji charytatywnych, w czasie plebiscytu na Górnym Śląsku była tłumaczką Międzynarodowej Komisji Plebiscytowej. W swoim środowisku uchodziła za emancypantkę. Maria Sapieżyna w tomie wspomnień *Moje życie, mój czas* (Wydawnictwo Literackie 2008) napisała o niej: „Była wzorem pod każdym względem: charakteru, obyczajów, elegancji, a przy tym ze wszystkich warszawskich pań najpiękniej tańczyła walca" – Andrzej zaś twierdził, że od czasu do czasu wzburzała towarzystwo starszych pań w Krakowie, wprowadzając modne tańce z Zachodu… Na to też trzeba było odwagi! Założycielka pierwszego w Polsce publicznego pola golfowego, wielokrotna mistrzyni Polski w golfie. A jednocześnie osoba wielkiej wiary: Dama Honorowa i Dewocyjna Zakonu Maltańskiego, Dama Wielkiego Krzyża Sprawiedliwości Zakonu św. Jerzego. Bardzo ciężko przeżywała uwięzienie ukochanego syna. Była samotna, pełna goryczy… Matka młodego człowieka oskarżonego o szpiegostwo – widziała, że nawet bliscy znajomi przechodzą na drugą stronę ulicy, by się z nią nie spotkać. Podtrzymywał ją spowiednik i doradca duchowy – ksiądz Karol Wojtyła.

Pomogłem pani Matyldzie w nawiązaniu kontaktu z mec. Jerzym Meringiem. Zostałem jej pełnomocnikiem do załatwiania w Warszawie spraw związanych z uwolnieniem Andrzeja. Wyszedł na wolność w pierwszych dniach lutego 1956 roku i z mieszkania matki (przy ul. Józefa Stalina 5) napisał list do ciężko wówczas chorego Meringa: „Trudno bez popadania w patos wyrazić na piśmie to wszystko, co chciałbym Panu powiedzieć – dlatego też ograniczę się do staropolskiego Bóg zapłać! A mam nadzieję, że wkrótce powróci Pan do zdrowia i że wtedy będę mógł zrealizować moją podróż do Warszawy, którą obecnie odkładam. Dlatego też korzystam z uprzejmości Władka, aby przesłać w załączeniu częściowe wyrównanie zobowiązań finansowych (…) Pozostaną zaś zobowiązania niematerialne, ale z tych chyba nie zdołam się nigdy uiścić".

Parę miesięcy potem w warszawskim kościele Wizytek Andrzej trzymał do chrztu mego syna – Władysława Teofila, zaś po latach, jako wzorowy ojciec chrzestny opiekował się nim, gdy młody Bartoszewski pracował nad doktoratem w Cambridge. Tu wypada przypomnieć, że w 1956 roku Andrzej został sekretarzem Oddziału Krakowskiego Państwowego Instytutu Sztuki i kustoszem Muzeum w Łańcucie. W 1958 roku wyjechał z Polski na stypendium British Council i Fundacji Forda. Obronił doktorat na uniwersytecie w Tybindze, potem tworzył najciekawsze w Londynie galerie sztuki. W wyniku usilnych starań Andrzeja – pani Matylda wyjechała w 1961 roku do Londynu. Wysyłała mi zaproszenia, na podstawie których mogłem wyjechać na Zachód. Odwiedzałem ją – zawsze pełen podziwu dla jej piękna, delikatności i uroku. Zmarła 6 września 1991 roku, została pochowana w Krypcie Maltańskiej kościoła w Mistrzejowicach pod Krakowem, ufundowanego przez syna. Byłem wtedy ambasadorem III Rzeczpospolitej w Wiedniu i dzieliłem te smutne wydarzenia tylko z oddali.

Andrzej Ciechanowiecki zyskał wielką sławę na rynku sztuki. Był współorganizatorem wielkich wystaw, takich np. jak „Zmierzch Medyceuszy", „Złoty wiek Neapolu", „Skarby polskich królów" czy „Kraj skrzydlatych jeźdźców". Znaczną część swego majątku przeznaczył na cele społeczne w Polsce i na Białorusi. Stworzona przezeń Fundacja im. Ciechanowieckich szczodrze obdarowała Zamek Królewski w Warszawie i Wawel, wyposażyła w dzieła sztuki ambasady Rzeczypospolitej w Londynie, Rzymie i Paryżu. Lista jego zasług jest bardzo długa... Nic więc dziwnego, że bardzo mnie satysfakcjonuje zasłużone wyróżnienie Andrzeja Ciechanowieckiego w III RP Orderem Orła Białego, najwyższym odznaczeniem Rzeczpospolitej Polskiej.

# INDEKS

## A

Abramowski Edward: 144
Albrecht Janusz płk.: 215
Anders Władysław gen.: 92, 93, 122, 128,
Archutowski Roman ks.:23, 24
Arczyński Marek Ferdynand: 56
Auderska Halina: 54
Augustyński Andrzej ks.: 141
Augustyński Jan: 136
Augustyński Jędrzej: 134
Augustyński Władysław: 136
Augustyński Zygmunt: 106, 108, 124, 130,
    134–136, 139, 141, 142, 146, 163, 172

## B

Bach-Zelewski Erich von dem: 66, 158
Baczak Waldemar: **162–167**, 168, 172, 174, 175
Bagiński Kazimierz: 6, 90, 92, 94, 103, 107,
    108, 124–129, 131, 132, 144, 151, 164, 202
Bajkowski Jan: 152
Banach Kazimierz: 129, 149, 150
Bańkowska Anna: 163, 164, 169
Bańkowska Danuta: 163, 164, 166, 169
Barszczewska Elżbieta: 10, 23
Bartel Kazimierz: 149
Bartoszewska Zofia: 74–78, 80, 85, 112, 114,
    116, 118, 120, 123
Bartoszewski Władysław Teofil syn: 73, 235
Bayer Witold: 129
Bazylewski Wiktor: 129
Beaupré Jadwiga: 65, 66, 229, 230
Bechi Stanisław (Stanislao) płk.: 34
Beck Józef: 201
Berezowski Cezary: 156
Berg Fiodor gen.: 34
Beria Ławrentij: 218
Berman Adolf: 43, 56, 74
Bieńkowski Witold: 27, 28, 210–212, 214
Bieńkowski Władysław: 60
Bierut Bolesław: 56, 90, 131, 141, 142, 144, 146

Błotnicki Stasnisław: 94, 97
Boczkowski Jerzy: 145
Bogucki Andrzej: 122
Bogusławski Aleksander: 108, 129
Bojko Jakub: 132
Borkiewicz Adam: 60
Borowy Wacław prof.: 33
Bortnowska Maria: 11, 18
Bortnowski Władysław gen.: 11
Borzobohaty Wojciech: 80
Bourbon-Siciles Antoni de książę: 231
Braun Jerzy: 155
Breżniew Leonid: 102, 113
Brun Henryk: 12
Bryja Wincenty: 104
Brystiger Julia: 169
Brzeziński Zbigniew: 113, 122
Brzozowski Wacław O.: 183
Buczek Karol: 129
Buczkowski Leopold: 96, 108
Buczkowski Stefan: 108
Bułhakow Michaił: 215
Bürck Franz: 42
Byrnes James F.: 108

## C

Carter James Earl: 113
Cavendish-Bentinck William: 172
Cergowski Lech: 201
Cergowski Sławomir: 201, 202
Chajn Leon: 74
Chałasiński Józef: 104
Chełmoński Józef: 33
Chmielewiczowa Irena: 174
Chodakowski: 78
Chojnacki Władysław: 44
Chomeini al-Musawi Ruhollah al-: 100
Chromecki Tadeusz: 153
Chrzanowski Wiesław: 69
Ciechanowiecka Matylda: **228–235**
Ciechanowiecki Andrzej: 220, 224, 228–235

Ciechanowiecki Jerzy: 228
Cieszkowski Stanisław: 145
Cisowska (Kondeja) Małgorzata: 137
Cisowski Jędrzej: 137
Cyceron: 46, 50, 52
Cyrankiewicz Józef: 90
Czaki Hanna: 50, 51
Czarnowski Eugeniusz: 34, 210
Czartoryska Ludwika: 228
Czartoryska Róża: 233
Czechowicz Andrzej: 69
Czernienko Konstantin: 102
Czerwiński Ludwig: 145
Czetwertyński Seweryn ks. 168
Czuma Andrzej: 113
Czuma Benedykt: 113
Czuma Łukasz: 113

**D**

Dallas George: 70
Daszyński Ignacy: 132
Dąbrowska Maria: 96
Dejmek Kazimierz: 215
Dębski Aleksander: 104
Dmowski Roman: 88
Dobraczyński Jan: 37
Dobroszycki Lucjan 44
Dobrowolski Adam: 47, 48, 54, 65, 229, 230
Drobner Bolesław dr: 132
Domańska Bogna: 27, 28, 73, 83
Dreżepolska Ewa mgr.: 49
Dubois Maciej: 198
Duchińska Alicja: 42
Dunin-Borkowski Sławomir: 60
Dunin-Wąsowicz Krzysztof: 43, 44
Dunin-Wąsowicz Władysław: 90
Durko Tadeusz: 43
Dybowski Jan: 16
Dybowski Konrad: **176–179**
Dybowski Władysław: **176–179**
Dymek Walenty bp: 56
Dziekoński Zdzisław: 115
Dzierżyński Andrzej: 233

**F**

Felczak Zygmunt: 56
Fieldorf August Emil gen.: 54, 216, 217, 218

Filarska Barbara – patrz Wąsikówna: 50
Ford Gerald Rudolph: 113
Foryś Stanisław O.: **180–183**
Franciszek Józef I: 48
Friszke Andrzej: 73

**G**

Garlicki Andrzej: 39, 40
Garliński Józef: 215
Giedroyć Jerzy: 61, 70, 110, 112, 129
Giełżyński Witold: 108, 124, 139, **140–146**
Giełżyński Wojciech: 140
Gierek Edward: 113
Gieysztor Aleksander: 42, 59, 214
Glemp Józef kard. 99
Godlewska Janina: 24
Godlewski Stefan: 24
Goldman Roman: 229
Gombrich Ernst: 160
Gomułka Władysław: 74
Göring Hermann Wilhelm: 172
Grabski Władysław: 24, 144
Graubau-Leśniewska Maria: 156
Gregorkiewicz Edward ks: 14
Grocholski Franciszek-Ksawery: 162, 165–167,
    **168–175**
Grocholski Remigiusz Adam płk.: 169, 170
Grodzka Madeleine: 228
Gross Stanisław: 217, 218
Grostern Stefan: 145
Grzybowski Zbigniew: 94
Grzymo-Dąbrowski Wiktor: 13

**H**

Hahn Ludwik: 45
Haller Józef gen.: 176
Hammer Seweryn: 52
Hammer-Baczewski Józef: 208
Handelsman Marcel prof.: 41, 210, 211
Hausman Paulina (Rudnicka Zofia): 43, 194
Hausner Gideon: 223
Hempel Hieronim: 144
Hempel Zygmunt: 89
Hennelowa Józefa: 84
Herbański Adam: 14
Herling-Grudziński Gustaw: 80
Herman Franciszek gen.: 232

Hlond August kard.: 56
Hniedziewicz Piotr: 88
Hoffman Andrzej: 145
Horak Alojzy płk.: 42
Hryckowian Jan ppłk.: 178

## I

Ingarden Roman: 230
Iranek-Osmecki Kazimierz: 66
Iwaszkiewicz Jarosław: 96

## J

Jabłoński Henryk: 41, 43, 45, 116
Jagodziński Zdzisław: 80
Jamontt Helena: 212
Jamontt Władysław: 211, 212, 214
Janiczek Jan: 26
Janiczek Zofia: 26
Jan Paweł II (Karol Wojtyła): 52, 100, 182, 234
Jankowski Paweł: 144
Jankowski Stanisław Jan: 98, 132
Jarocki Robert: 214
Jaruzelski Wojciech: 99, 116
Jasienica Paweł: 230
Jungerwirt Henryk: 219
Junosza-Stępowski Kazimierz: 10

## K

Kaczorowska Blanka: 208
Kalicki Witold: 162, 165–168, 172, 175
Kalkstein Ludwik: 208, 215
Kamińska Ida: 224
Kamiński Aleksander: 44, 49, 50, 53
Kamiński Stefan: 35, 192
Kaniewicz Jerzy: 79
Kapitaniak Zygmunt: 34, 48, 214
Karski Jan: 161
Karsov Nina: 190, 198
Kauzik Stanisław: 55, 89
Kermisz Józef dr.: 67
Kiedrzyńska Wanda: 43, 44, 214
Kielanowski Jan prof.: 83
Kierzkowski Kazimierz: 73
Kijowski Andrzej: 161
Kindlein Lucjan: 70, 77, 79
Kindlein Zula: 77

Kirschke Tadeusz ks.: 67, 79
Kisielewski Stefan: 66, 96
Klimowicz Andrzej: 21
Kliszka Zenon: 96
Klukowski Józef: 23
Knoll Roman: 150, 153, 155, 156, 158
Kobielski Dobrosław: 94, 96
Koc Adam płk: 64
Koc Aleksander: 108
Kołakowski Miron: 188
Komorowski Bronisław: 80, 82, 84
Koniew Iwan: 100
Konopacki Władysław: 108
Konopka Stanisław płk. 33
Korbońska Zofia: 98, 104, 110–123
Korboński Stefan: 6, 56, 78, 92, 94, **98–123**, 125, 127, 164, 202, 204
Korbut Daniel: 88
Korfanty Wojciech: 138
Kosiorek Krystyna: 165–168, 172, 175
Kossakowski Eustachy: 94
Kossak Zofia: 26, 35, 36
Kowalczyk Ryszard: 113
Kowalczyk Jerzy: 113
Kozakiewicz Mikołaj: 84
Kozicki Stanisław: 152
Koziejówna Maria: 163
Kozłowski Krzysztof: 84
Koźniewski Kazimierz: 17, 88
Koźniewski Wacław: 18
Krahelska Halina: 42, 210, 211
Kronenberg Leopold Jan: 157
Kronenberg Wanda: 159, 160
Kronenberg Wojciech Leopold: 159
Krzaklewski Marian: 122
Krzeczunowicz Andrzej: 79
Krzyżanowska Olga: 84
Krzyżanowski Julian prof.: 33
Kula Witold: 59
Kuligowska Anna: 64, 65
Kumaniecka Janina: 49, 51, 56, 57
Kumaniecki Jerzy: 51, 57, 83
Kumaniecki Kazimierz Feliks: **46–57**, 61, 83, 163, 169, 196
Kumaniecki Kazimierz Władysław prof.: 46, 50, 190
Kummant Leopold: 69

Kunert Andrzej Krzysztof: 78, 84
Kuroniowa Danuta: 50
Kuropieska Józef gen.: 232
Kusociński Janusz: 12, 23
Kwasiborski Józef: 56
Kwieciński Wincenty ppłk. 106
Kwilecka Maria (z Karskich): 228

## L

Latoszyńska (Ziółkowska) Hanna: 137
Latoszyńska Bożena: 137
Latoszyńska Joanna: 137
Latoszyński Jerzy: 137
Laval Pierre: 88
Lechnicka-Affeltowicz Teresa: 73, 74
Lechowicz Włodzimierz: 48
Lem Stanisław: 196
Lenartowicz Teofil: 34
Leopolita Wojciech: 199
Lerski Jerzy prof.: 70, 116, 156, 161
Leśniewska Wanda: 40
Leśniewski Andrzej: **124–161**, 164
Leśniewski Wiktor: 149
Lewinówna Zofia: 96
Liński Henryk: 145
Lipiński Franciszek:42
Lipski Jan Józef: 69, 160, 161
Lis-Olszewski Witold: 69, **190–199**
Lutosławski Wincenty: 24

## Ł

Łaszowski Alfred: 155
Łopuszańska Halina: 14
Ługowski Andrzej: 88

## M

Madajczyk Czesław prof.: 202
Makowiecka Zofia: 210–211
Makowiecki Jerzy inż. arch.: 27, 207, 208, 210, 212, 214
Malewska Hanna: 23
Malewski Jerzy: 80
Malicka Maria: 10, 17, 19
Manteuffel Tadeusz: 44, 144, 214
Mart Władysław: 143
Maurois André: 33
Mazowiecki Tadeusz: 82, 99, 118, 160

Meissinger Josef: 172
Melman Marian: 224
Mering Jerzy mec.: 30, **216–227**, 232, 234
Michałowska Zofia: 122
Michałowski Czesław: 64
Michałowski Kazimierz: 54, 55, 57
Michnik Adam: 80
Mickiewicz Adam: 86, 87, 93
Mieczysławska Aniela: 115, 233
Mierzwa Stanisław: 129
Mikołajczyk Stanisław: 30, 56, 59, 90, 92, 103, 108, 109, 110, 125, 131, 132, 149, 150, 159
Mikułowski Tadeusz: 21, 23, 24, 27, 28
Miller Leszek: 85
Miłosz Czesław: 141
Minkiewicz Władysław: 153, 192
Moczar Mieczysław gen.: 66
Moczarski Kazimierz: 43, 47, 48, 202, 204, 208, 210, 211, 214
Moraczewski Jędrzej: 41
Morawski-Osóbka Edward: 28, 41, 90, 132
Mossor Stefan gen.: 232
Mountbatten-Windsor Andrzej: 98
Mroczyk Piotr: 80
Mrozowicki Józef: 12
Mrożek Sławomir: 87
Mróz dr: 220, 232
Muszyńska Wanda: 92

## N

Najder Zdzisław: 73, 114, 160, 161
Nałkowska Zofia: 240
Narbutt Jerzy: 96
Niedenthal Władysław: 214
Niedziałkowski Mieczysław: 12, 16
Niepokólczycki Franciszek: 106
Niesołowski Stefan: 111
Niewiarowicz Roman: 213
Nowacki Janusz: 19
Nowak-Jeziorański Jan: 60, 67, 70, 72, 74, 77, 79, 81, 108, 110, 112, 122
Nowakowska-Boryta Jadwiga: **8–19**
Nowakowski Tadeusz: 69

## O

Okulicki Leopold gen.: 49, 54, 122, 132
Olędzka-Frybesowa Aleksandra: 96

Olszewski Jan: 161
Ołtarzewska Halina: 11, 17
Osóbka-Morawski: 28, 41, 90, 132
Osterwin Tilia: 67
Ostrowska Joanna żona: 48, 59, 62, 63
Ostrowska Jolanta córka: 48, 82
Ostrowski Kazimierz: 47, 48, 59, 61–63, 65, 69, 84, 229

**P**

Pajewski Janusz: 153
Pankiewicz Michał: 56
Papiewska Wanda: 144
Parandowski Jan: 23, 57, 230
Pasławski Michał: 191
Paulińska Fabiola: 83
Perykles: 55
Petrażycki Leon: 149
Piasecki Bolesław: 28, 37, 214
Piekarska Halina: 211
Pieracki Bornisław: 200, 202
Pigoń Stanisław prof. 87
Pilichowski Czesław: 45
Piłsudski Józef: 9, 60, 63, 64, 88, 116, 150, 170, 171
Pluta-Czachowski Kazimierz: 74
Płoska Ewa: 40, 42
Płoska Zofia: 40
Płoski Stanisław: 11, **38–45**, 59, 214
Podedworny Bolesław: 99
Pohoski Jan: 14
Pomian Andrzej: 64, 70
Pomorska-Ostrowska Alicja: 88
Popiel Karol: 56
Popławski Andrzej: 210, 211
Poręba Bohdan: 96
Potocki Maurycy: 168, 170, 172
Prauss Ksawery: 41
Prauss Zofia: 41
Próchnik Adam: 40, 42
Prus Bolesław: 23, 24
Przewóska-Sygowa Halina: 88, 89
Putek Józef: 131
Pużak Kazimierz: 104

**R**

Rabanowski Jan: 90
Raczyńska Wirydianna: 233

Raczyński Edward: 72, 73, 78, 113–117, 233
Raczyński Karol Kajetan O.: **184–189**
Ranke Leopold von: 160
Rataj Maciej: 12, 104
Ratajski Cyryl: 99, 104
Ratowa Hanna: 79
Reagan Ronald: 114
Rek Tadeusz: 56, 90, 104, 106
Rodziewiczówna Maria: 163
Rokita Jan: 84
Rokossowski Konstanty: 177, 178
Rola-Żymierski Michał: 90, 166
Rolke Tadeusz: 94
Romanowski Jan: 122
Rostańska Nina: 10
Rościszewski Andrzej: 198
Rowecki Stefan gen.: 42, 58, 72, 99, 104, 196, 208, 215
Różański Józef: 159, 178
Rudnicka Zofia: 43
Russell Bertrand: 198
Ruth-Buczkowski Marian: 53, 54, 108,
Rutkowski Leopold: 103
Rybarski Roman prof.: 150
Rybicki Józef ppłk. 106
Ryś Stefan: 208
Rzepecki Jan płk. dypl.: 44, 59, 106

**S**

Sabbat Kazimierz: 116
Sacharow Andriej: 99, 100
Sadzewicz Marek: 94
Sałaciński Bohdan: 70
Sanoja Antoni płk. 106
Sapieha Adam Stefan abp: 52, 67
Sapieha Paweł płk.: 67
Sapieżyna Maria: 234
Sawan-Nowakowski Zbigniew: 8, 10, 12, 17, 18, 19
Siedliska Franciszka: 185
Sienkiewicz Jerzy: 186
Sierow Iwan gen.: 27, 28
Sierpiński Wacław prof.: 83
Sikorski Władysław gen.: 53, 64, 89, 93, 155, 158
Siła-Nowicki Władysław: 69, 196, 199
Siwak Albin: 96

Skalnik Kurt: 66, 67, 72
Skalski inż.: 217
Skarżyńska Hanna: 160
Skierski Kazimierz Zenon: **32–37**
Skrzyński Aleksander: 144
Słanina Leon: 191
Słonimski Antoni: 66
Słowacki Juliusz: 85
Sokołowski Tadeusz: 33
Solski Ludwik: 10, 145
Sonnenfeldt Helmut: 112
Sosnkowski Kazimierz gen.: 128
Sosnowski Witold: 169
Sosnowska Halina: 141, 164
Srocki Bolesław: 53
Starmacha Karol: 127
Stemler Franciszek: 22, 24, 26–28, 30–31, 48, 192, 224
Stemler Józef syn: 26
Stemler Józef: **20–31**
Stemler Aleksandra córka: 23, 24, 31
Stemler Ryszarda (córka): 23, 24, 28, 31
Stemler Wiktoria: 23, 24, 31
Stemler Renata: 28, 30
St Oswald Rowland Winn lord: 233
Strumph-Wojtkiewicz Stanisław: 93
Struszkiewicz Katarzyna: 54
Studentowicz Kazimierz: 56, 96, 97, 155
Studzińska Jadwiga: 153
Stypułkowska Aleksandra: 112
Stypułkowski Zbigniew: 132
Svehla Antonin: 127
Syga Teofil: **86–97**
Sym Igo: 11
Szaflikowski Franciszek: 88
Szczepański Józef Jan: 52
Szczupak Mecenas: 225
Szczurek-Cergowski Jan płk.: 201
Szczypińska Hanna: 96
Szechter Szymon: 190, 196, 198
Szeląg Tadeusz: 129
Szenic Stanisław: 86, 87
Szrojt Eugeniusz: 43
Szulczewski Cezary: 79
Szymanowska Maria: 86, 87
Szymanowski Antoni: 59
Szymańska Irena: 21, 57

Szymańska Janina: 57
Szymański Mikołaj: 57
Szymański W.: 26
Szymański Zygmunt: 57
Szymczak Magorzata: 14

**Ś**

Ślaski: 84
Śmigły-Rydz Edward: 64
Światło Józef płk.: 218, 230
Świątek Eugenia żona: 205
Świątek Ewa córka: 205
Świątek Feliks: **200–205**
Świątek Tadeusz Władysław: 204, 205
Świerczewski Eugeniusz:208, 215
Świerkowski Ksawery: 42

**T**

Tarnowska Maria: 234
Tatar Stanisław gen.: 216, 232
Tatarkiewicz Władysław: 230
Terlecki Władysław: 96
Thugutt Stanisław: 144
Tokarz Wacław: 41
Tołbuchin Fiodor: 100
Trościanko Wiktor: 60, 69
Truchanowski Kazimierz: 96
Trzaska Władysław: 54
Turowicz Jerzy: 35
Tuwim Julian: 43
Tymiński Władysław: 82
Tyrmand Leopold: 23
Tyszka Genowefa: 36, 37
Tyszka Tadeusz: 36

**U**

Urbanowicz Aniela: 96
Utnik Marian płk.: 232

**W**

Wacek Szczepan major dr: 220, 232
Wajsówna Jadwiga: 23
Walasiewiczówna Stanisława: 23
Walicki Michał: 144, 150
Wałęsa Lech: 99, 102
Wąsikówna (Filarska) Barbara: 50
Weffels Ernest: 42

Weizsäcker Richard von: 119
Werner Paul: 174
Weygand Maxime gen.: 233
Węgrzyniak Tadeusz: 129
Widerszal Ludwik: 210, 212, 214
Widy-Wirski Feliks: 56
Wieczorkiewicz Antoni: 144, 150
Wierzejska Zofia: 19
Winiarska Lalka: 88
Winniczuk Lidia: 54
Witkowski Łukasz: 92
Witos Wincenty: 90, 91, 132
Wittig Edward: 9
Wojciechowski Stanisław: 24
Wojnar-Byczyński Stanisław: 12
Wojtyński Jan: 125
Wollen Franciszek van: 52
Wollen Maria van: 52
Wójcik Stanisław: 151
Wójcikiewicz: 220
Wycech Czesław: 108
Wycech Stanisław: 108
Wyrzykowski Tadeusz mgr: 129
Wysłouch Bolesław: 136
Wysznacki Leszek: 96, 97

## Z

Zagrobski Oktawian: 144
Zajączkowski Ananiasz: 57
Zakrzewska Halina „Beda": 16, 208, 215
Zakrzewski Bernard: 196, **206–215**
Zakulski Jerzy: 176

Zaleski August: 201
Zalman Szazar: 225
Zamoyska Elżbieta: 233
Zamoyski Stefan: 233
Zaorski Jan: 26
Zarańska Joanna córka: 161
Zarańska Katarzyna córka: 160, 161
Zarański Jan: 124, 142, 146, 150, 152, **154–161**, 164
Zarański Józef: 150, 159
Zaryan Aga (ps. artystyczny): 161
Zatopek Emil: 192
Zawadzka Wacława „Zoja": 16, 17
Zawadzki Tadeusz: 7, 58, 66, 67, 79
Zawieyski Jerzy: 66, 96
Zbiegniewska Izabella: 34, 35
Zdrada Jerzy: 82
Zelwerowicz Aleksander: 10
Zieja Jan ks.: 37, 141, 170

## Ż

Żabczyński Aleksander: 10.
Żenczykowska Daromiła: 6, **59–85**
Żenczykowski Tadeusz: 6, 44, 50, **58–85**, 89
Żeromski Stefan: 144
Żmichowska Narcyza: 34
Żółkiewski Stefan dr: 215
Żukow Gieorgij: 100
Żukowski Feliks: 15
Żuławski Zygmunt: 131
Żynda Franciszek: 192

# WYKAZ ŹRÓDEŁ

Agencja Prasowa PAP: 13, 165 dół, 167 dół, 175 góra i dół, 179 góra i dół
Archiwum Andrzeja Ciechanowieckiego: 228, 231, 233 góra, 234 dół
Archiwum Anny Zarańskiej: 154, 157
Archiwum Fundacji Stefana Korbońskiego: 115 dół, 121
Archiwum Instytutu Pamięci Narodowej: 86, 119 dół, 216
Archiwum Ks. Prof. Janusza Zbudniewka: 187
Archiwum Mikołaja Szymańskiego: 51 dół
Archiwum Ojców Paulinów: 184
Archiwum Pawła Rzepeckiego: 168
Archiwum PWN: 20, 46, 91, 98, 126, 133
Archiwum rodzinne Augustyńskich: 130, 135, 137, 139 góra i dół
Archiwum rodzinne Leśniewskich: 148, 153 góra i dół
Archiwum rodzinne. Dzięki uprzejmości rodziny Gutowskich i Jarońskich: 162, 165 góra, 167 góra
Archiwum Tadeusza W. Świątka: 200, 203, 205
Archiwum Władysława Bartoszewskiego: 25, 29, 51 góra, 75, 77 góra i dół, 81 dół, 101, 105, 111, 115 góra, 119 góra, 124, 147, 151 góra i dół, 221 góra i dół, 223 góra i dół, 227
Archiwum Zofii Romaszewskiej: 38
Getty Images / Flash Press Media: 195
Katolicki Uniwersytet Lubelski Jana Pawła II: 183 dół
Narodowe Archiwum Cyfrowe: 8, 15, 19, 32, 58, 79 góra i dół, 140, 143, 145 góra i dół, 171, 173, 190, 193, 197 góra i dół, 206
Redakcja tygodnika „Stolica": 95, 209, 213
Zakład Narodowy im. Ossolińskich: 68, 71, 81 góra
Zgromadzenie Ducha Świętego: 180, 183 góra

Wydawnictwo PWN serdecznie dziękuje rodzinom i bliskim osób upamiętnionych w książce oraz Fundacji Stefana Korbońskiego za życzliwość, współpracę i nieodpłatne udostępnienie fotografii.

# Spis treści

Wstęp . . . . . . . . . . . . . . . . . . . . 5
Jaga Boryta . . . . . . . . . . . . . . . . . 8
Stemlerowie . . . . . . . . . . . . . . . . .20
Kazimierz Zenon Skierski . . . . . . . . . . .32
Stanisław Płoski . . . . . . . . . . . . . . .38
Kazimierz Kumaniecki . . . . . . . . . . . .46
Daromiła i Tadeusz Żenczykowscy . . . . . . .58
Teofil Bernard Syga . . . . . . . . . . . . .86
Stefan Korboński . . . . . . . . . . . . . .98
W kręgu „Gazety Ludowej" . . . . . . . . . 124
Waldemar Baczak . . . . . . . . . . . . . 162
Ksawery Grocholski . . . . . . . . . . . . 168
Władysław i Konrad Dybowscy . . . . . . . 176
O. Stanisław Foryś . . . . . . . . . . . . . 180
O. Karol Kajetan Raczyński . . . . . . . . . 184
Witold Lis-Olszewski . . . . . . . . . . . . 190
Feliks Świątek . . . . . . . . . . . . . . . 200
Bernard Zakrzewski „Oskar" . . . . . . . . . 206
Jerzy Mering . . . . . . . . . . . . . . . . 216
Matylda Ciechanowiecka . . . . . . . . . . 228
Indeks . . . . . . . . . . . . . . . . . . . 236
Wykaz źródeł . . . . . . . . . . . . . . . . 243